Über Gewaltfreie Kommunikation

Gewaltfreie Kommunikation (GFK) ist eine Art des Umgangs miteinander, die den Kommunikationsfluß erleichtert, der im Austausch von Informationen und im friedlichen Lösen von Konflikten notwendig ist. Der Fokus liegt dabei auf Werten und Bedürfnissen, die alle Menschen gemeinsam haben, und wir werden zu einem Sprachgebrauch angeregt, der Wohlwollen verstärkt. Ein Sprachgebrauch, der zu Ablehnung oder Abwertung führt, wird vermieden.

Gewaltfreie Kommunikation geht davon aus, daß der befriedigendste Grund zu handeln darin liegt, das *Leben zu bereichern* und nicht aus Angst, Schuld oder Scham etwas zu tun. Besondere Bedeutung kommen der Übernahme von Verantwortung für getroffene Entscheidungen zu sowie der Verbesserung der Beziehungsqualität als vorrangigem Ziel.

Durch die Gewaltfreie Kommunikation werden Sie verstehen, daß ...
- alles, was ein Mensch jemals tut, ein Versuch ist, Bedürfnisse zu erfüllen;
- es für alle Beteiligten förderlicher ist, Bedürfnisse durch Kooperation statt durch Konkurrenz zu erfüllen;
- es Menschen von ihrer Natur her Freude bereitet, zum Wohlergehen anderer beizutragen, wenn sie das freiwillig tun können.

Die Gewaltfreie Kommunikation bietet Ihnen die Gelegenheit ...
- Verbindungen mit anderen Menschen zu schaffen, die für Sie befriedigender sind;
- Ihre Bedürfnisse auf eine Weise zu erfüllen, die Ihren Werten und denen anderer gerecht wird;
- vergangene Erfahrungen und Beziehungen, die schmerzvoll oder erfolglos waren, zu heilen.

Die Fähigkeiten der Gewaltfreien Kommunikation werden Sie dabei unterstützen ...
- Schuldgefühle, Scham, Angst und Depression aufzulösen;
- Ärger und Frustration umzuwandeln in den Aufbau von Partnerschaften und Kooperationen;
- Lösungen zu finden, die auf gegenseitiger Rücksichtnahme, Respekt und Konsens basieren;
- Bedürfnisse so zu erfüllen, daß sie bereichernd wirken, sei es im persönlichen Leben, in der Familie, der Schule, der Nachbarschaft und in der Gesellschaft.

Weitere Informationen über das Center for Nonviolent Communication in USA und die Gewaltfreie Kommunikation finden Sie auf den Internetseiten www.CNVC.org und www.NoviolentCommunication.com.
Informationen über die Gewaltfreie Kommunikation im deutschsprachigen Raum finden Sie unter www.gewaltfrei.de und auf Seite 222 in diesem Buch.

Ausführliche Informationen zu jedem unserer lieferbaren und geplanten Bücher finden Sie im Internet unter www.junfermann.de. Dort können Sie auch unseren kostenlosen Mail-Newsletter abonnieren und sicherstellen, dass Sie alles Wissenswerte über das JUNFERMANN-Programm regelmäßig und aktuell erfahren.

Besuchen Sie auch unsere e-Publishing-Plattform www.active-books.de.

Marshall B. Rosenberg

Gewaltfreie Kommunikation

Eine Sprache des Lebens

Gestalten Sie Ihr Leben, Ihre Beziehungen und Ihre Welt in Übereinstimmung mit Ihren Werten

Mit Vorworten von
Arun Gandhi & Vera F. Birkenbihl
Aus dem Amerikanischen von Ingrid Holler

Junfermann Verlag · Paderborn
2010

Copyright © der deutschen Ausgabe: Junfermannsche Verlagsbuchhandlung, Paderborn 2001
2. Auflage 2002
3. korrigierte Auflage Mai 2002
4. Auflage 2003
5. Überarbeitete und erweiterte Auflage 2004
6. Auflage 2005
7. Auflage 2007
8. Auflage 2009
9. Auflage 2010

Translated from the book Nonviolent Communication: A Language of Life 2nd Edition (1-892005-03-4) by Marshall B. Rosenberg, Copyright: © 2003 PuddleDancer Press. All rights reserved. Used with permission. For further information about Nonviolent Communication^{sm} please visit the Center for Nonviolent Communication on the Web at: www.cnvc.org.

Übersetzung aus dem Amerikanischen: Ingrid Holler
Covergestaltung: Heike Carstensen

Alle Rechte vorbehalten.
Das Werk einschließlich aller seiner Teile ist urheberrechtlich geschützt. Jede Verwendung außerhalb der engen Grenzen des Urheberrechtsgesetzes ist ohne Zustimmung des Verlages unzulässig und strafbar. Dies gilt insbesondere für Vervielfältigungen, Übersetzungen, Mikroverfilmungen und die Einspeicherung und Verarbeitung in elektronischen Systemen.

Satz: JUNFERMANN Druck & Service, Paderborn
Druck: Media-Print Paderborn

Bibliografische Information der Deutschen Bibliothek

Die Deutsche Bibliothek verzeichnet diese Publikation in der Deutschen Nationalbibliografie; detaillierte bibliografische Daten sind im Internet über http://dnb.ddb.de abrufbar.

ISBN 978-387387-454-1

Inhalt

Vorwort von A. Gandhi 9
Vorwort von Vera F. Birkenbihl 13
Einführung von Friedrich Glasl 15
Dank 17

**1 Von Herzen geben:
Das Herz der Gewaltfreien Kommunikation** 19
   Einleitung 21
   Wie wir unsere Aufmerksamkeit fokussieren können 22
   Der Prozeß der Gewaltfreien Kommunikation 25
   Wie wir die Gewaltfreie Kommunikation in unserem Leben
   und in unserer Umgebung anwenden können 27

   Gewaltfreie Kommunikation in der Praxis:
   „Mörder, Attentäter, Kinderkiller!" 30

2 Wie Kommunikation Einfühlungsvermögen blockiert . . 33
   Moralische Urteile 35
   Vergleiche anstellen 37
   Verantwortung leugnen 38
   Andere Formen lebensentfremdender Kommunikation 41

3 Beobachten ohne zu bewerten 43
   Die höchste Form menschlicher Intelligenz 48
   Beobachtungen von Bewertungen unterscheiden 50

   Gewaltfreie Kommunikation in der Praxis:
   „Der arroganteste Redner, den wir je hatten!" 52
   Übung 1: Beobachtung oder Bewertung? 53

4 Gefühle wahrnehmen und ausdrücken 55
   Unterdrückte Gefühle kommen teuer zu stehen 57
   Gefühle im Gegensatz zu „Nicht"-Gefühlen 60
   Wie wir uns einen Gefühlewortschatz aufbauen............. 62
   Übung 2: Gefühle ausdrücken 64

5 Verantwortung für unsere Gefühle übernehmen 67
   Eine negative Äußerung und vier Reaktionsmöglichkeiten 69
   Die Bedürfnisse an den Wurzeln unserer Gefühle............. 73
   Der Schmerz, den wir fühlen, wenn wir unsere
   Bedürfnisse ausdrücken, im Gegensatz zu dem Schmerz,
   den wir beim Unterdrücken unserer Bedürfnisse fühlen 76
   Von emotionaler Sklaverei zu emotionaler Befreiung.......... 78

   Gewaltfreie Kommunikation in der Praxis:
   „Unehelichkeit muß wieder als beschämend gelten"............. 81
   Übung 3: Bedürfnisse erkennen und akzeptieren 84

6 Um das bitten, was unser Leben bereichert......... 87
   Positive Handlungssprache benutzen 89
   Bitten bewußt formulieren 93
   Um Wiedergabe bitten 95
   Um Offenheit bitten............. 96
   Bitten an eine Gruppe richten............. 97
   Bitten kontra Forderungen 99
   Mit welchem Ziel äußern wir eine Bitte? 102

   Gewaltfreie Kommunikation in der Praxis: Mit dem besten
   Freund die Sorge darüber teilen, daß er Raucher ist......... 106
   Übung 4: Bitten aussprechen 108

7 Empathisch aufnehmen............. 111
   Präsenz: Tu nicht irgend etwas, sei einfach da............. 113
   Auf Gefühle und Bedürfnisse hören............. 115
   Paraphrasieren – Mit eigenen Worten wiedergeben............. 118
   Empathie vertiefen 123
   Wenn Schmerz unsere Empathiefähigkeit blockiert............. 124

   Gewaltfreie Kommunikation in der Praxis: Eine Frau geht
   in intensiven Kontakt mit ihrem sterbenden Mann............. 126
   Übung 5: Die empathische Reaktion von der
   nicht-empathischen Reaktion unterscheiden 128

8 Die Macht der Empathie 131
  Empathie, die heilt 133
  Empathie und die Fähigkeit, verletzlich zu sein 135
  Wie Empathie Gefahrensituationen entschärft 136
  Ein „Nein" empathisch hören 139
  Mit Empathie ein leerlaufendes Gespräch wiederbeleben 140
  Empathie für Stille. 142

9 Einen einfühlsamen Kontakt mit uns selbst aufbauen . . . 147
  Erinnern wir uns wieder an unsere Einzigartigkeit. 149
  Wie bewerten wir uns selbst, wenn wir nicht ganz perfekt sind? . 150
  Selbstkritik und innere Forderungen übersetzen 151
  Trauern in der GFK. 152
  Uns selbst verzeihen 153
  Was ich vom gesprenkelten Anzug gelernt habe 153
  „Tue nichts, was du nicht aus spielerischer Freude heraus tust!" . . 155

10 Ärger vollständig ausdrücken 161
  Den Auslöser von der Ursache unterscheiden. 163
  Ärger hat immer einen lebensbejahenden Kern 165
  Auslöser kontra Ursache: Praktische Auswirkungen. 167
  Vier Schritte, um Ärger auszudrücken 170
  Zuerst Empathie anbieten 171
  Wir nehmen uns Zeit. 173
  *Gewaltfreie Kommunikation in der Praxis: Ein Streitgespräch
  zwischen einem Vater und seinem heranwachsenden Sohn* 175

11 Die beschützende Anwendung von Macht 179
  Wenn die Anwendung von Macht unumgänglich ist. 181
  Die Einstellung hinter der Machtanwendung 181
  Verschiedene Arten bestrafender Macht 182
  Strafen haben ihren Preis. 183
  Zwei Fragen, die deutlich machen: Strafen haben ihre Grenzen . . 184
  Die beschützende Ausübung von Macht in Schulen 185

12 Uns selbst befreien und andere unterstützen... 189
Sich von alten Mustern befreien... 191
Innere Konflikte lösen... 191
In unserer inneren Welt gut für uns sorgen... 193
Diagnosen durch Gewaltfreie Kommunikation ersetzen... 194

Gewaltfreie Kommunikation in der Praxis:
Alter Groll und negative Urteile über sich selbst... 198

13 Wertschätzung und Anerkennung ausdrücken in Gewaltfreier Kommunikation... 201
Die Absicht hinter der Anerkennung... 203
Die drei Bestandteile der Wertschätzung... 204
Wertschätzung annehmen... 205
Der Hunger nach Anerkennung... 207
Die Abwehr überwinden, Anerkennung auszusprechen... 208

Anhang
Epilog... 211
Wie Sie den Prozeß der Gewaltfreien Kommunikation
einsetzen können... 213
Literatur... 214
Einige grundlegende Gefühle, die wir alle haben... 216
Informationen über GFK... 218
Über den Autor... 221
Informationen über zertifizierte GFK-Trainer/innen... 222
Kommentare zur Gewaltfreien Kommunikation:... 229

Personen- und Sachwortregister... 234

Vorwort zur amerikanischen Neuauflage

Als Farbiger in den 40er Jahren im Südafrika der Apartheid aufzuwachsen, war nicht gerade das, was man sich am meisten wünscht, denn es verging täglich kaum ein Augenblick, in dem man nicht an die eigene Hautfarbe erinnert wurde. Darüber hinaus ist es eine demütigende Erfahrung, wenn man im Alter von zehn Jahren erst von weißen Jugendlichen verprügelt wird, weil sie einen für zu schwarz halten, und dann von schwarzen Jugendlichen, weil sie einen für zu weiß halten: Das kann jeden in rachsüchtige Gewalttätigkeit treiben.

Diese Erlebnisse brachten mich so in Rage, daß meine Eltern beschlossen, mich nach Indien zu schicken und mich bei meinem Großvater, dem legendären Mahatma Gandhi zu lassen, damit ich von ihm lerne, wie ich mit dem Ärger, der Frustration, der Diskriminierung und der Demütigung umgehen kann, die gewalttätige Rassenvorurteile in einem Menschen heraufbeschwören können. Während dieser 18 Monate lernte ich mehr, als ich mir jemals hätte vorstellen können. Heute bedaure ich nur, daß ich erst 13 Jahre alt und ein mittelmäßiger Schüler in diesem Fach war. Wäre ich doch nur etwas älter, etwas klüger und etwas aufmerksamer gewesen, dann hätte ich so viel mehr lernen können. Aber man muß zufrieden sein mit dem, was man hat, und keinen Neid aufkommen lassen – eine grundlegende Lektion im gewaltlosen Leben. Wie kann ich das vergessen?

Unter vielen Dingen lernte ich von meinem Großvater, die Gewaltlosigkeit in ihre Tiefe und Breite zu verstehen und anzuerkennen, daß wir alle gewalttätig sind und dass es darum geht, unsere Einstellungen grundlegend zu ändern. Wir sehen unsere eigene Gewalttätigkeit oft nicht, weil wir sie ignorieren. Wir halten uns nicht für gewalttätig, weil wir uns unter Gewalt einen Kampf, einen Mord, eine Schlägerei und Kriege vorstellen – alles Dinge, die „normale" Menschen „normalerweise" nicht tun.

Mein Großvater ließ mich einen Stammbaum der Gewalttätigkeit zeichnen, der genauso wie ein Familien-Stammbaum aufgebaut war. Sein Argument dafür war, daß ich zu einer besseren Wertschätzung der Gewaltlosigkeit kommen könnte, wenn ich die Gewalt, die in der Welt existiert, wahrnehme und verstehe. Jeden Abend half er mir, die Geschehnisse des Tages zu analysieren – alles, was ich erlebt oder gelesen hatte, was ich gesehen oder anderen angetan hatte. Das wurde dann in den Baum eingetragen, entweder unter „körperlich" (wenn es sich um körperliche Gewalt handelte) oder unter „passiv" (wenn es eher eine emotionale Verletzung war).

Innerhalb weniger Monate war eine Wand in meinem Zimmer bedeckt mit Handlungen von „passiver" Gewalt, die mein Großvater als heimtückischer erachtete als „körperliche" Gewalt. Er erklärte dann, daß passive Gewalt letztendlich Ärger im Opfer erzeugt, das daraufhin gewalttätig reagiert, sei es als Individuum oder in einer Gruppe. Mit anderen Worten: Es ist die passive Gewalt, die Öl in das Feuer der körperlichen Gewalt gießt. Weil wir diesen Zusammenhang nicht verstehen oder ihn nicht anerkennen, tragen alle unsere Friedensbemühungen entweder keine Früchte, oder sie sind von kurzer Dauer. Wie können wir ein Feuer löschen, wenn wir nicht zuerst die Ölleitung kappen, die das Inferno entzündet?

Großvater betonte immer lautstark, wie wichtig es ist, gewaltfrei zu kommunizieren – das verwirklicht Marshall Rosenberg seit vielen Jahren auf bewundernswerte Weise in seinen Schriften und in seinen Seminaren. Mit großem Interesse habe ich Mr. Rosenbergs Buch *Gewaltfreie Kommunikation – Eine Sprache des Lebens* gelesen, und ich bin beeindruckt von der Tiefe seiner Arbeit und von der Einfachheit seiner Lösungswege.

Gewaltlosigkeit ist keine Strategie, die man heute anwendet und morgen wieder fallen läßt, und sie ist auch nichts, das einen klein oder schwach macht. In der Gewaltlosigkeit geht es darum, negative Einstellungen, die uns beherrschen, in positive Einstellungen umzuwandeln. Alles, was wir tun, geschieht aus selbstsüchtigen Motiven heraus, so sind wir konditioniert. „Was springt für mich dabei heraus?" – das wird in einer überwältigend materialistisch orientierten Gesellschaft gefördert, die sich den verbissenen Individualismus auf die Fahnen geschrieben hat. Keine dieser negativen Vorstellungen ist für den Aufbau einer homogenen Familie, Gemeinde, Gesellschaft oder Nation nützlich.

Es kommt nicht darauf an, daß wir in Krisen zusammenstehen und unseren Patriotismus mit dem Hissen einer Flagge zum Ausdruck bringen; es reicht nicht, eine Supermacht zu werden, die sich ein Waffenarsenal anlegt, mit dem diese Erde vielfach zerstört werden kann; es ist nicht genug, uns den Rest der Welt durch unsere militärische Macht zu unterwerfen, denn Frieden kann nicht auf Angst aufgebaut werden.

Gewaltlosigkeit heißt, daß wir dem Positiven in uns Raum geben. Lassen wir uns lieber von Liebe, Respekt, Verständnis, Wertschätzung, Mitgefühl und Fürsorge für andere leiten als von den selbstbezogenen und selbstsüchtigen, neidischen, haßerfüllten, mit Vorurteilen beladenen, mißtrauischen und aggressiven Einstellungen, die unser Denken für gewöhnlich dominieren. Wir hören oft, daß Menschen sagen: „Diese Welt ist rücksichtslos, und wenn man überleben will, muß man eben auch rücksichtslos sein." Da bin ich ganz bescheiden anderer Meinung.

Die Welt ist das, was wir aus ihr gemacht haben. Wenn sie heutzutage rücksichtslos ist, dann liegt es daran, daß wir sie durch unsere Einstellungen rücksichtslos gemacht haben. Ändern wir uns selbst, dann können wir die Welt ändern. Und eine Veränderung unserer selbst beginnt mit einer Veränderung unserer Sprache und unserer Art, zu kommunizieren. Ich lege Ihnen sehr ans Herz, dieses Buch zu lesen und den Prozeß der Gewaltfreien Kommunikation, der darin dargestellt wird, anzuwenden. Das ist ein bedeutender erster Schritt zur Veränderung unserer Kommunikation und zur Schaffung einer einfühlsamen Welt.

Arun Gandhi
Gründer und Präsident des
M.K. Gandhi-Instituts für Gewaltlosigkeit

Vorwort zur deutschen Übersetzung

Als das Original bei mir eintraf, steckte ich mitten in einer intensiven Schreibphase (zwei Bücher auf deutsch und ein Kassettenkurs für Amerika). Normalerweise kann ich zu solchen Zeiten nicht „echt" lesen, so daß außer Fachzeitschriften alles „wartet". Also wollte ich eigentlich nur einen kurzen Blick in dieses großartige Buch werfen, der allerdings um 2:20 Uhr nachts begann und erst am Buchende abgebrochen wurde. Als ich am Tag darauf mit den „Junfermännern" sprach und diesen Titel für eine Übersetzung vorschlug, erfuhr ich zu meiner großen Freude, daß die deutsche Ausgabe bereits in der Mache war. Das sind gute Nachrichten – für alle, die bereit sind, mit zukünftigen „schwierigen" kommunikativen Situationen umzugehen. Dieser Autor versteht es meisterhaft, auch komplexe Zusammenhänge klar und gleichzeitig flott lesbar zu schildern. Er erklärt u.a. die Angst, die oft hinter Aggression steckt – der eigenen wie der unserer angeblich ekelhaften Gesprächspartner (oder bisher eher Gesprächs-Gegner). Dies tut Marshall B. Rosenberg ohne erhobenen Zeigefinger, denn er lebt, was er predigt (auch den Lesern und Leserinnen seines Buches gegenüber). Man merkt: Er gehört zu jenen, die zuerst leben und dann erst zu „predigen" (schreiben/reden) beginnen. Eben deshalb vermögen seine Vorschläge uns auch wirklich zu überzeugen. Dieses Buch bietet eine Fülle strategischer Ansätze und klar umrissener Aufgaben, so daß jede/r einen Punkt findet, an dem er ab heute ansetzen kann, wenn er oder sie dies wirklich will. Man gewinnt die Sicherheit, daß man auch schwierigsten Zeitgenossen begegnen kann. Ich möchte es meinen Lesern und Leserinnen wie auch meinen Seminarteilnehmern und Seminarteilnehmerinnen wärmstens empfehlen und wünsche mir für dieses Buch viel aktive „Mundwerbung" derer, die es schätzen. Einer der amerikanischen Kommentatoren, Jack Canfield (Herausgeber der „Hühnersuppen-Reihe"), meinte: „Ich glaube, die Prinzipien und Techniken in diesem Buch können, im Wortsinne, die Welt verändern." Recht hat er!

Odelzhausen, im März 2001
Vera F. Birkenbihl

Einführung

Schon vor Jahren begegnete ich dem Wirken von Marshall Rosenberg – in den begeisterten Berichten seiner Schülerinnen und Schüler. Sie hatten die Methoden des gewaltfreien Dialogs bei ihm gelernt und geübt und konnten diese in den vielfältigsten Konfliktsituationen erfolgreich anwenden. Das reichte von Mediation bei Ehe- und Familienkonflikten über die Täter-Opfer-Mediation bis hin zu Bürgerkriegsituationen und internationalen Konflikten.

Ich meinte wörtlich, daß ich dem Wirken Marshall Rosenbergs begegnet war, nicht aber seinen Publikationen. Da er ständig unterwegs war, sein Wissen und Können in der Praxis einzusetzen, fand er selbst kaum die nötige Zeit, seine Methodik und deren Hintergründe zu beschreiben. Das mußten dann Freundinnen und Freunde für ihn tun, die seine Arbeit kennen- und schätzengelernt hatten.

Darum freue ich mich ganz besonders, daß endlich Marshall Rosenbergs Hauptwerk in deutscher Sprache vorliegt! Denn das Besondere an der hier dargestellten gewaltlosen Kommunikation ist, daß sie die Grundlage bildet für Konfliktmanagement im mikro-sozialen Bereich, das heißt in der direkten Auseinandersetzung von Mensch zu Mensch, die somit auch die Basis für Mediation im meso- und makro-sozialen Feld ist. Wenn immer zwei oder mehr Menschen in einer Konfliktsituation miteinander kommunizieren, werden sie in der direkten Gesprächssituation davon profitieren – gleichgültig, ob dies als direkt Betroffene geschieht oder als Vertreterin bzw. Vertreter der Interessen anderer oder als Delegierte einer großen Organisation oder eines Staates. Der Kern jeder Konfliktbehandlung ist immer das direkte Gespräch von Mensch zu Mensch. Marshall Rosenbergs Methodik ermöglicht dafür nichts Geringeres als eine wahre Begegnung des tieferen Wesens der beteiligten Menschen. Durch die Achtsamkeit auf die oft unbemerkten Gewaltaspekte der Sprache läßt sich eine Mediatorin oder ein Konfliktberater nicht von dem blenden, was in Konflikten nach außen hin immer als stereotypes Bild wirksam wird. Die Selbst- und Feindbilder der Konfliktparteien verstellen ja nur die Sicht auf das, was die beteiligten Menschen in ihrem tiefsten Inneren wirklich denken, fühlen und wollen. Wenn es gelingt, das zum Ausdruck zu bringen, kann das zu überraschenden Öffnungen und somit zu einer inneren wie äußeren Abrüstung führen.

So möge dieses Buch endlich auch im deutschen Sprachraum einen guten Beitrag zu einer konstruktiven Kultur der Konfliktaustragung leisten!

Salzburg, im Dezember 2000
PD Dr. Friedrich Glasl

Dank

Ich bin dankbar, daß ich mit Professor Carl Rogers während der Zeit studieren und arbeiten konnte, als er die Komponenten einer positiven, zwischenmenschlichen Beziehung erforschte. Die Ergebnisse dieser Forschung haben eine Schlüsselrolle bei der Entwicklung des Kommunikationsprozesses gespielt, den ich in diesem Buch beschreibe.

Ich werde Professor Michael Hakeem immer dafür dankbar sein, daß er mir geholfen hat, die wissenschaftlichen Einschränkungen und die sozialen und politischen Gefahren der psychiatrischen Behandlung, wie ich sie gelernt hatte, zu erkennen: basierend auf einer Betrachtung des Menschen als krankhaft. Das Verständnis der Beschränktheit dieses Modells inspirierte mich, nach Möglichkeiten zu suchen, wie ich Psychologie anders praktizieren kann. Dabei wuchs eine Klarheit in mir darüber, wie das Leben der Menschen ursprünglich gedacht war.

Ich möchte auch George Miller und George Albee für ihre Bemühungen danken, Psychologen anzutreiben, daß sie bessere Wege finden, um die „Psychologie schneller unter die Leute zu bringen". Durch sie habe ich erkannt, daß das Ausmaß des Leidens auf unserem Planeten wirksamere Verteilungswege der dringend benötigten Fähigkeiten erfordert, als ein klinischer Ansatz sie bereitstellen kann.

Ich möchte mich bei Lucy Leu für das Lektorat und das endgültige Manuskript dieses Buches bedanken; bei Rita Herzog und Kathy Smith für ihre Hilfe beim Redigieren; und auch für die Unterstützung von Darold Milligan, Melanie Sears, Bridget Belgrave, Marian Moore, Kittrell McCord, Virginia Hoyte und Peter Weismiller.

Zum Schluß möchte ich meiner Freundin Annie Muller meine Dankbarkeit ausdrücken. Ihre Ermutigung, das spirituelle Fundament meiner Arbeit klarer herauszustellen, hat dieser Arbeit Kraft gegeben und mein Leben bereichert.

Worte sind Fenster
(Oder sie sind Mauern)

Ich fühle mich so verurteilt von deinen Worten,
Ich fühle mich so abgewertet und weggeschickt,
Bevor ich gehe, muß ich noch wissen,
Hast du das wirklich so gemeint?
Bevor ich meine Selbstverteidigung errichte,
Bevor ich aus Verletzung und Angst heraus spreche,
Bevor ich diese Mauer aus Worten baue,
Sage mir, habe ich richtig gehört?
Worte sind Fenster oder sie sind Mauern,
Sie verurteilen uns oder sprechen uns frei.
Wenn ich spreche und wenn ich zuhöre,
Licht der Liebe, scheine durch mich hindurch.
Es gibt Dinge, die ich sagen muß,
Dinge, die mir so viel bedeuten.
Wenn sie durch meine Worte nicht klar werden,
Hilfst du mir, mich freizusprechen?
Wenn es so schien, als würde ich dich niedermachen,
Wenn du den Eindruck hattest, du wärst mir egal,
Versuch' doch bitte, durch meine Worte hindurch zu hören
Bis zu den Gefühlen, die wir gemeinsam haben.

Ruth Bebermeyer

1 Von Herzen geben:
Das Herz der Gewaltfreien Kommunikation

„Was ich in meinem Leben will, ist Einfühlsamkeit,
ein Fluß zwischen mir und anderen, der auf
gegenseitigem Geben von Herzen beruht." – *MBR*

Einleitung

Weil ich glaube, daß die Freude am einfühlsamen Geben und Nehmen unserem natürlichen Wesen entspricht, beschäftige ich mich schon viele Jahre meines Lebens mit zwei Fragen: Was geschieht genau, wenn wir die Verbindung zu unserer einfühlsamen Natur verlieren und uns schließlich gewalttätig und ausbeuterisch verhalten? Und umgekehrt, was macht es manchen Menschen möglich, selbst unter den schwierigsten Bedingungen mit ihrem einfühlsamen Wesen in Kontakt zu bleiben?

Ich begann, mich mit diesen Fragen in meiner Kindheit, während des Sommers 1943 zu beschäftigen, als unsere Familie nach Detroit, Michigan, umzog. In der zweiten Woche nach unserer Ankunft brach wegen eines Zwischenfalls in einem Park ein Rassenkrieg aus. Mehr als vierzig Menschen wurden in den nächsten Tagen getötet. Unser Viertel lag im Zentrum der Gewalt, und wir sperrten uns drei Tage lang zu Hause ein.

Nachdem der Rassenkrawall zu Ende war und die Schule wieder anfing, entdeckte ich, daß ein Name genauso gefährlich sein kann wie eine Hautfarbe. Als der Lehrer bei der Anwesenheitskontrolle meinen Namen aufrief, starrten mich zwei Jungs an und zischten, „Bist du ein ‚kike'?" Ich hatte dieses Wort noch nie gehört und wußte nicht, daß es eine abfällige Bezeichnung für Juden ist. Nach der Schule warteten die beiden auf mich. Sie warfen mich zu Boden, traten und verprügelten mich.

Seit jenem Sommer 1943 widme ich mich der Erforschung der beiden besagten Fragen. Was gibt uns die Kraft, die Verbindung zu unserer einfühlsamen Natur selbst unter schwierigsten Bedingungen aufrechtzuerhalten? Ich denke an Menschen wie Etty Hillesum, die sich ihr Einfühlungsvermögen sogar erhielt, als sie den unbeschreiblichen Bedingungen eines deutschen Konzentrationslagers ausgesetzt war. So schrieb sie damals in ihr Tagebuch:

„Mir kann man nicht so leicht angst machen. Nicht weil ich tapfer wäre, sondern weil ich weiß, daß ich es mit menschlichen Wesen zu tun habe und daß ich so intensiv wie nur möglich versuchen muß, alles, was ein jeder jemals tut, zu verstehen. Und darum ging es genau heute morgen: Es war nicht wichtig, daß ich von einem mißmutigen Gestapooffizier angeschrien wurde, sondern daß ich darüber keine Entrüstung empfand und statt dessen echtes Mitgefühl mit ihm hatte. Ich hätte ihn gerne gefragt: ‚Hatten Sie eine sehr unglückliche Kindheit, hat Ihre Freundin Sie im Stich gelassen?' Ja, er sah mitgenommen und angespannt aus, finster und dünnhäutig. Am liebsten hätte ich ihn gleich in psychologische Behandlung genommen, denn ich weiß, daß solche bedauernswerten jungen Männer gefährlich werden, wenn man sie auf die Menschheit losläßt." – Etty Hillesum: A Memoir.

Als ich mich mit den Umständen beschäftigte, die unsere Fähigkeit beeinflussen, einfühlsam zu bleiben, war ich erstaunt über die entscheidende Rolle der Sprache und des Gebrauchs von Wörtern. Seitdem habe ich einen spezifischen Zugang zur Kommunikation entdeckt – zum Sprechen und Zuhören –, der uns dazu führt, von Herzen zu geben, indem wir mit uns selbst und mit anderen auf eine Weise in Kontakt kommen, die unser natürliches Einfühlungsvermögen zum Ausdruck bringt. Ich nenne diese Methode Gewaltfreie Kommunikation und benutze den Begriff *Gewaltfreiheit* in Sinne von Gandhi: Er meint damit unser einfühlendes Wesen, das sich wieder entfaltet, wenn die Gewalt in unseren Herzen nachläßt. Wir betrachten unsere Art zu sprechen vielleicht nicht als „gewalttätig", dennoch führen unsere Worte oft zu Verletzung und Leid – bei uns selbst oder bei anderen. In einigen Gruppen ist der Prozeß, den ich beschreibe, auch als Einfühlsame Kommunikation bekannt; die Abkürzung „GFK" steht in diesem Buch daher für Gewaltfreie oder Einfühlsame Kommunikation.

Wie wir unsere Aufmerksamkeit fokussieren können

Die GFK gründet sich auf sprachliche und kommunikative Fähigkeiten, die unsere Möglichkeiten erweitert, selbst unter herausfordernden Umständen menschlich zu bleiben. Sie beinhaltet nichts Neues; alles was in die GFK integriert wurde, ist schon seit Jahrhunderten bekannt. Es geht also darum, uns an etwas zu erinnern, das wir bereits kennen – nämlich daran, wie unsere zwischenmenschliche Kommunikation ursprünglich gedacht war. Und es geht auch darum, uns gegenseitig bei einer Lebensweise zu helfen, die dieses Wissen wieder lebendig macht.

Die GFK hilft uns bei der Umgestaltung unseres sprachlichen Ausdrucks und unserer Art zuzuhören. Aus gewohnheitsmäßigen, automatischen Reaktionen werden bewußte Antworten, die fest auf dem Boden unseres Bewußtseins über das stehen, was wir wahrnehmen, fühlen und brauchen. Wir werden angeregt, uns ehrlich und klar auszudrücken und gleichzeitig anderen Menschen unsere respektvolle und einfühlsame Aufmerksamkeit zu schenken. Unabhängig vom Thema eines Gesprächs gelingt es uns dann immer besser, unseren eigenen, zugrundeliegenden Bedürfnisse wie auch denen unserer Gesprächspartner auf die Spur zu kommen. Die GFK trainiert uns, sorgfältig zu beobachten und die Verhaltensweisen und Umstände, die uns stören, genau zu bestimmen. Wir lernen, in einer bestimmten Situation zu erkennen, was wir konkret brauchen, und es klar auszusprechen. Die Form ist einfach und hat doch starke Transformationskraft.

Da die GFK unsere alten Muster von Verteidigung, Rückzug oder Angriff angesichts von Urteilen und Kritik umwandelt, kommen wir immer mehr dahin, uns selbst und andere sowie unsere innere Einstellung und die Dynamik unserer Beziehungen in einem neuen Licht zu sehen. Widerstand, Abwehr und gewalttätige Reaktionen werden auf ein Minimum reduziert. Wir entdecken das Potential unseres Einfühlungsvermögens, wenn wir uns auf die Klärung von Beobachtung, Gefühl und Bedürfnis konzentrieren, statt zu diagnostizieren und zu beurteilen. Dadurch daß die GFK die Betonung auf intensives Zuhören nach innen und nach außen legt, fördert sie Wertschätzung, Aufmerksamkeit und Einfühlung und erzeugt auf beiden Seiten den Wunsch, von Herzen zu geben.

> *Wir sehen Beziehungen in einem neuen Licht, wenn wir mit Hilfe der GFK unsere eigenen, zugrundeliegenden Bedürfnisse und die der anderen wahrnehmen.*

Obwohl ich von der GFK als einen „Prozeß der Kommunikation" oder einer „Sprache der Einfühlsamkeit" spreche, ist sie mehr als ein Prozeß oder eine Sprache. Auf einer tieferen Ebene ist sie eine ständige Mahnung, unsere Aufmerksamkeit in eine Richtung zu lenken, in der die Wahrscheinlichkeit steigt, daß wir das bekommen, wonach wir suchen.

Es gibt da die Geschichte von einem Mann, der unter einer Straßenlaterne auf allen vieren nach etwas sucht. Ein Polizist, der gerade vorbeikommt, fragt ihn, was er da macht. „Ich suche nach meinen Autoschlüsseln", erwidert der Mann, der scheinbar beschwipst ist. „Haben Sie sie hier verloren?" erkundigt sich der Beamte. „Nein", antwortet der Mann, „ich habe sie auf dem Weg verloren." Als er den verblüfften Gesichtsausdruck des Polizisten sieht, fügt er schnell hinzu: „Aber das Licht ist hier viel besser."

Ich stelle fest, daß meine kulturellen Wurzeln meine Aufmerksamkeit in eine Richtung lenken, wo ich sehr wahrscheinlich nicht das bekomme, was ich haben möchte. Und so habe ich die GFK als eine Methode entwickelt, die meine Wahrnehmung trainiert, damit das Licht der Bewußtheit in eine Richtung scheint, die das Potential hat, mir das zu geben, wonach ich suche. Was ich in meinem Leben möchte, ist Einfühlsamkeit, einen Fluß zwischen mir und anderen, der auf gegenseitigem Geben von Herzen beruht.

In dem nun folgenden Gedicht meiner Freundin Ruth Bebermeyer kommt die Art der Einfühlung zum Ausdruck, die ich meine, wenn ich sage „von Herzen geben":

*Ich fühle mich ungemein beschenkt,
wenn Du etwas von mir annimmst –
wenn Du an der Freude teilhast, die in mir ist,
    sobald ich Dich beschenke.
Und Du weißt, ich gebe nicht in der Absicht,
Dich in meine Schuld zu bringen,
    sondern weil ich die Zuneigung leben möchte,
die ich für Dich empfinde.*

*Annehmen mit Würde
ist vielleicht das größte Geschenk.
Unmöglich kann ich die beiden Seiten
    voneinander trennen.
Wenn Du mich beschenkst,
schenke ich Dir mein Annehmen.
Wenn Du von mir nimmst, fühle ich mich
    sehr beschenkt.*

Song „Given To" (1978) von *Ruth Bebermeyer* von der LP *Given To*

Wenn wir von Herzen schenken, dann tun wir das aus der Freude heraus, die immer dann entsteht, wenn wir das Leben eines anderen Menschen bewußt bereichern. Auf diese Weise zu schenken ist sowohl für den, der gibt, als auch für die, die nimmt, ein Gewinn. Die Beschenkte freut sich über die Gabe, ohne sich über Konsequenzen, die Geschenke aus Angst, Schuldgefühl, Scham oder Profitstreben mit sich bringen, Gedanken zu machen. Der Gebende gewinnt durch die Stärkung seiner Selbstachtung; das geschieht, wenn wir erleben, daß unsere Handlungsweise zum Wohlergehen eines anderen Menschen beiträgt.

Um die GFK anzuwenden, müssen die Leute, mit denen wir kommunizieren, nicht in der GFK ausgebildet sein. Sie müssen nicht mal die Absicht haben, sich im Kontakt mit uns einfühlsam zu verhalten. Wenn wir selbst mit den Prinzipien der GFK im Einklang bleiben – einzig und allein um einfühlend zu geben und zu nehmen – und alles tun, was wir können, um anderen zu vermitteln, daß dies unser einziges Motiv ist, dann werden sie mit uns in den Prozess hineingehen, und wir sind am Ende in der Lage, einfühlsam miteinander zu kommunzieren. Ich sage nicht, daß es immer schnell geht. Aber ich bleibe dabei, daß sich das Einfühlungsvermögen unvermeidlich entfaltet, wenn wir den Prinzipien der GFK treu bleiben.

Der Prozeß der Gewaltfreien Kommunikation

Um den uns allen gemeinsamen Wunsch, von Herzen zu geben, Wirklichkeit werden zu lassen, richten wir das Licht unseres Bewußtseins auf vier Bereiche – wir sprechen von den vier Komponenten des GFK-Modells.

Die vier Komponenten der GFK

1. Beobachtungen: Zuerst beobachten wir, was in einer Situation tatsächlich geschieht: Was hören wir andere sagen, was sehen wir, was andere tun, wodurch unser Leben entweder reicher wird oder auch nicht? Die Kunst besteht darin, unsere Beobachtung dem anderen ohne Beurteilung oder Bewertung mitzuteilen – einfach zu beschreiben, was jemand macht, und daß wir es entweder mögen oder nicht.

2. Gefühle: Als nächstes sprechen wir aus, wie wir uns fühlen, wenn wir diese Handlung beobachten. Fühlen wir uns verletzt, erschrocken, froh, amüsiert, irritiert usw.?

Die vier Komponenten der GFK:
1. Beobachtung
2. Gefühle
3. Bedürfnisse
4. Bitten

3. Bedürfnisse: Im dritten Schritt sagen wir, welche unserer Bedürfnisse hinter diesen Gefühlen stehen.

Das Bewußtsein dieser drei Komponenten ist uns gegenwärtig, wenn wir die GFK einsetzen, um klar und ehrlich auszudrücken, wie es uns gerade geht. Eine Mutter kann z.B. diese drei Bestandteile ihrem Sohn gegenüber ausdrücken, indem sie sagt: „Felix, ich ärgere mich, wenn ich zwei zusammengerollte schmutzige Socken unter dem Kaffeetisch sehe und noch drei neben dem Fernseher, weil ich in den Räumen, die wir gemeinsam benutzen, mehr Ordnung brauche".

4. Bitten: Sie macht dann sofort weiter mit der vierten Komponente – einer sehr spezifischen Bitte: „Würdest du bitte deine Socken in dein Zimmer oder in die Waschmaschine tun?" Dieses vierte Element bezieht sich darauf, was wir vom anderen wollen, so daß unser beider Leben schöner wird. Was kann er oder sie konkret tun, um unsere Lebensqualität zu verbessern?

So besteht die eine Seite der GFK darin, diese vier Informationsteile ganz klar auszudrücken, mit Worten oder auf andere Weise. Auf der anderen Seite nehmen wir die gleichen vier Informationsteile von unseren Mitmenschen auf. Wir treten mit ihnen in Kontakt, indem wir uns darauf einstimmen, was sie beobachten, fühlen und brauchen, und wenn wir dann den vierten Teil hören, ihre Bitte, entdecken wir, was ihre Lebensqualität verbessern würde.

Während wir unser Augenmerk auf diese vier Bereiche richten und anderen dabei helfen, das gleiche zu tun, bauen wir einen Kommunikationsfluß auf, der sich hin und her bewegt: Was ich beobachte, fühle und brauche; um was ich bitte, um mein Leben zu verschönern; was du beobachtest, fühlst und brauchst; worum du bittest, um dein Leben zu verschönern ...

> **Prozeß der Gewaltfreien Kommunikation**
>
> ▸ Konkrete Handlungen, die wir *beobachten* können und die unser Wohlbefinden beeinträchtigen;
>
> ▸ wie wir uns *fühlen*, in Verbindung mit dem, was wir beobachten;
>
> ▸ unsere *Bedürfnisse*, Werte, Wünsche usw., aus denen diese Gefühle entstehen;
>
> ▸ die konkrete Handlung, um die wir *bitten* möchten, damit unser aller Leben reicher wird.

Die beiden Teile der GFK:

1. Sich mit Hilfe der vier Komponenten ehrlich ausdrücken,

2. mit Hilfe der vier Komponenten empathisch zuhören.

Wenn wir mit dem Modell arbeiten wollen, können wir entweder damit anfangen, uns selbst in dieser Sprache auszudrücken oder die vier Informationsteile von anderen Menschen einfühlsam aufzunehmen. Auch wenn wir in den Kapiteln 3 bis 6 lernen, auf die einzelnen Komponenten zu hören und sie verbal auszudrücken, ist es doch wichtig, im Gedächtnis zu behalten, daß die GFK nicht auf einer feststehenden Formel beruht, sondern sich unterschiedlichen Situationen ebenso anpaßt wie persönlichen und kulturellen Gegebenheiten. Auch wenn ich die GFK zweckmäßigerweise als „Prozeß" oder „Sprache" bezeichne, ist es genausogut möglich, alle vier Teile des Modells auszudrücken, ohne dabei ein einziges Wort zu verlieren. Das Wesentliche der GFK findet sich in unserem Bewußtsein über die vier Komponenten wieder und nicht in den tatsächlichen Worten, die gewechselt werden.

Wie wir die Gewaltfreie Kommunikation in unserem Leben und in unserer Umgebung anwenden können

Wenn wir die GFK in Interaktionen anwenden – mit uns selbst, mit einem anderen Menschen oder in einer Gruppe –, beginnen wir damit, uns immer stärker auf dem Boden unseres natürlichen Einfühlungsvermögens zu bewegen. Deshalb ist sie auch eine Tür, die auf allen Ebenen der Kommunikation und in den unterschiedlichsten Situationen erfolgreich geöffnet werden kann:
- enge Beziehungen
- Familien
- Schulen
- Organisationen und Institutionen
- Therapie und Beratung
- diplomatische und geschäftliche Verhandlungen
- Auseinandersetzungen und Konflikte aller Art

Manche Menschen nutzen die GFK, um in ihren Beziehungen mehr Tiefe und Achtsamkeit zu entwickeln:

„Als ich lernte, wie ich mit Hilfe der GFK ebenso nehmen (hören) wie geben (mich mitteilen) kann, ließ ich das Gefühl, angegriffen oder als Fußabtreter benutzt zu werden, hinter mir und fing an, wirklich zuzuhören und die Gefühle aufzuspüren, die hinter den Worten liegen. Ich entdeckte einen sehr verletzten Mann, mit dem ich seit 28 Jahren verheiratet war. Am Wochenende vor unserem GFK-Workshop hatte er mich um die Scheidung gebeten. Um es kurz zu machen, wir sind heute hier – zusammen, und ich weiß den Anteil der GFK an unserem Happy-End sehr zu schätzen. ... Ich habe gelernt, auf Gefühle zu hören, meine Bedürfnisse auszudrücken, Antworten, die ich nicht immer hören wollte, zu akzeptieren. Er ist nicht dazu da, mich glücklich zu machen, und ich bin nicht dazu da, ihm Glück zu bereiten. Wir haben beide gelernt zu wachsen, zu akzeptieren und zu lieben, so daß jeder von uns erfüllt leben kann."

(Eine Workshop-Teilnehmerin in San Diego)

Andere nutzen sie, um die Beziehungen an ihrem Arbeitsplatz zu verbessern. Ein Lehrer schreibt:

„Seit etwa einem Jahr wende ich die GFK in meiner Sonderschulklasse an. Es kann sogar mit Kindern funktionieren, die in ihrer Sprachentwicklung zurück sind, die Lernprobleme und Verhaltensstörungen haben. Ein Schüler spuckt in unserem Klassenzimmer, er flucht, schreit und piekst seine Mitschüler mit Stiften, wenn sie in die Nähe seiner Bank kommen. Ich gebe ihm dann folgendes Stichwort: ‚Bitte, sag das anders. Sag es in Giraffensprache.' (In manchen Workshops werden

Giraffenpuppen als Unterstützung eingesetzt, um die GFK zu demonstrieren). Er steht dann sofort auf, schaut denjenigen an, über den er sich ärgert, und sagt ruhig: ‚Würdest du bitte von meiner Bank weggehen? Ich werde sauer, wenn du so nahe bei mir stehst.' Der Mitschüler antwortet dann vielleicht so: ‚Entschuldige! Ich hatte vergessen, daß dich das stört.'

Ich fing an, über meine Frustration mit diesem Kind nachzudenken und versuchte herauszufinden, was ich von ihm brauchte (abgesehen von Harmonie und Ordnung). Mir wurde klar, wieviel Zeit ich in die Unterrichtsvorbereitung gesteckt hatte, und wie sehr meine Bedürfnisse nach Kreativität und danach, einen sinnvollen Beitrag zum Unterricht zu leisten, auf der Strecke blieben, weil ich dauernd mit seinem Verhalten beschäftigt war. Ich hatte auch den Eindruck, daß ich zuwenig auf die Lernbedürfnisse der anderen Schüler einging. Wenn er sich jetzt in der Klasse ausagiert, sage ich zu ihm: ‚Mir ist es wichtig, daß du mit deiner Aufmerksamkeit bei mir bist.' Vielleicht braucht er diese Aufforderung hundertmal am Tag, aber er versteht, was ich meine, und beschäftigt sich dann meistens wieder mit dem Unterricht."

Eine Ärztin schreibt:

„Ich wende die GFK immer öfter in meiner Arztpraxis an. Manche Patienten fragen mich, ob ich Psychologin bin, weil sich ihre Ärzte normalerweise nicht dafür interessieren würden, wie ihre Patienten ihr Leben leben oder mit ihren Krankheiten umgehen. Die GFK hilft mir, die Bedürfnisse meiner Patienten zu verstehen und auch, was für sie in einem bestimmten Moment wichtig ist zu hören. Gerade im Kontakt mit Patienten, die Aids haben oder Bluter sind, finde ich das besonders hilfreich, denn da gibt es soviel Ärger und Schmerz, und das beeinträchtigt die Beziehung zwischen Patient und Behandler oft ernsthaft. Kürzlich erzählte mir eine Frau, die Aids hat und die ich seit fünf Jahren behandle, was ihr am allermeisten geholfen hat: Mein Bestreben, immer wieder etwas zu finden, das ihr im täglichen Leben Freude macht. Mit der GFK zu arbeiten hilft mir sehr auf diesem Gebiet. In der Vergangenheit war ich immer wieder in meinen Prognosen gefangen, wenn ich wußte, daß ein Patient eine schlimme Krankheit hatte, und es fiel mir schwer, die Patienten wirklich zu ermutigen, ihr Leben zu leben. Mit der GFK habe ich ein neues Bewußtsein entwickelt und auch eine neue Sprache. Ich bin erstaunt, wenn ich sehe, wie gut das in meine ärztliche Praxis paßt. Je mehr ich mich in den ‚Tanz' der GFK hineinbegebe, desto mehr Energie und Freude habe ich bei meiner Arbeit."

Wieder andere bedienen sich des Prozesses in der politischen Arena. Einer französischen Ministerin, die ihre Schwester besuchte, fiel auf, wie anders diese Schwester und ihr Mann miteinander kommunizierten und aufeinander eingingen. Ermutigt durch deren Beschreibungen der GFK erwähnte sie, daß in der kommenden Woche Verhandlungen zwischen Frankreich und Algerien auf ihrem Plan stünden, bei denen es um einige heikle Themen bezüglich der Durchführung von Adoptionen gehe. Da nur wenig Zeit zur Verfügung stand, kam eine Trainerin ins Haus, die mit der Ministerin arbeitete. Diese sagte später, sie verdanke viel von dem Erfolg, den sie bei ihren Verhandlungen in Algerien hatte, ihren neu erworbenen Kommunikationstechniken.

In Jerusalem, während eines Workshops mit Israelis unterschiedlicher politischer Couleur, äußerten die Teilnehmer ihre Meinung zur heiß umkämpften Westbank mit Hilfe der GFK. Viele der israelischen Siedler, die sich auf der Westbank eingerichtet haben, glauben, daß sie damit einen religiösen Auftrag erfüllen. Sie sind festgefahren in einem Konflikt nicht nur mit den Palästinensern, sondern auch mit Israelis, die die palästinensische Hoffnung auf nationale Souveränität in dieser Region anerkennen. In einer Sitzung machte ich mit einem Trainer vor, wie man in der GFK empathisch zuhört, und lud dann die Teilnehmer ein, abwechselnd im Rollenspiel die gegenseitigen Positionen auszuprobieren. Nach zwanzig Minuten sprach eine Siedlerin ihre Bereitschaft aus, ernsthaft in Betracht zu ziehen, ihre Siedlungsansprüche aufzugeben und von der Westbank in international anerkanntes israelisches Gebiet umzuziehen, wenn ihre politischen Gegner in der Lage wären, ihr so zuzuhören, wie sie es eben gerade erlebt hatte.

Auf der ganzen Welt dient die GFK jetzt als wertvoller Lösungsansatz für Gemeinwesen, die mit gewalttätigen Konflikten und ernsten ethnischen, religiösen oder politischen Spannungen zu kämpfen haben. Die Verbreitung der Ausbildung in GFK und ihre Anwendung in Mediationen durch Menschen im Konflikt in Israel, bei den palästinensischen Verwaltungsbehörden, in Nigeria, Ruanda, Sierra Leone und anderen Ländern ist für mich eine besondere Quelle der Freude. Mein Team und ich waren vor kurzem in Belgrad und haben in drei sehr belasteten Tagen Mitbürger trainiert, die für den Frieden arbeiten. Als wir dort ankamen, war die Verzweiflung auf den Gesichtern der Teilnehmer deutlich zu sehen, denn ihr Land war in einen brutalen Krieg mit Bosnien und Kroatien verstrickt. Im Verlauf des Trainings hörten wir jedoch auch wieder lachende Stimmen, als die Gruppe ihre tiefe Dankbarkeit und Freude darüber ausdrückte, daß sie jetzt im Besitz der wirksamen, kommunikativen Fähigkeiten war, nach denen sie gesucht hatte. Während der nächsten beiden Wochen, in Ausbildungsworkshops in Kroatien, Israel und Palästina, erlebten wir erneut, wie verzweifelte Mitmenschen in kriegszerissenen Ländern durch das Training der GFK ihren Elan und ihre Zuversicht wiedergewinnen.

Ich fühle mich begnadet, daß ich um die ganze Welt reisen und überall den Menschen eine Art der Kommunikation vermitteln kann, die ihnen Stärke und Freude gibt. Jetzt, mit diesem Buch, kann ich den Reichtum der GFK auch mit Ihnen teilen – das freut und begeistert mich.

Zusammenfassung

Die GFK hilft uns, mit uns selbst und mit unseren Mitmenschen so in Kontakt zu kommen, daß sich unser natürliches Einfühlungsvermögen wieder entfalten kann. Die GFK zeigt uns, wie wir unsere Ausdrucksweise und unser Zuhören durch die Fokussierung unseres Bewußtseins auf vier Bereiche umgestalten können: was wir beobachten, fühlen und brauchen und worum wir bitten wollen, um unsere Lebensqualität zu verbessern. Die GFK fördert intensives Zuhören, Respekt und Empathie, und sie erzeugt einen beiderseitigen Wunsch, von Herzen zu geben. Die einen nutzen die GFK, um mit sich selbst einfühlsam umzugehen, andere vertiefen damit ihre persönlichen Beziehungen, und wieder andere bauen sich so bessere Kontakte am Arbeitsplatz oder in der Politik auf. Auf der ganzen Welt wird die GFK eingesetzt, um bei Auseinandersetzungen und Konflikten auf allen Ebenen zu vermitteln.

Gewaltfreie Kommunikation in der Praxis: „Mörder, Attentäter, Kinderkiller!"

Eingestreut in das Buch sind Dialoge mit dem Titel „GFK in der Praxis". Diese Dialoge wollen einen Eindruck von echten Gesprächen geben, in denen einer der Gesprächsteilnehmer die Prinzipien der GFK anwendet. Dennoch ist GFK nicht einfach eine Sprache oder ein Satz Techniken für den Umgang mit Wörtern. Das Bewußtsein und die innere Einstellung, die das Ganze erst richtig erfassen, können auch durch Schweigen ausgedrückt werden, durch eine hohe Qualität der Präsenz oder auch durch den Gesichtsausdruck und die Körpersprache. Die Dialoge „Gewaltfreie Kommunikation in der Praxis", die Sie gleich lesen werden, sind notwendigerweise gestraffte und gekürzte Fassungen von echten Gesprächen, in denen die Augenblicke schweigender Empathie, Geschichten, Humor, Gesten usw. zu einem natürlicheren Fließen zwischen zwei Menschen beitragen, als es möglicherweise in der gedruckten Fassung zum Ausdruck kommt.

Einmal präsentierte ich die GFK in einer Moschee im Flüchtlingslager Deheisha in Bethlehem vor etwa 170 palästinensischen, männlichen Moslems. Die Haltung der Palästinenser gegenüber Amerikanern war zu der Zeit nicht gerade freundlich. Während ich redete, merkte ich plötzlich, wie eine Welle gedämpfter Aufregung durch die Menge ging. „Sie flüstern, daß du Amerikaner bist!" warnte mich gerade mein Übersetzer, als ein Mann aus dem Publikum auf die Füße sprang. Er sah mir direkt ins Gesicht und schrie aus vollem Hals, „Mörder!" Augenblicklich fiel ein Dutzend Männer mit ihm in einen Chor ein, „Attentäter!", „Kinderkiller!", „Mörder!".

Glücklicherweise war ich in der Lage, meine Aufmerksamkeit auf das zu richten, was der Mann fühlte und brauchte. In diesem Fall hatte ich einige Anhaltspunkte: Auf meinem Weg in das Flüchtlingslager hatte ich mehrere leere

Tränengaskanister gesehen, die in der Nacht zuvor in das Lager geschossen worden waren. Auf jedem Kanister stand deutlich lesbar die Aufschrift „Made in USA". Ich wußte, daß die Flüchtlinge viel Ärger gegen die Vereinigten Staaten aufgestaut hatten wegen der Versorgung Israels mit Tränengas und anderen Waffen.

Ich sprach zu dem Mann, der Mörder zu mir gesagt hatte:

Ich: Ärgern Sie sich, weil Sie möchten, daß meine Regierung ihre Mittel anders einsetzt? (Ich wußte nicht, ob ich mit meiner Vermutung richtig lag, entscheidend ist jedoch mein ernstgemeinter Versuch, mit seinen Gefühlen und Bedürfnissen in Kontakt zu kommen.)

Er: Verdammt nochmal, ja, ich ärgere mich! Sie glauben, wir brauchen Tränengas? Wir brauchen eine Kanalisation und nicht euer Tränengas! Wir brauchen Wohnungen! Wir brauchen ein eigenes Land!

Ich: Sie sind also wütend und hätten gerne Unterstützung, um Ihre Lebensbedingungen zu verbessern und auch für Ihre politische Unabhängigkeit?

Er: Wissen Sie, wie es ist, hier 27 Jahre lang zu leben, so wie ich mit meiner Familie – Kindern und allem? Haben Sie auch nur den blassesten Schimmer, wie das die ganze Zeit für uns ist?

Ich: Das klingt so, als wären Sie sehr verzweifelt und würden sich fragen, ob ich oder jemand anders wirklich verstehen kann, wie es ist, unter solchen Bedingungen zu leben.

Er: Sie wollen das verstehen? Sagen Sie, haben Sie Kinder? Gehen die zur Schule? Haben sie Spielplätze? Mein Sohn ist krank! Er spielt in offenen Abwässern! In seiner Klasse gibt es keine Bücher! Haben Sie schon mal eine Schule gesehen, die keine Bücher hat?

Ich: Ich höre, wie weh es Ihnen tut, Ihre Kinder hier aufzuziehen; Sie möchten, daß ich verstehe, daß Sie wollen, was alle Eltern für ihre Kinder wollen – eine gute Ausbildung, Möglichkeiten zum Spielen und in einer gesunden Umgebung aufwachsen...

Er: Stimmt genau, die Gundbedingungen! Menschenrechte – nennt Ihr Amerikaner es nicht so? Warum kommen nicht mehr von euch hierher und schauen sich an, welche Art von Menschenrechten Ihr uns bringt!

Ich: Sie hätten gerne, daß sich mehr Amerikaner über das Ausmaß des Leids hier klar werden und sich die Konsequenzen ihrer politischen Entscheidungen genauer überlegen?

Unser Dialog ging noch weiter; er brachte fast zwanzig Minuten lang seinen Schmerz zum Ausdruck, und ich hörte auf die Gefühle und Bedürfnisse hinter jeder Aussage. Ich stimmte nicht zu und lehnte nicht ab. Ich nahm seine Worte auf, aber nicht als Angriffe, sondern als Geschenke eines Mitmenschen, der bereit ist, sein Innerstes und seine tiefe Verletzlichkeit mit mir zu teilen.

Sobald sich der Mann verstanden fühlte, konnte er mir zuhören, als ich den Grund meiner Anwesenheit im Lager erläuterte. Eine Stunde später lud mich derselbe Mann, der mich Mörder genannt hatte, zu einem Ramadan-Essen nach Hause ein.

2 Wie Kommunikation Einfühlungsvermögen blockiert

Verurteile nicht, und du wirst nicht verurteilt werden.
Denn wenn du andere verurteilst, so wirst du selbst verurteilt werden ...
Matthäus 7.1

Bei meinem Studium der Frage, was uns von unserer einfühlenden Natur entfremdet, habe ich spezifische Formen der Sprache und der Kommunikation identifiziert, von denen ich glaube, daß sie zu unserem gewalttätigen Verhalten uns selbst und anderen gegenüber beitragen. Mit dem Begriff „lebensentfremdende Kommunikation" meine ich diese Kommunikationsformen.

Bestimmte Arten der Kommunikation entfremden uns von unserer natürlichen, einfühlsamen Natur.

Moralische Urteile

Eine Art lebensentfremdender Kommunikation sind moralische Urteile, die anderen Leuten unterstellen, daß sie unrecht haben oder schlecht sind, wenn sie sich nicht unseren Wünschen gemäß verhalten. Beispiel für solche Urteile sind z.B.: „Das Problem mit dir ist, daß du zu selbstsüchtig bist"; „Sie ist faul"; „Die haben Vorurteile"; „Es ist unangemessen". Schuldzuweisungen, Beleidigungen, Niedermachen, in Schubladen stecken, Kritik, Vergleiche und Diagnosen sind alles Formen von Verurteilungen.

Der Sufi-Poet Rumi schrieb einst: „Jenseits von richtig und falsch liegt ein Ort. Dort treffen wir uns." Lebensentfremdende Kommunikation jedoch lockt uns in die Falle einer Welt von Annahmen darüber, was richtig und was falsch ist – eine Welt der Urteile. Dazu gehört eine Sprache, reich an Worten, die Handlungen damit abstempelt und bewertend voneinander trennt. Wenn wir diese Sprache sprechen, verurteilen wir andere und ihr Verhalten, während wir damit beschäftigt sind, wer gut oder böse ist, normal, unnormal, verantwortlich, unverantwortlich, gescheit, ignorant usw.

In der Welt der Urteile drehen sich unsere Gedanken um die Frage: WER „IST"

Lange bevor ich erwachsen wurde, lernte ich, in einer unpersönlichen Art zu kommunizieren: Es war nicht nötig, das, was in mir vorging, anderen zu zeigen. Wenn mir Leute begegneten, deren Verhalten ich entweder nicht mochte oder nicht verstand, dann reagierte ich darauf, indem ich ihr Fehlverhalten definierte. Wenn meine Lehrer mir eine Aufgabe zuwiesen, die ich nicht tun wollte, waren sie „gemein" oder „unvernünftig". Wenn jemand im Verkehr direkt vor mir ausscherte, war meine Reaktion: „Du Idiot!" Wenn wir diese Sprache sprechen, dann kommunizieren wir in Kategorien von „was mit den anderen nicht stimmt, wenn sie sich so und so verhalten", oder auch gelegentlich „was mit uns selbst nicht stimmt, wenn wir etwas nicht verstehen oder nicht so reagieren, wie wir es gerne tun würden". Unsere Aufmerksamkeit richtet sich eher darauf, zuzuordnen, zu analysieren und Ebenen des Fehlverhaltens zu identifizieren, als darauf, was wir und andere brauchen und nicht bekommen. So ist dann auch meine Partnerin „bedürftig und abhängig", wenn sie mehr Zärtlichkeit möchte, als ich ihr gebe. Aber wenn ich mehr Zärtlichkeit möchte, als sie mir gibt, dann ist sie „unnahbar und unsensibel". Wenn sich mein Kollege mehr Gedanken über Details macht als ich, ist er „pingelig und zwanghaft". Andererseits, mache ich mir mehr Gedanken über die Details als er, ist er „schlampig und schlecht organisiert".

Analysen von anderen Menschen sind in Wirklichkeit Ausdruck unserer eigenen Bedürfnisse und Werte.

Es ist meine Überzeugung, daß diese ganzen Analysen des Verhaltens anderer Menschen tragischer Ausdruck unserer eigenen Werte und Bedürfnisse sind. Tragisch aus folgendem Grund: Wenn wir unsere Werte und Bedürfnisse auf diese Weise ausdrücken, erzeugen wir genau bei den Leuten Abwehr und Widerstand, an deren Verhalten uns etwas liegt. Oder: Wenn sie wirklich damit einverstanden sind, sich in Übereinstimmung mit unseren Werten zu verhalten, weil sie unserer Analyse ihres Fehlverhaltens zustimmen, werden sie es sehr wahrscheinlich aus Angst, Schuldgefühl oder Scham tun.

Wir bezahlen alle teuer dafür, wenn Leute aus Angst, Schuldgefühl oder Scham auf unsere Werte und Bedürfnisse eingehen und nicht aus dem Wunsch heraus, von Herzen zu geben. Früher oder später werden wir die Konsequenzen nachlassenden Wohlwollens von denen zu spüren bekommen, die aus einem Gefühl äußerer oder innerer Nötigung heraus unsere Wünsche erfüllt haben. Sie selbst bezahlen ebenfalls emotional, denn wenn sie etwas mitmachen aus Angst, Schuldgefühl oder Scham, werden sie höchstwahrscheinlich Widerwillen empfinden und einen Teil ihres Selbstbewußtseins einbüßen. Dazu kommt noch, daß jedesmal, wenn andere uns in ihrer Vorstellungswelt mit diesen Gefühlen zusammenbringen, die Wahrscheinlichkeit abnimmt, daß sie in Zukunft auf unsere Werte und Bedürfnisse einfühlsam eingehen werden.

Es kommt hier darauf an, *Werturteile* nicht mit *moralischen Urteilen* zu verwechseln. Wir treffen alle Werturteile im Einklang mit den Eigenschaften, die uns im Leben wichtig sind; wir können z.B. Wert legen auf Ehrlichkeit, Freiheit oder Frieden. *Werturteile* reflektieren unsere Überzeugung darüber, wie das Leben am besten zu seiner vollen Entfaltung kommen kann. *Moralische Urteile* über andere Menschen und ihr Verhalten geben wir dann ab, wenn sie unsere Werturteile nicht mittragen. Wir sagen dann z.B.: „Gewalt ist schlecht. Menschen, die andere töten, sind böse." Wären wir mit einer Sprache aufgewachsen, die den Ausdruck von Einfühlungsvermögen unterstützt, dann hätten wir gelernt, unsere Bedürfnisse und Werte direkt zu benennen, statt auf das Fehlverhalten eines anderen Menschen anzuspielen, wenn sie nicht erfüllt werden. Wir können z.B. statt: „Gewalt ist schlecht" sagen: „Es macht mir angst, Gewalt einzusetzen, um Konflikte zu lösen; mir ist es wichtig, daß zwischenmenschliche Konflikte mit anderen Mitteln gelöst werden."

Die Beziehung zwischen Sprache und Gewalt ist das Thema der Forschungsarbeit von Psychologieprofessor O.J. Harvey an der Universität von Colorado. Er hat beliebige Textpassagen aus der Literatur verschiedener Länder ausgewählt und darin die Häufigkeit von Wörtern bestimmt, mit denen andere Menschen abgestempelt und verurteilt werden. Seine Studie weist einen starken Zusammenhang zwischen dem häufigen Gebrauch solcher Wörter und gewalttätigen Vorfällen auf. Es überrascht mich nicht zu hören, daß es deutlich weniger Gewalt in Gesellschaften gibt, in denen die Menschen in Begriffen von menschlichen Bedürfnissen denken, im Gegensatz zu Gesellschaftsformen, wo die Leute einander als „gut" oder „schlecht" bezeichnen und daran glauben, daß es die „Schlechten" verdienen, bestraft zu werden. In 75 Prozent des amerikanischen Fernsehprogramms, das zu einer Zeit ausgestrahlt wird, wenn die meisten Kinder zusehen, bringt der Held entweder jemanden um oder schlägt Leute zusammen. Typischerweise bildet die Gewalt den „Höhepunkt" der Sendung. Zuschauer, denen beigebracht wurde, daß es die Bösen verdienen, bestraft zu werden, sehen sich solche Gewaltsendungen mit Genugtuung an.

Andrew Schmookler vom Fachbereich Konfliktlösung an der Harvard Universität behauptet in seinem Buch *„Out of Weakness" (Aus Schwäche)*, daß hinter aller Gewalt – ob verbal, psychologisch oder physisch, ob unter Familienangehörigen, Stämmen oder Nationen – eine Art von Denken steht, die die Ursache eines Konflikts dem Fehlverhalten des Gegners zuschreibt. Weiterhin weist Schmookler auf eine dazugehörige Unfähigkeit hin, über sich selbst oder andere in Worten von Verletzlichkeit zu denken – was jemand vielleicht fühlt, befürchtet, ersehnt, vermißt usw. Diese gefährliche Art des Denkens zeigte sich während des Kalten Krieges. Unsere amerikanischen Machtinhaber sahen die Russen als ein „Reich des Bösen" an, besessen davon, den *American Way of Life* zu zerstören. Die russischen Machtinhaber sprachen vom amerikanischen Volk als „imperialistischen Unterdrückern", die versuchten, sie zu unterjochen. Keine Seite nahm die Angst wahr, die sich hinter solchen Etiketten versteckt.

Leute in Schubladen zu stecken und zu verurteilen fördert die Anwendung von Gewalt.

Vergleiche anstellen

Eine andere Form von Verurteilung ist das Anstellen von Vergleichen. In seinem Buch *How to Make Yourself Miserable (Wie man sich selbst die Laune verdirbt)* demonstriert Dan Greenberg mittels Humor die heimtückische Macht, die das Denken in Vergleichen auf uns ausüben kann. Er schlägt vor, daß die Leser, die den ernsthaften

Vergleiche sind eine Form von Verurteilung.

Wunsch haben, sich ihr Leben zu vermiesen, lernen sollen, sich mit anderen zu vergleichen. Für diejenigen, die mit dieser Praxis noch nicht so vertraut sind, hält er ein paar Übungen bereit. In der ersten werden Ganzkörperbilder von einem Mann und einer Frau gezeigt, die die aktuellen körperlichen Schönheitsideale in den Medien verkörpern. Die Leser werden angewiesen, ihre eigenen Körpermaße zu nehmen, sie mit denen der attraktiven Menschen auf den Bildern zu vergleichen und sich dann in die Unterschiede zu vertiefen.

Diese Übung hält, was sie verspricht: Sobald wir uns mit den Vergleichen beschäftigen, fangen wir an, uns mies zu fühlen. Wenn wir dann so deprimiert wie nur möglich sind, blättern wir eine Seite weiter und entdecken, daß die erste Übung lediglich zum Aufwärmen gedacht war. Da körperliche Schönheit relativ oberflächlich ist, gibt uns Greenberg jetzt die Gelegenheit, uns auf einer Ebene zu messen, die zählt: Leistung. Er nimmt das Telefonbuch zu Hilfe, um seinen Lesern einige beliebig ausgesuchte Vergleichspersonen vorzustellen. Der erste, von dem er behauptet, ihn aus dem Telefonbuch zu haben, ist Wolfgang Amadeus Mozart. Greenberg führt alle Sprachen auf, die Mozart beherrschte, und die wichtigsten Stücke, die er als Jugendlicher komponiert hat. Die Übung instruiert dann die Leser, sich die eigenen Errungenschaften zum gegenwärtigen Stand ihres Lebens ins Gedächtnis zu rufen, sie mit dem zu vergleichen, was Mozart bereits mit zwölf Jahren zustande gebracht hat, und sich dann in die Unterschiede zu vertiefen.

Selbst die Leser, die nie mehr aus der hausgemachten Misere der Übung herauskommen, können erkennen, wie machtvoll diese Art des Denkens die Einfühlsamkeit mit sich selbst und mit anderen blockiert.

Verantwortung leugnen

Eine andere Art lebensentfremdender Kommunikation ist das Leugnen von Verantwortung. Lebensentfremdende Kommunikation vernebelt unsere Wahrnehmung darüber, daß jeder von uns verantwortlich für seine eigenen Gedanken, Gefühle und Handlungen ist. Der Gebrauch des weitverbreiteten Wortes „müssen", wie z.B. in: „Es gibt Dinge, die man tun muß, ob es einem gefällt oder nicht", macht deutlich, wie die persönliche Verantwortung für unsere Handlungen mit solchen Sprachwendungen verschleiert wird.

Unsere Sprache verschleiert die Wahrnehmung persönlicher Verantwortung.

In ihrem Buch *Eichmann in Jerusalem*, das den Kriegsverbrecherprozeß gegen den Nazi-Funktionär Adolf Eichmann dokumentiert, zitiert Hanna Arendt Eichmann mit der Aussage, daß er und seine Offizierskollegen einen eigenen Namen für die Verantwortlichkeit leugnende Sprache hatten, derer sie sich bedienten. Sie nannten sie „Amtssprache". Wenn sie z.B. gefragt wurden, warum sie etwas Bestimmtes getan hatten, konnten sie sagen: „Das mußte ich tun." Wenn nachgefragt wurde, warum sie „mußten", lautete die Antwort: „Befehl von oben." „Firmenpolitik." „So waren die Gesetze."

Wir leugnen die Verantwortung für unsere Handlungen, wenn wir ihre Ursache folgenden Gründen zuschreiben:

- Vage, unpersönliche Mächte: *„Ich habe mein Zimmer saubergemacht, weil ich es tun mußte."*
- Unser Zustand, eine Diagnose, die persönliche oder psychologische Geschichte: *„Ich trinke, weil ich Alkoholiker bin."*
- Die Handlungen anderer: *„Ich habe mein Kind geschlagen, weil es auf die Straße gelaufen ist."*
- Das Diktat einer Autorität: *„Ich habe den Klienten angelogen, weil der Chef es mir befohlen hat."*
- Gruppendruck: *„Ich habe mit dem Rauchen angefangen, weil alle meine Freunde rauchen."*
- Institutionelle Politik, Regeln und Vorschriften: *„Für diesen Verstoß muß ich dich von der Schule verweisen – so sind die Vorschriften."*
- Geschlechterrollen, soziale Rollen oder Altersrollen: *„Ich hasse es, zur Arbeit zu gehen, aber ich muß es tun, ich bin Ehemann und Vater."*
- Unkontrollierbare Impulse: *„Ich wurde von meinem Verlangen überwältigt, den Schokoriegel zu essen."*

In einer Diskussion zwischen Eltern und Lehrern über die Gefahren einer Sprache, die keine Wahlmöglichkeiten zuläßt, widersprach eine Frau einmal ärgerlich: „Aber es *gibt* Dinge, die man tun muß, ob es einem gefällt oder nicht! Und ich sehe nichts Falsches darin, meinen Kindern zu sagen, daß es auch für sie Dinge gibt, die *sie* tun müssen." Auf ein Beispiel von etwas angesprochen, was sie „tun müsse", erwiderte sie scharf: „Das ist einfach! Wenn ich nachher hier weggehe, muß ich nach Hause und kochen. Ich hasse Kochen! Ich hasse es leidenschaftlich, aber ich habe es jeden Tag die letzten zwanzig Jahre getan, auch wenn mir hundeelend war – weil es zu den Dingen gehört, die man einfach tun muß." Ich sagte ihr, daß es mich traurig machte zu hören, daß sie soviel ihrer Lebenszeit damit verbringt, etwas zu tun, das sie haßt, weil sie sich dazu gezwungen fühlt, und daß ich hoffte, sie würde durch das Lernen der GFK-Sprache Möglichkeiten finden, die sie glücklicher machten.

Es freut mich, daß ich darüber berichten kann, wie schnell sie lernte. Am Ende des Workshops ging sie tatsächlich nach Hause und verkündete ihrer Familie, daß sie nicht länger kochen wolle. Drei Wochen später kam die Gelegenheit, eine Rückmeldung von ihrer Familie zu hören, als ihre beiden Söhne in einen Workshop kamen. Ich wollte gerne wissen, wie sie auf die Ankündigung ihrer Mutter reagiert hatten. Der ältere Sohn seufzte: „Marshall, ich habe nur zu mir selbst gesagt: ‚Gott sei Dank!'" Als er meine Verwirrung sah, erklärte er: „Ich habe mir gedacht, vielleicht hört sie jetzt endlich auf, bei jedem Essen zu jammern!"

Ein anderes Mal, während meiner Tätigkeit als Berater eines Schulbezirks, äußerte eine Lehrerin; „Ich hasse es, Noten zu geben. Ich finde nicht, daß Noten irgendwie helfen, und sie machen den Schülern viel angst. Aber ich muß Noten geben: Das sind die Vorschriften der Schulbehörde."

Wir können eine Sprache, der es an Wahlmöglichkeiten mangelt, ersetzen durch eine Sprache, die Wahlmöglichkeiten unterstützt.

Wir hatten gerade geübt, wie man in der Klasse eine Sprache einführt, die das Bewußtsein über die Verantwortung für die eigenen Handlungen stärkt. Ich schlug vor, daß die Lehrerin ihre Behauptung: „Ich hasse es, Noten zu geben, weil die Schulpolitik es vorschreibt" übersetzt in: „Ich entscheide mich, Noten zu geben, weil mir wichtig ist, ..." Sie antwortete ohne Zögern: „Ich entscheide mich, Noten zu geben, weil ich meinen Job behalten möchte", und schnell fügte sie noch hinzu: „Aber das sage ich nicht gerne. Da fühle ich mich so verantwortlich für das, was ich tue." „Deshalb möchte ich ja, daß du es so sagst", erwiderte ich.

Ich teile die Empfindungen des französischen Romanciers und Journalisten George Bernanos, wenn er sagt:

Ich denke schon lange folgendes: Wenn eines Tages die immer wirksamer werdenden Zerstörungstechniken schließlich dazu führen, daß unsere Spezies von der Erde verschwindet, dann wird es nicht Grausamkeit sein, die für unsere Auslöschung verantwortlich ist, und natürlich noch weniger die Entrüstung, die durch die Grausamkeit geweckt wird, oder die Vergeltungsmaßnahmen und Racheakte, die daraus erwachsen ..., sondern die Schwäche, der Mangel an Verantwortung im modernen Menschen, seine falsche, unterwürfige Akzeptanz einer jeden Anordnung von oben. Der Horror, den wir schon erlebt haben, und der noch größere Horror, den wir noch erleben werden, sind keine Anzeichen dafür, daß Rebellen, Menschen, die sich nicht unterwerfen, die sich nicht kleinkriegen lassen, in zunehmender Anzahl auf der ganzen Welt zu finden sind, sondern eher, daß es eine konstant steigende Zahl von gehorsamen, schwachen Menschen gibt.

Wir sind gefährlich, wenn wir uns der Eigenverantwortung für unser Verhalten, Denken und Fühlen nicht bewußt sind.

Andere Formen lebensentfremdender Kommunikation

Unsere Wünsche in Form von Forderungen zu formulieren ist ein weiteres typisches Merkmal einer Sprache, die Einfühlsamkeit blockiert. Eine direkte oder indirekte Forderung droht dem, der diese Forderung nicht erfüllt, mit Schuldzuweisung oder Strafe. Das ist eine übliche Kommunikationsform in unserer Kultur, besonders verbreitet bei Menschen in einflußreichen Positionen.

Meine Kinder haben mir einige paar unschätzbare Lektionen zum Thema Forderungen erteilt. Irgendwie hatte ich im Kopf, daß ich als Vater die Aufgabe hätte, Anweisungen zu geben. Da mußte ich lernen, daß ich alle Anweisungen der Welt geben kann und dennoch die Kinder nicht dazu bringe, irgend etwas zu tun. Das ist eine Lektion in Machtausübung, die speziell diejenigen unter uns bescheiden macht, die glauben, ihr Job als Eltern, Lehrer oder Manager wäre es, andere Leute zu verändern und ihnen Benehmen beizubringen. Mich ließen diese Kids unmißverständlich wissen, daß ich sie nicht *dazu bringen* konnte, irgend etwas zu tun. Alles was ich tun konnte war, die Kinder dahin zu bringen, daß sie sich wünschten, sie hätten mir gehorcht – durch Bestrafung. Aber dann zeigten sie mir jedesmal, wenn ich dumm genug gewesen war, sie durch Bestrafung dahin zu bringen, sich zu wünschen, sie hätten gehorcht, daß sie mich dahin bringen konnten, mir zu wünschen, ich hätte das nicht getan!

Wir können niemals jemanden dazu bringen, etwas zu tun.

Wir werden uns mit diesem Thema noch einmal beschäftigen, wenn wir lernen, Bitten von Forderungen zu unterscheiden – ein wichtiger Aspekt in der GFK.

Lebensentfremdende Kommunikation wird auch mit der Vorstellung in Verbindung gebracht, daß bestimmte Handlungen Lob und andere Strafe verdienen. Dieses Denken findet seinen Ausdruck in dem Wort „verdienen", z.B. in: „Für das, was er getan hat, verdient er eine Strafe." Es wird angenommen, daß Leute, die sich auf eine bestimmten Weise benehmen, „schlecht" sind, und dann ertönt der Ruf nach Bestrafung, damit sie bereuen und ihr Verhalten ändern. Ich bin davon überzeugt, daß es in unser aller Interesse liegt, daß Menschen sich ändern, aber nicht um Strafen zu entgehen, sondern weil sie sehen, daß eine Veränderung ihnen selbst nutzt.

Denken auf der Grundlage von „wer verdient was" blockiert einfühlsame Kommunikation.

Die meisten von uns sind mit einer Sprache aufgewachsen, die uns ermuntert, andere in Schubladen zu stecken, zu vergleichen, zu fordern und Urteile auszusprechen, statt wahrzunehmen, was wir fühlen und was wir brauchen. Ich glaube, daß lebensentfremdende Kommunikation ihre Wurzeln in bestimmten Auffassungen über die menschliche Natur hat. Jahrhundertelang konnten solche Auffassungen ihren Einfluß verbreiten. Diese Denkweisen betonen unsere angeborene Schlechtigkeit und Mangelhaftigkeit und die Notwendigkeit einer Erziehung, die unser von Natur aus unerwünschtes Wesen kontrolliert. Dank dieser Erziehung landen wir immer wieder bei der Frage, ob etwas mit uns nicht stimmt, wenn wir bestimmte Gefühle und Bedürfnisse erleben. Wir lernen früh, uns von dem abzuschneiden, was in unserem Inneren vorgeht. Lebensentfremdende Kommunikation rührt von hierarchischen Gesellschaften her, deren Funktionieren von einer großen Anzahl schwacher, unterwürfiger Bürger abhängt – gleichzeitig fördert lebensentfremdende Kommunikation diese Hierarchien. Wenn wir in Kontakt mit unseren Gefühlen und Bedürfnissen sind, dann werden aus uns keine guten Sklaven und Befehlsempfänger mehr.

Lebensentfremdende Kommunikation hat tiefe philosophische und politische Wurzeln.

Zusammenfassung

Es liegt in unserer Natur, einfühlsames Geben und Nehmen zu genießen. Wir haben uns jedoch viele Muster „lebensentfremdender Kommunikation" angeeignet, die dazu führen, daß wir uns selbst und andere mit unserem Sprachstil und unserem Verhalten verletzen. Ein Muster lebensentfremdender Kommunikation sind moralische Urteile: Wer sich nicht in Übereinstimmung mit unseren Werten verhält, dem werden Fehlverhalten oder böse Absichten unterstellt. Eine andere Form dieser Kommunikation ist das Anstellen von Vergleichen; damit kann das Mitgefühl mit uns selbst und mit anderen blockiert werden. Lebensentfremdende Kommunikation verschleiert auch unsere Wahrnehmung darüber, daß jeder von uns verantwortlich ist für seine eigenen Gedanken, Gefühle und Handlungen. Unsere Wünsche in Form von Forderungen zu vermitteln ist eine weiteres Merkmal einer Sprache, die Einfühlsamkeit blockiert.

3 Beobachten ohne zu bewerten

> „BEOBACHTE!! Es gibt wenige Dinge, die so wichtig,
> so spirituell sind wie Beobachten." – *Frederick Buechner, Geistlicher*

*Ich kann damit umgehen, wenn du mir sagst,
was ich tue oder nicht tue.
Und ich kann damit umgehen, wenn du interpretierst.
Aber bitte vermische beides nicht miteinander.*

*Wenn du ein Problem durcheinanderbringen willst,
kann ich dir sagen, wie das geht:
vermische das, was ich tue,
mit deiner Reaktion darauf.*

*Sag' mir, daß du frustriert bist,
wenn du die ungemachte Hausarbeit siehst.
Aber mich „unverantwortlich" schimpfen
motiviert mich überhaupt nicht.*

*Und sag' mir, daß du dich verletzt fühlst,
wenn ich „nein" sage zu deinen Annäherungsversuchen.
Aber mich einen frigiden Mann zu schimpfen
erhöht deine Chancen bei mir nicht gerade.*

*Ja, ich kann damit umgehen, wenn du mir sagst,
was ich tue oder oder nicht tue.
Und ich kann damit umgehen, wenn du interpretierst.
Aber bitte vermische beides nicht miteinander.*

– *MBR*

Zur ersten Komponente der GFK gehört das Auseinanderhalten von Beobachtung und Bewertung. Wir müssen das, was unser Wohlbefinden stört, deutlich beobachten (was sehen, hören oder berühren wir?), ohne es mit irgendeiner Bewertung zu verknüpfen. Die Zeichnungen auf der nächsten Seite demonstrieren den Unterschied zwischen einer reinen Beobachtung und einer Vermischung von Beobachtung und Bewertung.

Beobachtungen sind ein wichtiges Element in der GFK, wenn wir einem anderen Menschen klar und ehrlich mitteilen wollen, wie es uns geht. Wenn wir die Beobachtung mit einer Bewertung verknüpfen, vermindern wir die Wahrscheinlichkeit, daß andere das hören, was wir sagen wollen. Sie neigen dann eher dazu, Kritik zu hören, und wehren so ab, was wir eigentlich sagen wollen.

> *Verknüpfen wir Beobachtung mit Bewertung, neigen die Leute eher dazu, Kritik zu hören.*

Die GFK tritt nicht dafür ein, daß wir vollkommen objektiv bleiben und uns jeglicher Bewertung enthalten. Sie verlangt nur, daß wir zwischen unseren Beobachtungen und unseren Bewertungen immer *sauber trennen*. GFK ist eine prozeßorientierte Sprache, die statische Verallgemeinerungen eher verhindert; statt dessen werden Bewertungen nur auf der Grundlage von Beobachtungen vorgenommen, *konkret bezogen auf die Zeit und den Handlungszusammenhang*. Der Sprachforscher Wendell Johnson hat darauf hingewiesen, daß wir uns selbst viele Probleme schaffen, indem wir eine statische Sprache verwenden, um eine Wirklichkeit, die im ständigen Wandel begriffen ist, auszudrücken oder einzufangen: „Unsere Sprache ist ein unvollkommenes Instrument, das von unwissenden Menschen in grauer Vorzeit geschaffen wurde. Es ist eine animistische Sprache, die dazu einlädt, über Stabilität und Konstanten zu sprechen, über Ähnlichkeiten, Normalitäten und Arten, über magische Transformationen, schnelle Heilungen, einfache Probleme und endgültige Lösungen. Die Welt jedoch, die wir mit dieser Sprache beschreiben wollen, hat sich inzwischen sehr verändert. Sie ist jetzt bestimmt von Prozessen, Veränderungen, Unterschiedlichkeiten, Dimensionen, Funktionen, Beziehungen, Wachstum, Interaktionen, Entwicklung, Lernen, Herausforderungen und Komplexität. Und ein Teil unseres Problems ist die Tatsache, daß unsere sich ständig wandelnde Welt und unsere relativ statische Sprache ein ungleiches Paar sind."

Eine meiner Kolleginnen, Ruth Bebermeyer, stellt die statische und die prozeßorientierte Sprache in einem Song gegenüber, der die Unterschiede zwischen Bewertung und Beobachtung deutlich macht.

Beobachtung vermischt mit Bewertung

Beobachtung getrennt von Bewertung

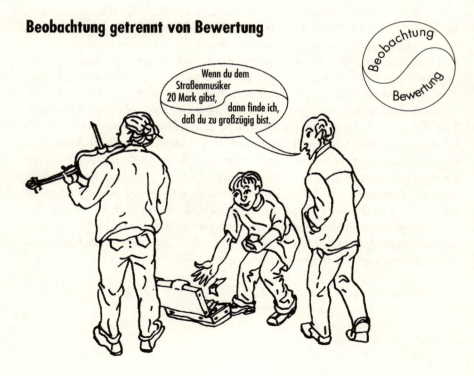

*Ich habe noch nie einen faulen Mann gesehen;
ich habe schon mal einen Mann gesehen,
der niemals rannte, während ich ihm zusah,
und ich habe schon mal einen Mann gesehen,
der zwischen Mittag- und Abendessen manchmal schlief,
und der vielleicht mal zu Hause blieb an einem Regentag,
aber er war kein fauler Mann.
Bevor du sagst, ich wär' verrückt,
denk' mal nach, war er ein fauler Mann, oder hat er nur
Dinge getan, die wir als „faul" abstempeln?*

*Ich habe noch nie ein dummes Kind gesehen;
ich habe schon mal ein Kind gesehen, das hin und wieder
etwas gemacht hat, was ich nicht verstand,
oder etwas anders gemacht hat, als ich geplant hatte;
ich habe schon mal ein Kind gesehen,
das nicht dieselben Orte kannte wie ich,
aber das war kein dummes Kind.
Bevor du sagst, es wäre dumm,
denk' mal nach, war es ein dummes Kind, oder hat es einfach nur
andere Sachen gekannt als du?*

*Ich habe mich so intensiv wie nur möglich umgesehen,
habe aber nirgendwo einen Koch entdecken können;
ich habe jemanden gesehen, der Zutaten kombiniert hat,
die wir dann gegessen haben.
Jemanden, der den Herd angemacht und aufgepaßt hat,
daß das Fleisch auf dem Feuer gar wird.
Das alles habe ich gesehen, aber keinen Koch.
Sag' mir, wenn du hinschaust,
ist das ein Koch, den du siehst, oder siehst du jemanden Dinge tun,
die wir kochen nennen?*

*Was die einen faul nennen, nennen die anderen müde oder gelassen,
was die einen dumm nennen,
ist für die anderen einfach ein anderes Wissen.
Ich bin also zu dem Schluß gekommen,
daß es uns allen viel Wirrwarr erspart,
wenn wir das, was wir sehen,
nicht mit unserer Meinung darüber vermischen.
Damit es dir nicht passiert, möchte ich noch sagen:
Ich weiß, was ich hier sage, ist nur meine Meinung.*

Auch wenn die Wirkung von Negativetiketten wie „faul" oder „dumm" vielleicht eher auf der Hand liegt, schränkt auch eine positive oder scheinbar neutrale Schublade wie z.B. „Koch" unsere Wahrnehmung von der Gesamtheit eines anderen Menschen ein.

Die höchste Form menschlicher Intelligenz

Der indische Philosoph J. Krishnamurti stellte einmal fest, daß es die höchste Form menschlicher Intelligenz ist, zu beobachten ohne zu bewerten. Als ich diese Aussage zum ersten Mal las, schoß mir der Gedanke „So ein Blödsinn!" durch den Kopf, bevor mir klar wurde, daß ich damit gerade eine Bewertung abgegeben hatte. Für die meisten von uns ist es schwierig, Menschen und deren Verhalten in einer Weise zu beobachten, die frei ist von Verurteilung, Kritik oder anderen Formen der Analyse.

Mir wurde diese Schwierigkeit deutlich vor Augen geführt, als ich an einer Grundschule arbeitete, wo das Lehrerkollegium und der Direktor immer wieder von Kommunikationsproblemen berichteten. Der Schulrat hatte mich gebeten, bei der Lösung ihrer Probleme zu helfen. Zuerst sollte ich mit den Lehrern allein sprechen und dann mit dem Lehrern und dem Direktor gemeinsam.

Ich eröffnete das Meeting mit der Frage an die Lehrer: „Was tut der Direktor, durch welche Handlung gerät er in Konflikt mit Ihren Bedürfnissen?" „Er hat eine große Klappe!", war die umgehende Antwort. Ich hatte nach einer Beobachtung gefragt, und auch wenn mir die „große Klappe" etwas darüber sagt, wie der Lehrer seinen Direktor beurteilt, gibt sie mir keine Auskunft darüber, was der Direktor konkret *gesagt* oder *getan* hat, was wiederum zur Interpretation des Lehrers, „er hat eine große Klappe" geführt hat.

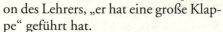

Als ich darauf hinwies, bot eine Lehrerin an: „Ich weiß, was er meint, der Direktor redet zuviel!" Statt einer klaren Beobachtung war auch dies eine Bewertung, nämlich davon, wieviel der Direktor redet. Dann erklärte eine weitere Lehrerin: „Er meint, nur er hätte etwas Wichtiges zu sagen." Ich erläuterte, daß es nicht das gleiche ist, zu interpretieren, was jemand anders denkt, und sein Verhalten zu beobachten. Schließlich wagte es noch ein Lehrer: „Er will immer, daß sich alles um ihn dreht." Nachdem ich anmerkte, daß auch dies eine Interpretation sei – davon was jemand anders möchte – platzten zwei Lehrer gleichzeitig heraus: „Also, Ihre Frage ist aber wirklich schwer zu beantworten!"

Anschließend erarbeiteten wir gemeinsam eine Liste mit dem *genau beschriebenen Verhalten* des Direktors, das sie störte, und überprüften noch mal, daß die Liste frei von Bewertungen war. Zum Beispiel erzählte der Direktor während der Fachbereichstreffen Geschichten aus seiner Kindheit und seinen Kriegserlebnissen, wodurch die Meetings manchmal zwanzig Minuten länger als geplant dauerten. Als ich sie fragte, ob sie dem Direktor ihren Unmut jemals mitgeteilt hätten, antworteten die Lehrer, daß sie es versucht hätten, aber nur mit bewertenden Kommentaren. Sie hatten nie spezifisches Verhalten angesprochen – wie z.B. sein Geschichtenerzählen – und waren damit einverstanden, es bei unserem anschließenden gemeinsamen Treffen anzusprechen.

Kaum hatten wir mit dem gemeinsamen Meeting angefangen, sah ich, was die Lehrer gemeint hatten. Egal was gerade diskutiert wurde, der Direktor unterbrach jedesmal: „Das erinnert mich an die Zeit, als ..." und leitete dann gleich über zu einer Geschichte aus seiner Kindheit oder aus dem Krieg. Ich wartete darauf, daß das Kollegium seinen Mißmut über das Verhalten des Direktors zur Sprache bringen würde. Doch statt Gewaltloser Kommunikation wandten sie Sprachlose Verdammung an. Manche verdrehten ihre Augen; andere gähnten übertrieben; einer starrte auf seine Uhr.

Als ich dieses schmerzliche Szenario nach einer Weile nicht mehr ertragen konnte, fragte ich: „Möchte nicht jemand etwas sagen?" Es entstand eine peinliche Stille. Der Lehrer, der bei unserem vorangegangenen Treffen als erster gesprochen hatte, nahm seinen Mut zusammen, schaute den Direktor an und sagte: „Ed, du hast eine große Klappe."

Wie diese Geschichte anschaulich zeigt, ist es nicht immer einfach, unsere alten Gewohnheiten abzulegen und die Fähigkeit zu meistern, Beobachtung von Bewertung zu trennen. Nach einer Weile gelang es den Lehrern, dem Direktor klar zu machen, welche spezifische Handlung zu ihren unguten Gefühlen führte. Der Direktor hörte genau zu und drängte dann: „Warum hat mir das noch nie einer gesagt?" Er gab zu, daß er sich seiner Gewohnheit, Geschichten zu erzählen, bewußt war, und fing dann an mit einer Geschichte über diese Gewohnheit! Ich unterbrach ihn (freundlich) mit meiner Beobachtung, daß er das gleiche wieder tue. Am Ende des Meetings entwickelten wir Möglichkeiten, wie die Lehrer – auf liebenswürdige Weise – ihren Direktor wissen lassen konnten, wann seine Geschichten nicht erwünscht waren.

Beobachtungen von Bewertungen unterscheiden

Die folgende Tabelle unterscheidet Beobachtungen, getrennt von Bewertungen, und Beobachtungen, vermischt mit Bewertungen.

Kommunikation	Beispiele: Beobachtung vermischt mit Bewertung	Beispiele: Beobachtung getrennt von Bewertung
1. Gebrauch des Verbs *sein* ohne Anzeichen, daß der Bewertende die Verantwortung für seine Bewertung übernimmt	Du bist zu großzügig.	Wenn ich sehe, daß du all dein Essensgeld weggibst, finde ich, daß du zu großzügig bist.
2. Gebrauch von Verben mit bewertendem Beigeschmack	Toni schiebt die Dinge vor sich her.	Toni lernt für ihre Prüfungen erst am Abend vorher.
3. Annahme, daß die eigene Meinung über die Gedanken, Gefühle, Absichten oder Wünsche von jemand anderem die einzig gültige ist	Sie schafft ihre Arbeit bestimmt nicht.	Ich glaube nicht, daß sie ihre Arbeit schafft. Oder: Sie hat gesagt: „Ich werde meine Arbeit nicht schaffen."
4. Annahme mit gesichertem Wissen vermischen	Wenn du dich nicht ausgewogen ernährst, nimmt deine Gesundheit Schaden.	Wenn du dich nicht ausgewogen ernährst, befürchte ich, daß deine Gesundheit vielleicht Schaden nimmt.
5. Keine genaue Bestimmung von Personen innerhalb einer Bezugsgruppe	Ausländer kümmern sich nicht um ihr Eigentum.	Ich habe noch nicht gesehen, daß die ausländische Familie aus der Rosenstraße 16 den Schnee auf ihrem Bürgersteig wegschaufelt.
6. Benutzen von Wörtern, die eine Fähigkeit bezeichnen, ohne klarzumachen, daß hier bewertet wird	Harry Schmidt ist ein schlechter Fußballspieler.	Harry Schmidt hat die letzten 20 Spiele kein Tor mehr geschossen.
7. Benutzen von Adverbien und Adjektiven auf eine Art, die nicht deutlich macht, daß es sich um eine Bewertung handelt	Jochen ist häßlich.	Jochens Äußeres zieht mich nicht an.

Anmerkung: Die Wörter *immer, nie, jemals, jedesmal* usw. drücken eine Beobachtung aus, wenn sie wie folgt angewendet werden:
- Jedesmal, wenn ich Matthias am Telefon beobachtet habe, hat er mindestens 30 Minuten lang telefoniert.
- Ich kann mich nicht daran erinnern, daß du mir jemals geschrieben hast.

Manchmal werden solche Wörter als Übertreibungen benutzt. In dem Fall vermischen sich dann Beobachtungen mit Bewertungen:
- Du bist immer so fleißig.
- Sie ist nie da, wenn man sie braucht.

In ihrer Funktion als Übertreibungen provozieren diese Wörter oft eher Abwehr statt Mitgefühl.
Wörter wie *häufig* und *selten* können auch dazu beitragen, daß Beobachtung mit Bewertung verwechselt wird.

Bewertungen	Beobachtungen
Du machst selten das, was ich möchte.	Die letzten drei Male, wo ich eine Unternehmung vorgeschlagen habe, hast du gesagt, du hättest keine Lust dazu.
Er kommt häufig vorbei.	Er kommt mindestens dreimal die Woche vorbei.

Zusammenfassung

Die erste Komponente der GFK erfordert das Auseinanderhalten von Beobachtung und Bewertung. Wenn wir eine Beobachtung mit einer Bewertung vermischen, können andere leicht Kritik hören und wehren das ab, was wir sagen wollen. GFK ist eine prozeßorientierte Sprache, die statische Verallgemeinerungen eher verhindert. Statt dessen sollten Beobachtungen auf einen Zeitrahmen und auf den Zusammenhang bezogen werden, z.B. bekommt „Harry Schmidt hat die letzten 20 Spiele kein Tor mehr geschossen" den Vorzug vor „Harry Schmidt ist ein schlechter Fußballspieler".

Gewaltfreie Kommunikation in der Praxis: „Der arroganteste Redner, den wir je hatten!"

Dieser Dialog fand in einem meiner Workshops statt. Nach einer halben Stunde Präsentation machte ich eine Pause, damit die Teilnehmer etwas sagen konnten. Einer hob die Hand und erklärte: „Sie sind der arroganteste Referent, den wir je hatten!"

Wenn Leute mich so ansprechen, dann stehen mir verschiedene Möglichkeiten zur Verfügung. Eine Möglichkeit ist, diese Aussage persönlich zu nehmen; ich weiß, daß ich das dann tue, wenn ich den starken Wunsch habe, entweder um etwas herumzureden, mich zu verteidigen oder mich zu entschuldigen. Eine andere Möglichkeit (auf die ich sehr gedrillt wurde) ist, die andere Person anzugreifen für das, was ich als ihren Angriff gegen mich betrachte. In dieser Situation entschied ich mich für eine dritte Möglichkeit und lenkte meine Aufmerksamkeit auf das, was sich möglicherweise hinter der Aussage des Mannes abspielte.

MBR: *(Stellt Vermutungen über das an, was er beobachtet hat.)* Sprechen Sie davon, daß ich 30 geschlagene Minuten für meine Präsentation gebraucht habe, bevor Sie eine Chance hatten, etwas zu sagen?

Teilnehmer: Nein, bei Ihnen klingt das alles so einfach.

MBR: *(Versucht mehr Klarheit zu bekommen.)* Meinen Sie, daß ich gar nichts darüber gesagt habe, wie schwierig es für manche Leute ist, das Modell anzuwenden?

Teilnehmer: Nein, nicht für manche Leute – für Sie!

MBR: Sie sprechen also davon, daß ich nicht gesagt habe, daß das Modell auch mir manchmal Schwierigkeiten bereitet?

Teilnehmer: Ja, das stimmt.

MBR: Ärgern Sie sich, weil Sie gerne etwas gehört hätten, was darauf hindeutet, daß ich selbst mit dem Modell manchmal Probleme habe?

Teilnehmer: *(nach einer kleinen Pause)* Ja, das stimmt.

MBR: *(Es entspannt mich, daß ich jetzt mit seinem Gefühl und Bedürfnis in Kontakt bin, und ich konzentriere mich darauf, was er eventuell von mir möchte.)* Möchten Sie gerne, daß ich jetzt sofort zugebe, wie schwer es mir manchmal fällt, diesen Prozeß anzuwenden?

Teilnehmer: Ja.

MBR: *(Ich habe seine Beobachtung, sein Gefühl, sein Bedürfnis und seine Bitte geklärt und schaue jetzt bei mir, ob ich bereit bin, seine Bitte zu erfüllen.)* Ja, dieser Prozeß ist oft schwer für mich. Im Verlauf des Workshops werden Sie wahrscheinlich hören, wie ich verschiedene Situationen beschreibe, wo ich zu kämpfen hatte ... oder ganz den Kontakt verlor ... mit diesem Prozeß, diesem Bewußtsein, das ich Ihnen hier vorstelle. Was mich dennoch durchhalten läßt, sind die berührenden Verbindungen mit anderen Menschen, die entstehen, wenn ich mich an das Modell halte.

Übung 1: Beobachtung oder Bewertung?

Um Ihre Kompetenz in der Unterscheidung zwischen Beobachtung und Bewertung zu bestimmen, machen Sie bitte die folgende Übung: Markieren Sie die Numerierungen der Sätze, die eine reine Beobachtung ausdrücken – ohne jegliche Bewertung.

1. Karl war gestern völlig grundlos wütend auf mich.
2. Gestern abend hat Nina beim Fernsehen an ihren Nägeln gekaut.
3. Klaus hat mich während des Meetings nicht um meine Meinung gebeten.
4. Mein Vater ist ein guter Mensch.
5. Jenny arbeitet zuviel.
6. Hans ist aggressiv.
7. Christine war in dieser Woche jeden Tag die erste in der Warteschlange.
8. Mein Sohn putzt sich oft nicht die Zähne.
9. Franz hat zu mir gesagt, gelb steht mir nicht besonders.
10. Meine Tante klagt immer, wenn ich mit ihr spreche.

Hier sind meine Antworten zu Übung 1:

1. Wenn Sie die 1 markiert haben, dann stimmen wir nicht überein. Ich halte „grundlos" für eine Bewertung. Darüber hinaus halte ich auch die Schlußfolgerung, daß Karl wütend war, für eine Bewertung. Er kann sich auch verletzt, traurig, ängstlich oder anders gefühlt haben. Beispiele für Beobachtungen ohne Bewertungen können so klingen: „Hans hat mir gesagt, daß er wütend war" oder: „Hans hat mit der Faust auf den Tisch geschlagen."

2. Wenn Sie die 2 markiert haben, dann stimmen wir darin überein, daß hier eine Beobachtung ausgedrückt wurde, die nicht mit einer Bewertung vermischt ist.

3. Wenn Sie die 3 markiert haben, dann stimmen wir darin überein, daß hier eine Beobachtung ausgedrückt wurde, die nicht mit einer Bewertung vermischt ist.

4. Wenn Sie die 4 markiert haben, stimmen wir nicht überein. Ich halte „guter Mensch" für eine Bewertung. Eine Beobachtung ohne Bewertung könnte sein: „In den letzten 25 Jahren hat mein Vater ein Zehntel seines Einkommes für gute Zwecke ausgegeben."

5. Wenn Sie die 5 markiert haben, stimmen wir nicht überein. Ich halte „zuviel" für eine Bewertung. Eine Beobachtung ohne Bewertung könnte sein: „Jenny hat diese Woche mehr als 60 Stunden im Büro verbracht."

6. Wenn Sie die 6 markiert haben, stimmen wir nicht überein. Ich halte „aggressiv" für eine Bewertung. Eine Beobachtung ohne Bewertung könnte sein: „Hans hat seine Schwester geschlagen, als sie ein anderes Fernsehprogramm eingestellt hat."

7. Wenn Sie die 7 markiert haben, dann stimmen wir darin überein, daß hier eine Beobachtung ausgedrückt wurde, die nicht mit einer Bewertung vermischt ist.

8. Wenn Sie die 8 markiert haben, stimmen wir nicht überein. Ich halte „oft" für eine Bewertung. Eine Beobachtung ohne Bewertung könnte sein: „Mein Sohn hat zweimal diese Woche seine Zähne nicht geputzt, bevor er ins Bett gegangen ist."

9. Wenn Sie die 9 markiert haben, dann stimmen wir darin überein, daß hier eine Beobachtung ausgedrückt wurde, die nicht mit einer Bewertung vermischt ist.

10. Wenn Sie die 10 markiert haben, stimmen wir nicht überein. Ich halte „klagt immer" für eine Bewertung. Eine Beobachtung ohne Bewertung könnte sein: „Meine Tante hat mich diese Woche dreimal angerufen und jedesmal über Leute gesprochen, die nicht so mit ihr umgegangen sind, wie sie das gerne gehabt hätte."

4 Gefühle wahrnehmen und ausdrücken

Die Maske

Immer eine Maske
Gehalten in einer schmalen Hand, weißlich
Immer eine Maske vor ihrem Gesicht –

Das Handgelenk
Hielt sie leicht
Erfüllte treu die Aufgabe:
Jedoch manchmal
War da nicht ein Beben,
Zitterten die Fingerspitzen,
Nur ganz leicht –
Während sie die Maske hielten?

Jahr für Jahr wunderte ich mich
Traute mich aber nicht zu fragen
Und dann –
Trat ich ins Fettnäpfchen,
Schaute hinter die Maske
Und fand –
Nichts
Sie hatte kein Gesicht.

Aus ihr war
Bloß noch eine Hand geworden
Die eine Maske hält –
Anmutig.

– Autor unbekannt

In der ersten Komponente der GFK beobachten wir ohne zu bewerten; in der zweiten Komponente drücken wir unsere Gefühle aus. Der Psychoanalytiker Rollo May schlägt vor, daß „der reife Mensch die Fähigkeit entwickelt, Gefühle in genauso viele Nuancen, starke und leidenschaftliche oder feinere und gefühlvollere, zu differenzieren, wie sie auch in den unterschiedlichen Musikpassagen einer Symphonie vorkommen". Für viele von uns jedoch sind die Gefühle, mit Mays Worten ausgedrückt, „so begrenzt wie die Töne eines Hornbläsers".

Unterdrückte Gefühle kommen teuer zu stehen

Unser Repertoire an Schimpfwörtern ist oft umfangreicher als der Wortschatz, mit dem wir unseren Gefühlszustand klar beschreiben können. Ich habe einundzwanzig Jahre lang verschiedene amerikanische Bildungsstätten durchlaufen und kann mich nicht daran erinnern, daß mich einmal jemand gefragt hätte, wie ich mich fühle. Gefühle wurden einfach nicht als wichtig angesehen. Was sehr geschätzt wurde, war „die richtige Art zu denken" – nach Definition derer, die Stellungen von Rang und Autorität innehatten. Wir werden eher dazu trainiert, „außenorientiert" zu leben, als mit uns selbst in Kontakt zu sein. Wir lernen „in unserem Kopf" zu sein und uns zu fragen: „Was halten die anderen für richtig in dem, was ich sage und tue?"

Eine Auseinandersetzung, die ich im Alter von etwa neun Jahren mit einer Lehrerin hatte, macht deutlich, wie die Entfremdung von unseren Gefühlen ihren Anfang nehmen kann. Eines Tages versteckte ich mich nach der Schule im Klassenraum, weil draußen ein paar Jungen warteten, um mich zu verprügeln. Eine Lehrerin entdeckte mich und sagte mir, ich solle die Schule verlassen. Als ich ihr erklärte, daß ich Angst hätte rauszugehen, verkündete sie: „Große Jungs haben keine Angst." Ein paar Jahre später, im Sportunterricht, wurde diese Haltung noch mehr verstärkt. Es war typisch für die Trainer, ihre Sportler einzustufen nach deren Bereitschaft, „alles zu geben" und immer weiterzuspielen, egal wie weh ihnen gerade etwas tat. Ich lernte diese Lektion so gut, daß ich einmal mit einem gebrochenen, unbehandelten Handgelenk einen Monat lang weiter Baseball spielte.

In einem GFK-Workshop erzählte ein College-Student von einem Mitbewohner, der die Musik so laut aufdrehte, daß er nicht schlafen konnte. Auf die Frage nach seinen Gefühlen in der geschilderten Situation antwortete der Student: „Ich habe das Gefühl, daß es nicht in Ordnung ist, nachts so laut Musik zu hören." Ich wies darauf hin, daß, wenn er nach dem Wort *fühlen* das Wort *daß* sagt, er eine Meinung äußert, aber nicht seine Gefühle offenlegt. Auf die nochmalige Bitte, seine Gefühle auszudrücken, erwiderte er: „Ich habe das Gefühl, die Leute, die so was machen, haben eine Persönlichkeitsstörung." Ich erklärte ihm, daß auch dies eine Meinung statt einer Gefühlsäußerung sei. Er machte eine nachdenkliche Pause und sagte dann vehement: „Ich habe überhaupt keine Gefühle dazu!"

Dieser Student hatte offensichtlich starke Gefühle. Leider wußte er nicht, wie er sich seiner Gefühle bewußt werden, geschweige denn sie in Worte fassen konnte. Diese Schwierigkeit, Gefühle wahrzunehmen und auszudrücken, ist weit verbreitet, besonders bei Anwälten, Ingenieuren, Polizisten, Managern und Leuten, die im Militär Karriere machen – Menschen, deren Fachsprache sie von Gefühlsäußerungen abhält. Familien müssen einen hohen Preis bezahlen, wenn ihre Mitglieder sich keine Gefühle mitteilen können. Die Country- und Western-Sängerin Reba McIntire schrieb einen Song nach dem Tod ihres Vaters: „Der tollste Mann, den ich nie kannte". Damit drückt sie zweifelsohne die Gefühlslage vieler Menschen aus, die nie in der Lage waren, die emotionale Verbindung zu ihrem Vater aufzubauen, die sie gerne gehabt hätten.

Ich höre immer wieder die Feststellung: „Verstehen Sie mich nicht falsch – ich bin mit einem wunderbaren Mann verheiratet – ich weiß nur nie, was er fühlt." Eine dieser unzufriedenen Frauen brachte ihren Mann mit zu einem Workshop, wo sie zu ihm sagte: „Ich fühle mich, als wäre ich mit einer Wand verheiratet." Daraufhin gab der Mann eine ausgezeichnete Imitation einer Wand zum besten: Er saß da, steif und stumm. Verzweifelt drehte sich die Frau zu mir und rief aus: „Sehen Sie! Genau das passiert die ganze Zeit. Er sitzt da und sagt nichts. So lebt es sich mit einer Wand."

„Das hört sich für mich so an, als wären Sie einsam und hätten gerne mehr emotionalen Kontakt zu Ihrem Mann", sagte ich. Als sie zustimmte, versuchte ich ihr aufzuzeigen, daß Äußerungen wie: „Ich fühle mich, als wäre ich mit einer Wand verheiratet" nicht dazu geeignet sind, ihrem Mann ihre Gefühle und Wünsche nahezubringen. Sie werden sogar höchstwahrscheinlich als Kritik gehört und nicht als Einladung, mit den Gefühlen in Kontakt zu kommen. Des weiteren führen solchen Äußerungen zu sich selbst erfüllenden Prophezeiungen. Ein Ehemann hört z.B. die Kritik, daß er sich wie eine Wand verhält; er ist verletzt und entmutigt und reagiert nicht; und so bestätigt sich das Bild seiner Frau von ihm als Wand.

Die Vorteile einer Erweiterung unseres Gefühlswortschatzes liegen auf der Hand, nicht nur in intimen Beziehungen, sondern auch in der Arbeitswelt.

Ich wurde einmal engagiert, um die Mitarbeiter einer technischen Abteilung in einem großen Schweizer Unternehmen zu beraten. Die Firma machte sich Sorgen, weil Mitarbeiter aus anderen Abteilungen die Techniker mieden. Als sie nach dem Grund gefragt wurden, antworteten die Mitarbeiter: „Wir lassen uns überhaupt nicht gerne von diesen Leuten beraten. Es ist, als würde man mit Maschinen sprechen!" Das Problem ließ nach, als ich bei den Angestellten der technischen Abteilung war und sie ermutigte, in ihrer Zusammenarbeit mit den Kollegen mehr von ihrer Menschlichkeit zum Ausdruck zu bringen.

In einem anderen Fall arbeitete ich mit einer Krankenhausverwaltung, die sich über ein anstehendes Meeting mit den Ärzten Sorgen machte. Die Verwaltung wollte die ärztliche Unterstützung für ein Projekt, gegen das die Ärzte gerade mit 17:1 gestimmt hatten. Die Verwaltungsleute waren sehr erpicht auf meine Demonstration, wie sie mit Hilfe der GFK die Ärzte ansprechen konnten.

In einem Rollenspiel machte ich die Stimme eines Verwalters nach und begann mit: „Es macht mir angst, dieses Thema anzuschneiden." Ich wählte diesen Anfang, weil ich merkte, wieviel Angst die Verwaltungsleute bei der Vorbereitung darauf hatten, die Ärzte erneut mit der Sache zu konfrontieren. Bevor ich weitermachen konnte, fiel mir einer ins Wort, um zu protestieren: „Sie sind ganz unrealistisch! Wir können den Ärzten unmöglich erzählen, daß wir Angst haben."

Als ich fragte, warum es so unmöglich wäre, Angst zuzugeben, erwiderte er ohne Zögern: „Wenn wir unsere Angst zugeben, dann zerreißen sie uns in Stücke!" Seine Antwort überraschte mich nicht; ich habe oft Leute sagen hören, daß sie sich nicht vorstellen können, an ihrem Arbeitsplatz jemals Gefühle zu zeigen. Ich freute mich, als ich dann doch hörte, daß sich einer der Verwalter tapfer auf das Risiko einlassen wollte, auf dem befürchteten Meeting seine Verletztlichkeit auszudrücken. Statt seiner üblichen Art, strikt logisch, rational und unemotional aufzutreten, beschloß er, seine Gefühle zusammen mit Gründen zu benennen, warum er wollte, daß die Ärzte ihre Meinung änderten. Es fiel ihm auf, wie anders die Ärzte da auf ihn reagierten. Am Ende staunte er und war erleichtert, als die Ärzte, statt ihn „in Stücke zu reißen", ihre vorherige Position aufgaben und jetzt mit 17:1 für das Projekt stimmten. Dieser dramatische Wechsel half den Verwaltern, die potentielle Wirkung der Äußerung von Verletztlichkeit zu erkennen und wertzuschätzen – selbst am Arbeitsplatz.

Zum Schluß möchte ich noch eine Begebenheit erzählen, die mir deutlich machte, welchen Effekt das Verbergen von Gefühlen haben kann. Ich unterrichtete eine Schülergruppe aus der Innenstadt (Anmerkung der Übersetzerin: Die ameri-

Es kann hilfreich bei der Konfliktlösung sein, wenn wir unsere Gefühle ausdrücken.

kanischen Innenstädte werden weitgehend von Farbigen bewohnt) in einem GFK-Kurs. Als ich am ersten Tag in den Raum kam, wurden die Schüler, die sich fröhlich und angeregt unterhalten hatten, ganz still. „Guten Morgen!", begrüßte ich sie. Schweigen. Ich fühlte mich sehr unwohl in meiner Haut, hatte aber Angst, das zu sagen. Statt dessen machte ich so professionell wie möglich weiter: „In diesem Kurs werden wir uns mit einem Kommunikationsprozeß beschäftigen, der euch in euren familiären Beziehungen und im Kontakt mit euren Freunden hoffentlich eine Hilfe ist."

Ich präsentierte weitere Informationen über die GFK, aber keiner schien zuzuhören. Ein Mädchen wühlte in ihrer Tasche herum, fischte eine Nagelfeile heraus und begann heftig, ihre Nägel zu feilen. Die Schüler am Fenster drückten ihre Nasen an die Scheiben, als ob sie von dem, was unten auf der Straße vor sich ging, fasziniert wären. Ich fühlte mich immer unwohler, sagte aber weiterhin nichts. Schließlich meldete sich eine Schülerin, die sicher mehr Mut hatte als ich: „Es ist Ihnen einfach zuwider, mit Schwarzen zusammen zu sein, stimmt's?" Ich war fassungslos, realisierte jedoch sofort, wie ich mit meinem Versuch, mein Unbehagen zu verbergen, zur Einschätzung der Schülerin beigetragen hatte.

„Ich bin wirklich *sehr nervös*", gab ich zu, „aber nicht, weil ihr schwarz seid. Meine Nervosität hat damit zu tun, daß ich hier niemanden kenne. Ich wollte akzepiert werden, als ich hier hereinkam". Dieser Ausdruck meiner Verletzlichkeit hatte eine merkliche Wirkung auf die Schüler. Sie fingen an, Fragen über mich zu stellen, mir etwas von sich zu erzählen und drückten ihre Neugier über die GFK aus.

Gefühle im Gegensatz zu „Nicht"-Gefühlen

Gefühle von Gedanken unterscheiden. Eine häufig vorkommende Verwirrung wird durch unseren Sprachgebrauch ausgelöst: Wir sprechen oft das Wort *fühlen* aus, ohne damit wirklich ein Gefühl auszudrücken. So sollte man z.B. in dem Satz: „Ich habe das Gefühl, daß mir kein faires Angebot gemacht wurde" die Passage „ich habe das Gefühl" passender ersetzen durch „ich denke". Allgemein können wir sagen, daß Gefühle nicht klar ausgedrückt werden, wenn nach dem Wort *fühlen* folgendes kommt:
a) Wörter wie *daß, wie, als ob*:
 „Ich habe das Gefühl, *daß* du es besser wissen solltest."
 „Ich fühle mich *wie* ein Versager."
 „Ich fühle mich, *als ob* ich mit einer Wand zusammenleben würde."

b) Die persönlichen Pronomen ich, du, er, sie, es, wir, ihr, sie:
„Ich habe das Gefühl, *ich* bin immer zur Stelle."
„Ich habe das Gefühl, *es* ist sinnlos."

c) Namen oder Hauptwörter, die sich auf Menschen beziehen:
„Ich habe das Gefühl, *Amy* ist immer sehr verantwortlich."
„Ich habe das Gefühl, *mein Chef* manipuliert."

Umgekehrt ist es nicht einmal nötig, das Wort *fühlen* auszusprechen, wenn wir wirklich ein Gefühl ausdrücken wollen: Wir können sagen: „Ich fühle mich irritiert" oder einfach: „Ich bin irritiert".

In der GFK unterscheiden wir zwischen Wörtern, die wirkliche Gefühle ausdrücken, und Wörtern, die beschreiben, *was wir darüber denken, wie wir sind*.

A. Beschreibung unseres Denkens, wie wir sind:
„Ich fühle mich unzulänglich als Gitarristin."

In dieser Aussage beurteile ich eher meine Fähigkeit als Gitarristin, als meine Gefühle klar auszudrücken.

B. Ausdruck wirklicher Gefühle:
„Ich fühle mich als Gitarristin *enttäuscht* über mich selbst."
„Ich fühle mich als Gitarristin *ungeduldig* mit mir selbst."
„Ich fühle mich als Gitarristin *frustriert* über mich selbst."

Unterscheiden zwischen dem, was wir fühlen, und dem, was wir darüber denken, wie wir sind.

Das tatsächliche Gefühl hinter meiner Einschätzung von mir selbst als „unzulänglich" kann also z.B. Enttäuschung, Ungeduld, Frustration oder ein anderes Gefühl sein.

Ähnlich hilfreich ist es, zwischen Wörtern zu unterscheiden, die beschreiben, was wir meinen, was andere um uns herum tun, und solchen, die wirkliche Gefühle beschreiben. Es folgen jetzt Beispiele von Aussagen, die leicht als Ausdruck von Gefühlen mißverstanden werden können: Tatsächlich sagen sie mehr darüber aus, *wie wir denken, daß andere sich verhalten*, als darüber, was wir selbst fühlen:

Unterscheiden zwischen dem, wie wir uns fühlen, und dem, was wir denken, wie andere reagieren oder sich uns gegenüber verhalten.

A. „Ich habe das Gefühl, ich bin den Leuten, mit denen ich zusammenarbeite, nicht wichtig."

Die Worte *nicht wichtig* beschreiben, wie ich denke, daß andere mich einschätzen, statt einem tatsächlichen Gefühl wie vielleicht: „Ich bin *traurig*" oder „ich fühle mich *entmutigt*" in dieser Situation.

B. „Ich fühle mich mißverstanden."

Hier weist das Wort *mißverstanden* auf meine Einschätzung vom Verständnispotential eines anderen Menschen hin statt auf ein tatsächliches Gefühl. In dieser Situation fühle ich mich vielleicht *ängstlich* oder *verärgert* oder irgendwie anders.

C. „Ich fühle mich *ignoriert*."

Das ist eher eine Interpretation des Verhaltens anderer als eine klare Aussage über unsere Gefühle. Ohne Zweifel hat es Zeiten gegeben, wo wir dachten, wir würden ignoriert, und unser Gefühl war *Erleichterung*, weil wir für uns selbst sein wollten. Ohne Zweifel hat es auch andere Zeiten gegeben, wo wir uns *verletzt* fühlten, wenn wir dachten, wir würden ignoriert, weil wir dazugehören wollten.

Wörter wie „ignoriert" drücken statt unserer eigenen *Gefühle* eher unsere *Interpretation anderer Menschen* aus. Es folgen jetzt Kostproben solcher Wörter:

abgeschnitten	herabgesetzt	niedergemacht
angegriffen	hintergangen	provoziert
ausgebeutet	in die Enge getrieben	sabotiert
ausgenutzt	manipuliert	übergangen
bedroht	mißbraucht	unterbrochen
benutzt	mißverstanden	unter Druck gesetzt
beschämt	nicht beachtet	unterdrückt
betrogen	nicht ernstgenommen	ungewollt
bevormundet	nicht geachtet	uninteressant
eingeengt	nicht gehört	unwichtig
eingeschüchtert	nicht gesehen	verlassen
festgenagelt	nicht verstanden	vernachlässigt
gequält	nicht unterstützt	vernichtet
gezwungen	nicht respektiert	vertrieben
gestört	nicht wertgeschätzt	zurückgewiesen

Wie wir uns einen Gefühlewortschatz aufbauen

Wenn wir unsere Gefühle ausdrücken wollen, dann hilft es uns, Wörter zu benutzen, die spezifische Gefühle benennen statt Wörter, die vage oder allgemein sind. Wenn wir z.B. sagen: „Ich habe ein gutes Gefühl dazu", dann kann das Wort *gut* bedeuten, daß wir *glücklich* sind, *aufgeregt, erleichtert* oder eine Vielzahl anderer Gefühle empfinden. Wörter wie *gut* oder *schlecht* verhindern, daß der Zuhörer mit dem, was wir wirklich fühlen, leicht in Kontakt kommen kann.

Das folgende Wörterverzeichnis wurde zur Stärkung des Potentials, Gefühle zu artikulieren und ein ganzes Spektrum emotionaler Befindlichkeiten klar zu beschreiben, zusammengestellt.

Gefühle wahrnehmen und ausdrücken • 63

Wie wir uns wahrscheinlich fühlen werden, wenn sich unsere Bedürfnisse erfüllen

- angeregt
- aufgeregt
- angenehm
- aufgedreht
- ausgeglichen
- befreit
- begeistert
- behaglich
- belebt
- berauscht
- berührt
- beruhigt
- beschwingt
- bewegt
- eifrig
- ekstatisch
- energiegeladen
- energisch
- engagiert
- enthusiastisch
- entlastet
- entschlossen
- entspannt
- entzückt
- erfreut
- erfrischt
- erfüllt
- ergriffen
- erleichtert
- erstaunt

- fasziniert
- freundlich
- friedlich
- fröhlich
- froh
- gebannt
- gefaßt
- gefesselt
- gelassen
- gespannt
- gerührt
- gesammelt
- geschützt
- glücklich
- gutgelaunt
- heiter
- hellwach
- hocherfreut
- hoffnungsvoll
- inspiriert
- jubelnd
- kraftvoll
- klar
- lebendig
- leicht
- liebevoll
- locker
- lustig
- Lust haben
- mit Liebe erfüllt

- motiviert
- munter
- mutig
- neugierig
- optimistisch
- ruhig
- satt
- schwungvoll
- selbstsicher
- selbstzufrieden
- selig
- sicher
- sich freuen
- spritzig
- still
- strahlend
- überglücklich
- überrascht
- überschwenglich
- überwältigt
- unbekümmert
- unbeschwert
- vergnügt
- verliebt
- wach
- weit
- wißbegierig
- zärtlich
- zufrieden
- zuversichtlich

Wie wir uns wahrscheinlich fühlen werden, wenn sich unsere Bedürfnisse nicht erfüllen

ängstlich
ärgerlich
alarmiert
angeekelt
angespannt
voller Angst
ärgerlich
apathisch
aufgeregt
ausgelaugt
bedrückt
beklommen
besorgt
bestürzt
betroffen
bitter
deprimiert
dumpf
durcheinander
einsam
elend
empört
enttäuscht
entrüstet
ermüdet
ernüchtert
erschlagen
erschöpft
erschreckt
erschrocken

erschüttert
erstarrt
frustriert
furchtsam
gehemmt
geladen
gelähmt
gelangweilt
genervt
haßerfüllt
hilflos
in Panik
irritiert
kalt
kribbelig
lasch
leblos
lethargisch
lustlos
miserabel
müde
mutlos
nervös
niedergeschlagen
perplex
ruhelos
traurig
sauer
scheu
schlapp

schüchtern
schockiert
schwer
sorgenvoll
streitlustig
teilnahmslos
todtraurig
tot
überwältigt
voller Sorgen
unglücklich
unter Druck
unbehaglich
ungeduldig
unruhig
unwohl
unzufrieden
verärgert
verbittert
verletzt
verspannt
verstört
verzweifelt
verwirrt
widerwillig
wütend
zappelig
zitternd
zögerlich
zornig

Zusammenfassung

Die zweite Komponente, die wir brauchen, um uns mitzuteilen, sind Gefühle. Durch das Entwickeln eines Wortschatzes, der es uns ermöglicht, unsere Gefühle klar und deutlich zu beschreiben, können wir leichter miteinander in Kontakt treten. Es kann bei der Konfliktlösung hilfreich sein, wenn wir uns zugestehen, mit dem Ausdrücken unserer Gefühle auch unsere Verletzlichkeit zu zeigen. Die GFK unterscheidet zwischen dem tatsächlichen Ausdruck von Gefühlen einerseits und Wörtern sowie Aussagen, die Gedanken, Einschätzungen und Interpretationen wiedergeben, andererseits.

Übung 2: Gefühle ausdrücken

Wenn Sie sehen möchten, ob wir im verbalen Ausdruck von Gefühlen übereinstimmen, markieren Sie bitte die Numerierungen der folgenden Aussagen, in denen Gefühle verbal ausgedrückt werden.

1. Ich habe das Gefühl, du liebst mich nicht.
2. Ich bin traurig, daß du gehst.
3. Ich bekomme Angst, wenn du das sagst.
4. Wenn du mich nicht grüßt, dann fühle ich mich vernachlässigt.
5. Ich freue mich, daß du kommen kannst.
6. Du bist ekelhaft.
7. Ich habe Lust, dich zu schlagen.
8. Ich fühle mich mißverstanden.
9. Ich habe ein gutes Gefühl zu dem, was du für mich getan hast.
10. Ich fühle mich wertlos.

Hier sind meine Antworten zu Übung 2:

1. Wenn Sie die 1 markiert haben, stimmen wir nicht überein. Ich halte „du liebst mich nicht" nicht für ein Gefühl. Meiner Meinung nach drückt es eher aus, was der Sprecher darüber denkt, was die andere Person fühlt, als wie er sich selbst fühlt. Formulierungen wie: „Ich habe das Gefühl, ich/du/er/sie/es/wir/ihr/sie", „Ich habe das Gefühl, daß /als ob ..." oder: „Ich fühle mich wie ..." drücken im allgemeinen nicht das aus, was ich unter einem Gefühl verstehe. Beispiele für das Ausdrücken eines Gefühls können so klingen: „Ich bin traurig" oder „Ich fühle mich verzweifelt".

2. Wenn Sie die 2 markiert haben, stimmen wir darin überein, daß ein Gefühl verbal ausgedrückt wurde.

3. Wenn Sie die 3 markiert haben, stimmen wir darin überein, daß ein Gefühl verbal ausgedrückt wurde.

4. Wenn Sie die 4 markiert haben, stimmen wir nicht überein. Ich halte „vernachlässigt" nicht für ein Gefühl. Meiner Meinung nach drückt es eher aus, was die Sprecherin darüber denkt, was die andere Person ihr möglicherweise antut. Das Ausdrücken eines Gefühls kann z.B. so klingen: „Wenn du mich nicht grüßt, bin ich enttäuscht."

5. Wenn Sie die 5 markiert haben, stimmen wir darin überein, daß ein Gefühl verbal ausgedrückt wurde.

6. Wenn Sie die 6 markiert haben, stimmen wir nicht überein. Ich halte „ekelhaft" nicht für ein Gefühl. Meiner Meinung nach drückt es eher aus, was der Sprecher über die andere Person denkt, und nicht, wie er sich selbst fühlt. Das Ausdrücken eines Gefühls kann z.B. so klingen: „Ich fühle mich angeekelt."

7. Wenn Sie die 7 markiert haben, stimmen wir nicht überein. Ich halte „Lust, dich zu schlagen" nicht für ein Gefühl. Meiner Meinung nach drückt es eher aus, was die Sprecherin sich vorstellt zu tun, und nicht, wie sie sich selbst fühlt. Das Ausdrücken eines Gefühls kann z.B. so klingen: „Ich bin sauer auf dich."

8. Wenn Sie diese Zahl markiert haben, stimmen wir nicht überein. Ich halte „mißverstanden" nicht für ein Gefühl. Meiner Meinung nach drückt es eher aus, was der Sprecher denkt, was die andere Person macht, und nicht, wie er sich selbst fühlt. Das Ausdrücken eines Gefühls in diesem Fall kann z.B. so klingen: „Ich bin frustriert" oder: „Ich fühle mich mutlos".

9. Wenn Sie diese Zahl markiert haben, stimmen wir darin überein, daß ein Gefühl verbal ausgedrückt wurde. Das Wort „gut" ist jedoch als Gefühlsbeschreibung sehr ungenau. Wir können unsere Gefühle normalerweise mit anderen Wörtern deutlicher zum Ausdruck bringen, in diesem Fall zum Beispiel mit „erleichtert", „hocherfreut" oder „ermutigt".

10. Wenn Sie die 10 markiert haben, stimmen wir nicht überein. Ich halte „wertlos" nicht für ein Gefühl. Meiner Meinung nach drückt es eher aus, wie die Sprecherin über sich denkt, und nicht, wie sie sich fühlt. Beispiele für einen Gefühlsausdruck können z.B. so klingen: „Ich fühle mich unsicher, was meine Fähigkeiten angeht" oder „Ich fühle mich mutlos".

5 Verantwortung für unsere Gefühle übernehmen

„Nicht die Tatsachen selbst machen das Leben schwer, sondern unsere Bewertung der Tatsachen." – *Epictetus*

Eine negative Äußerung und vier Reaktionsmöglichkeiten

Zur dritten Komponente der GFK gehört das Erkennen und Akzeptieren unserer Gefühlswurzeln. Die GFK schärft unsere Wahrnehmung der Tatsache, daß das, was andere sagen oder tun, ein *Auslöser* für unsere Gefühle sein mag, aber nie ihre *Ursache* ist. Wir erkennen, daß unsere Gefühle aus unserer Entscheidung kommen, wie wir das, was andere sagen oder tun, aufnehmen wollen; und sie entstehen aus unseren jeweiligen Bedürfnissen und Erwartungen in der aktuellen Situation. Die dritte Komponente zeigt uns, wie wir die Verantwortung für unsere Handlungen als Ursprung unserer Gefühle annehmen können.

> *Was andere sagen oder tun, mag ein Auslöser für unsere Gefühle sein, ist aber nie ihre Ursache.*

Vier Reaktionsmöglichkeiten auf negative Äußerungen

1. Uns selbst die Schuld geben:

Äußert sich jemand uns gegenüber negativ, ob verbal oder non-verbal, dann haben wir vier Möglichkeiten darauf zu reagieren. Die erste ist, es persönlich zu nehmen, d.h. Vorwürfe und Kritik zu hören. Es ärgert sich z.B. jemand und sagt: „Du bist der egoistischste Mensch, der mir je begegnet ist!" Wenn wir uns dafür entscheiden, es persönlich zu nehmen, reagieren wir vielleicht so: „Oh, ich hätte sensibler sein sollen!" Wir akzeptieren das Urteil des anderen und geben uns selbst die Schuld. Die Wahl dieser Möglichkeit geht stark auf Kosten unseres Selbstvertrauens, denn sie verbiegt uns in Richtung Schuldgefühle, Scham und Depression.

2. Anderen die Schuld geben:

Den Sprecher zu beschuldigen ist eine zweite Reaktionsmöglichkeit. Als Antwort auf: „Du bist der egoistischste Mensch, der mir je begegnet ist" können wir z.B. protestieren: „Du hast kein Recht, so etwas zu sagen! Ich nehme immer Rücksicht auf deine Bedürfnisse. In Wirklichkeit bist du derjenige, der egoistisch ist." Wenn wir Äußerungen so aufnehmen und den anderen beschuldigen, dann ist unser Gefühl wahrscheinlich Ärger.

3. Unsere eigenen Gefühle und Bedürfnisse wahrnehmen:

Wenn wir etwas Negatives hören, besteht unsere dritte Reaktionsmöglichkeit darin, mit dem Licht des Bewußtseins unsere eigenen Gefühle und Bedürfnisse zu erhellen. Dann können wir erwidern: „Wenn ich dich sagen höre, daß ich die egoistischste Person bin, die dir je begegnet ist, fühle ich mich verletzt, weil ich gerne möchte, daß meine Bemühungen, auf das zu achten, was dir wichtig ist, anerkannt werden." Indem wir unsere Aufmerksamkeit auf unsere eigenen Gefühle und Bedürfnisse richten, wird uns bewußt, daß unser aktuelles Gefühl von Verletzung aus dem Bedürfnis herrührt, daß unsere Bemühungen anerkannt werden.

4. Die Gefühle und Bedürfnisse der anderen wahrnehmen:

Und schließlich ist die vierte Möglichkeit, eine negative Aussage aufzunehmen, die, mit dem Licht unseres Bewußtseins die aktuellen Gefühle und Bedürfnisse der *anderen* Person klar werden zu lassen. Dann können wir z.B. fragen: „Bist du verletzt, weil du mehr Interesse für dein Anliegen brauchst?"

Die vier Reaktionsmöglichkeiten auf eine negative Äußerung

Statt anderen Leuten die Schuld für unsere Gefühle zu geben, akzeptieren wir unsere Verantwortung, indem wir unsere Bedürfnisse, Wünsche, Erwartungen, Werte oder Gedanken erkennen und akzeptieren. Achten Sie auf die Unterschiede zwischen den nun folgenden Beschreibungen einer Enttäuschung:

Beispiel 1
A: „Du hast mich enttäuscht, weil du gestern abend nicht gekommen bist."
B: „Ich war enttäuscht, als du nicht gekommen bist, weil ich ein paar Dinge mit dir besprechen wollte, die mir Sorgen machen."

Sprecher A sucht die Verantwortung für seine Enttäuschung ausschließlich im Verhalten der anderen Person. Im Beispiel B wird das Gefühl der Enttäuschung auf den eigenen, unerfüllten Wunsch des Sprechers bezogen.

Beispiel 2
A: „Daß Sie den Vertrag aufgelöst haben, hat mich sehr irritiert!"
B: „Als Sie den Vertrag aufgelöst haben, war ich wirklich irritiert, weil ich fand, daß das sehr unverantwortlich war."

Sprecherin A bezieht ihre Irritation ausschließlich auf das Verhalten der Gegenseite, während Sprecherin B durch das Zulassen ihrer dahinter liegenden Gedanken die Verantwortung für ihre Gefühle übernimmt. Sie erkennt, daß ihre schuldzuweisenden Gedanken ihre Irritation ausgelöst haben. In der GFK jedoch ermutigen wir die Sprecherin, noch einen Schritt weiterzugehen und das, was sie möchte, genau zu bestimmen: Welches ihrer Bedürfnisse, welcher Wunsch, welche Erwartung, Hoffnung oder welcher ihrer Werte hat sich nicht erfüllt? Wir werden noch sehen: Je direkter wir unsere Gefühle mit unseren Bedürfnissen in Verbindung bringen können, desto leichter ist es für andere, einfühlsam zu reagieren. Um ihre Gefühle mit dem, was sie möchte, zu verknüpfen, hätte Sprecherin B z.B. sagen können: „Als sie den Vertrag aufgelöst haben, war ich sehr irritiert, weil ich auf eine Chance gehofft hatte, die Arbeiter, die wir letztes Jahr entlassen hatten, wieder einzustellen."

Der grundlegende Mechanismus, jemanden durch Schuldgefühle zu motivieren, funktioniert so, daß die Verantwortung für die eigenen Gefühle der anderen Person zugeschrieben wird. Wenn Eltern sagen: „Mama und Papa sind ganz traurig, wenn du schlechte Noten in der Schule bekommst", dann drücken sie damit indirekt aus, daß die Handlungen des Kindes die Ursache für das

Unterscheide zwischen einer Motivation, von Herzen zu geben, und einer Motivation durch Schuldgefühle.

Glück oder Unglück der Eltern sind. Oberflächlich betrachtet kann es wie wohlmeinende Fürsorge aussehen, wenn jemand die Verantwortung für die Gefühle anderer übernimmt. Es hat den Anschein, als lägen dem Kind die Eltern am Herzen, und aus dem Grund fühlt es sich schlecht, wenn sie leiden. Ändern jedoch Kinder, die diese Art der Verantwortung übernehmen, ihr Verhalten entsprechend den Wünschen der Eltern, dann tun sie das nicht von Herzen, sondern um Schuld (-gefühle) zu vermeiden.

Es ist hilfreich, eine Reihe von Sprachmustern zu erkennen, die dazu tendieren, die Verantwortung für unsere Gefühle zu verdecken:

1. Unpersönliche Pronomen wie „es" und „das":
„Es macht mich echt sauer, wenn in unseren Präsentationsmappen Rechtschreibfehler auftauchen." „Das geht mir total auf die Nerven."

2. Aussagen, in denen nur die Handlungen anderer vorkommen:
„Wenn du mich an meinem Geburtstag nicht anrufst, bin ich verletzt."
„Mami ist enttäuscht, wenn du nicht aufißt."

3. Der Ausdruck „Ich fühle mich (ein Gefühl), weil ...." gefolgt von einer Person oder einem anderen persönlichen Pronomen als „ich":
„Ich fühle mich verletzt, weil du gesagt hast, daß du mich nicht liebst."
„Ich bin wütend, weil die Gruppenleiterin ihr Versprechen nicht gehalten hat."

Verknüpfe dein Gefühl mit deinem Bedürfnis: „Ich fühle ..., weil ich ..."

In jedem dieser Beispiele können wir unsere Wahrnehmung für unsere Eigenverantwortung schärfen, indem wir den Satz: „Ich fühle ..., *weil ich/mir* ..." einsetzen. Wie in den folgenden Beispielen:

1. „Es macht mich echt sauer, wenn in unseren Präsentationsmappen Rechtschreibfehler auftauchen, weil *mir* wichtig ist, daß unsere Firma nach außen hin professionell auftritt."

2. „Mami ist enttäuscht, wenn du nicht aufißt, *weil mir* etwas daran liegt, daß du stark und gesund aufwächst."

3. „Ich bin wütend darüber, daß die Gruppenleiterin ihr Versprechen nicht gehalten hat, weil ich mich auf das lange Wochenende eingestellt hatte und meinen Bruder besuchen wollte."

Die Bedürfnisse an den Wurzeln unserer Gefühle

Urteile, Kritik, Diagnosen und Interpretationen des Verhaltens anderer Menschen sind alles entfremdete Äußerungen unserer eigenen Bedürfnisse. Sagt jemand: „Du verstehst mich nie", dann teilt er uns in Wirklichkeit mit, daß sich sein Bedürfnis nach Verständnis nicht erfüllt. Sagt eine Ehefrau, „Du hast diese Woche jeden Abend lange gearbeitet; du liebst deine Arbeit mehr als mich", dann meint sie damit, daß sich ihr Bedürfnis nach Nähe nicht erfüllt.

Urteile über andere sind entfremdete Äußerungen unserer eigenen, unerfüllten Bedürfnisse.

Wenn wir unsere Bedürfnisse indirekt durch Bewertungen, Interpretationen und Vorstellungen ausdrücken, werden andere höchstwahrscheinlich Kritik heraushören. Und wenn Menschen etwas hören, das auch nur entfernt nach Kritik klingt, dann neigen sie dazu, ihre Energie in die Verteidigung oder in einen Gegenangriff zu stecken. Wünschen wir uns von anderen Menschen eine einfühlsame Reaktion, dann sabotieren wir diesen Wunsch, wenn wir unsere Bedürfnisse als Interpretationen und Verhaltensdiagnosen der anderen zum Ausdruck bringen. Je besser es uns jedoch gelingt, unsere Gefühle direkt mit unseren eigenen Bedürfnissen zu verknüpfen, desto einfacher ist es für andere, einfühlsam auf unsere Bedürfnisse zu reagieren.

Wenn wir unsere Bedürfnisse aussprechen, dann steigt unsere Chance, daß sie erfüllt werden.

Leider haben die meisten von uns nie gelernt, in Begriffen von Bedürfnissen zu denken. Wenn sich unsere Bedürfnisse nicht erfüllen, dann denken wir automatisch darüber nach, was andere Menschen falsch gemacht haben. Deshalb kritisieren wir vielleicht unsere Kinder als faul, wenn sie die Mäntel auf der Couch liegenlassen, nur weil wir gerne möchten, daß die Mäntel im Schrank hängen. Oder vielleicht interpretieren wir unsere Kollegen als unverantwortlich, weil sie ihre Arbeit nicht so erledigen, wie wir das gerne hätten.

Ich wurde einmal gebeten, in Südkalifornien zwischen Grundbesitzern und eingewanderten Farmarbeitern zu vermitteln, deren Konflikte immer feindseliger und gewalttätiger geworden waren. Zu Beginn des Treffens stellte ich zwei Fragen: „Was ist es, was jeder von euch braucht? Um was – in bezug auf eure Bedürfnisse – möchtet ihr die anderen bitten?" „Das Problem ist, daß diese Leute Rassisten sind!" schrie ein Arbeiter. „Das Problem ist, daß diese Leute Gesetz und Ordnung nicht respektieren!" schrie ein Grundbesitzer noch lauter. Wie es oft der Fall ist, waren diese Leute geübter darin, die vermuteten Fehler anderer zu analysieren, als klar und deutlich ihre eigenen Bedürfnisse auszudrücken.

In einer ähnlichen Situation traf ich einmal mit einer Gruppe Israelis und Palästinensern zusammen, die das notwendige gegenseitige Vertrauen für einen Frieden in ihren Gebieten aufbauen wollten. Ich eröffnete die Runde mit denselben Fragen: „Was ist es, was jeder von euch braucht? Um was – in bezug auf eure Bedürfnisse – möchtet ihr die anderen bitten?" Statt offen seine Bedürfnisse auszusprechen, antwortete ein palästinensischer Mukhtar (der Dorfvorsteher): „Ihr führt euch auf wie ein Haufen Nazis." Eine Aussage, die nicht gerade die Kooperationsbereitschaft von Israelis fördert!

Fast im gleichen Moment sprang eine Israelin auf und konterte: „Mukhtar, das war jetzt gerade völlig unsensibel von dir, so etwas zu sagen!" Hier waren Leute zusammengekommen, um Vertrauen und Harmonie aufzubauen, aber nach nur zwei Sätzen standen die Dinge um einiges schlechter als vor unserem Treffen. Das passiert oft, wenn Leute es mehr gewöhnt sind, andere zu analysieren und zu beschuldigen, als klar auszusprechen, was sie selbst brauchen. In diesem Fall hätte die Frau auf den Mukhtar mit ihren eigenen Bedürfnissen und Bitten reagieren können, z.B. mit den Worten: „Ich brauche in unserem Dialog mehr Respekt. Anstatt uns zu sagen, wie wir uns deiner Meinung nach verhalten, würdest du uns bitte sagen, was wir genau tun, das du als störend empfindest?"

Immer wieder habe ich die Erfahrung gemacht, daß in dem Moment, wo Leute anfangen, über das zu sprechen, was sie brauchen, statt darüber, was mit dem anderen nicht stimmt, die Wahrscheinlichkeit, einen Weg zur Erfüllung aller Bedürfnisse zu finden, dramatisch ansteigt. Es folgen einige der grundlegenden menschlichen Bedürfnisse, die wir alle haben:

Autonomie

- Träume / Ziele / Werte wählen
- Pläne für die Erfüllung der eigenen Träume / Ziele / Werte entwickeln

Feiern

- Die Entstehung des Lebens und die Erfüllung von Träumen feiern
- Verluste feierlich begehen: von geliebten Menschen, Träumen usw. (trauern)

Integrität

- Authentizität
- Kreativität
- Sinn
- Selbstwert

Interdependenz

- Akzeptieren
- Wertschätzung

- Nähe
- Gemeinschaft
- Rücksichtnahme
- zur Bereicherung des Lebens beitragen
- emotionale Sicherheit
- Empathie
- Ehrlichkeit (gemeint ist die Ehrlichkeit, die uns die Kraft gibt, aus unseren Schwächen zu lernen)
- Liebe
- Geborgenheit
- Respekt
- Unterstützung
- Vertrauen
- Verständnis
- Zugehörigkeit

Nähren der physischen Existenz
- Luft
- Nahrung
- Bewegung, Körpertraining
- Schutz vor lebensbedrohenden Lebensformen: Viren, Bakterien, Insekten, Raubtieren
- Ruhe
- Sexualleben
- Unterkunft
- Körperkontakt
- Wasser

Spiel
- Freude
- Lachen

Spirituelle Verbundenheit
- Schönheit
- Harmonie
- Inspiration
- Ordnung (im Sinn von Struktur/Klarheit)
- Frieden

Der Schmerz, den wir fühlen, wenn wir unsere Bedürfnisse ausdrücken, im Gegensatz zu dem Schmerz, den wir beim Unterdrücken unserer Bedürfnisse fühlen

In einer Welt, in der wir oft streng verurteilt werden, wenn wir unsere Bedürfnisse wahrnehmen und sie auch zeigen, kann es sehr beängstigend sein, gerade das zu tun.

Besonders Frauen sind empfänglich für Kritik. Jahrhundertelang war das Bild der liebenden Frau geprägt von ihrer Opferhaltung und der Verleugnung eigener Bedürfnisse zugunsten der Fürsorge für andere. Weil Frauen dazu erzogen werden, es als ihre höchste Pflicht anzusehen, sich um andere zu kümmern, haben viele von ihnen gelernt, ihre eigenen Bedürfnisse zu ignorieren.

Wir diskutierten einmal in einem Workshop, was Frauen erleben, die solche Glaubensmuster in sich tragen. Wenn diese Frauen um das bitten, was sie möchten, dann werden sie das meistens auf eine Weise tun, die ihren Glauben widerspiegelt, sie hätten nicht wirklich ein Recht auf ihre Bedürfnisse, und ihre Bedürfnisse wären unwichtig, was wiederum diesen Glaube weiter verstärkt. Zum Beispiel: Nur weil sie Angst hat, um das zu bitten, was sie braucht, kann es einer Frau unmöglich sein, einfach zu sagen, daß sie einen arbeitsreichen Tag hatte, müde ist und am Abend etwas Zeit für sich selbst möchte; statt dessen klingen die Worte aus ihrem Mund wie eine Anklage: „Du weißt ja, daß ich heute nicht einen Moment Zeit für mich hatte. Ich habe die ganzen Hemden gebügelt, ich habe die Wäsche von der ganzen Woche gewaschen, war mit dem Hund beim Tierarzt, habe Essen gemacht, die Pausenbrote geschmiert und die Nachbarn wegen des Haustreffens angerufen, also (flehend)...wie wär's, wenn du ...?" „Nein!" kommt die umgehende Antwort. Ihre wehleidige Bitte ruft eher Widerstand als Mitgefühl bei ihren Zuhörern hervor. Es fällt ihnen schwer, die Bedürfnisse hinter ihren Klagen zu hören und ernst zu nehmen. Außerdem reagieren die Angesprochenen negativ auf ihren schwachen Versuch, von der Position aus zu argumentieren, was sie von den anderen bekommen „sollte" oder „verdient". Am Ende ist die Betreffende wieder überzeugt davon, daß ihre Bedürfnisse nicht zählen. Sie merkt nicht, daß sie ihre Bedürfnisse auf eine Weise zum Ausdruck gebracht hat, die zu einer positiven Reaktion wenig beiträgt.

Wenn wir unsere Bedürfnisse nicht ernst nehmen, tun andere es auch nicht.

Meine Mutter war einmal in einem Workshop, wo andere Frauen darüber sprachen, wie beängstigend es immer war, die eigenen Bedürfnisse auszudrücken. Plötzlich stand sie auf, ging aus dem Raum und kam lange nicht wieder. Als sie schließlich wiederkam, sah sie sehr blaß aus. Vor der Gruppe fragte ich sie: „Mutter, geht es dir gut?" „Ja", sagte sie, „aber mir ist plötzlich etwas klar geworden, und es fällt mir sehr schwer, das anzunehmen." „Was ist es?" „Mir ist gerade klar geworden, daß ich mich 36 Jahre lang über deinen Vater geärgert habe, weil er meine Bedürfnisse nicht erfüllt hat, und jetzt merke ich, daß ich ihm nicht ein einziges Mal klar gesagt habe, was ich brauche."

Was meine Mutter da offenbarte, war richtig. Ich kann mich nicht erinnern, daß sie meinem Vater auch nur einmal klar ihr Anliegen gesagt hatte. Sie druckste immer herum und machte alle möglichen Anspielungen, aber bat nie direkt um das, was ihr wichtig war.

Wir versuchten zu verstehen, warum ihr das so schwergefallen war. Meine Mutter wuchs in einer verarmten Familie auf. Sie erinnerte sich, daß sie als Kind um dies und jenes gebeten hatte und von ihren Geschwistern immer ermahnt wurde: „Darum darfst du nicht bitten! Du *weißt doch*, daß wir arm sind. Glaubst du, du bist die einzige, die etwas haben möchte?" So bekam sie immer mehr Angst davor, daß ihre Bitten um das, was sie brauchte, nur zu Ablehnung und Verurteilung führten.

Dazu fiel ihr noch eine Geschichte aus ihrer Kindheit ein. Eine ihrer Schwestern hatte eine Blinddarmoperation und bekam danach von einer anderen Schwester eine wunderschöne, kleine Geldbörse geschenkt. Meine Mutter war damals vierzehn. Oh, wie gerne hätte sie auch so ein wunderschön besticktes Täschchen gehabt, aber sie traute sich nicht, den Mund aufzumachen. Was geschah also? Sie täuschte Schmerzen im Bauch vor und blieb standhaft dabei. Ihre Eltern gingen mit ihr zu verschiedenen Ärzten. Keiner konnte eine Diagnose stellen, und so sprachen sie sich schließlich für eine Art Untersuchungsoperation aus. Meine Mutter ging volles Risiko ein, aber es funktionierte – sie bekam genau die gleiche, kleine Geldbörse geschenkt! Als sie das Objekt der Begierde in den Händen hielt, war sie begeistert trotz der Qualen durch die Operation. Da kamen zwei Schwestern herein. Eine steckte ihr ein Thermometer in den Mund. Meine Mutter sagte: „Mmmmm, mmmmm", um der zweiten Schwester ihr Täschchen zu zeigen, worauf diese antwortete: „Oh, für mich? Ja, so was, vielen Dank!" und nahm das Täschchen! Meine Mutter wußte nicht, was sie tun sollte, und sie bekam nie heraus, wie sie ihr Anliegen: „Ich wollte es Ihnen gar nicht schenken. Bitte geben Sie es mir wieder zurück." hätte ausdrücken können. In dieser Geschichte wird unverkennbar auf den Punkt gebracht, wie schmerzlich es sein kann, wenn man nicht offen zu seinen Bedürfnissen steht.

Von emotionaler Sklaverei zu emotionaler Befreiung

In unserer Entwicklung hin zur emotionalen Befreiung scheinen die meisten von uns drei Stadien in ihrer Kommunikation mit anderen zu durchleben.

Stadium 1: In diesem Stadium, das ich als *emotionale Sklaverei* bezeichne, glauben wir an unsere Verantwortung für die Gefühle anderer. Wir meinen, wir müßten uns ständig darum kümmern, daß alle glücklich sind. Wenn sie keinen glücklichen Eindruck machen, fühlen wir uns verantwortlich und gezwungen, etwas dagegen zu tun. Das kann leicht dazu führen, daß die Menschen, die uns am nächsten stehen, eine Last für uns sind.

Erstes Stadium – emotionale Sklaverei: Wir übernehmen die Verantwortung für die Gefühle anderer.

Die Verantwortung für die Gefühle des anderen zu übernehmen kann sich in intimen Beziehungen sehr zerstörerisch auswirken. Routinemäßig höre ich Variationen des folgenden Themas: „Ich habe große Angst davor, mich auf eine Beziehung einzulassen. Jedesmal wenn ich mitbekomme, daß meinem Partner etwas wehtut oder daß ihm etwas fehlt, bin ich überwältigt. Ich fühle mich wie im Gefängnis, als ob ich ersticke – und ich muß einfach so schnell wie möglich raus aus der Beziehung." Diese Reaktion ist sehr verbreitet unter denen, die Liebe als Verleugnung der eigenen Bedürfnisse erleben, um auf die Bedürfnisse der Geliebten einzugehen. Am Anfang einer Beziehung gehen die Partner normalerweise aus einem Gefühl von Freiheit heraus fröhlich und einfühlsam miteinander um. Die Beziehung ist aufregend, spontan, wundervoll. Nach und nach jedoch, wenn es mit der Beziehung „ernst" wird, fangen die Partner damit an, die Verantwortung für die Gefühle des anderen zu übernehmen.

Wenn ich ein Partner bin, dem klar ist, was er da tut, kann ich die Situation ernst nehmen, indem ich sage: „Ich kann es nicht ertragen, wenn ich mich in einer Beziehung verliere. Wenn ich den Schmerz meiner Partnerin sehe, verliere ich mich, und dann muß ich mich einfach freikämpfen." Wenn ich aber noch nicht auf dieser Bewußtseinsebene bin, werde ich meiner Partnerin vermutlich die Zerstörung unserer Beziehung vorwerfen; z.B. mit den Worten: „Meine Partnerin ist so bedürftig und abhängig, das macht unsere Beziehung kaputt." In einem solchen Fall wäre meine Partnerin gut beraten, die Anspielung, daß irgend was mit ihren Bedürfnissen nicht stimmt, von sich zu weisen. Es würde eine unglückliche Situation nur verschlimmern, wenn sie den Vorwurf akzeptiert. Statt dessen könnte sie eine empathische Reaktion anbieten, um den Schmerz meiner emotionalen Sklaverei anzusprechen: „Du bist also in Panik? Es fällt dir sehr schwer, bei der tiefen Verbindung und Liebe zwischen uns zu bleiben, ohne sie in Verantwortung, Pflicht und Schuld zu verwandeln? Du merkst, wie deine Freiheit immer weniger wird, weil du denkst, du müßtest dich permanent um mich kümmern?" Wenn sie jedoch anstelle einer einfühlsamen Reaktion sagt: „Bist du unter Streß, weil ich zu viele Forderungen an dich gestellt habe?", dann bleiben wir beide sehr wahrscheinlich weiterhin in die emotionale Sklaverei verstrickt, was das Überleben der Beziehung umso schwerer macht.

Stadium 2: In diesem Stadium wird uns klar, wie teuer wir dafür bezahlen, wenn wir die Verantwortung für die Gefühle anderer übernehmen und sie auf unsere Kosten zufriedenstellen. Wenn wir merken, wieviel wir von unserem Leben versäumt und wie wenig wir auf den Ruf unserer inneren Stimme gehört haben, werden wir vielleicht wütend. Ich nenne dieses Stadium im Spaß das *rebellische Stadium*, weil wir dazu neigen, rebellische Kommentare abzugeben: „Das ist *dein* Problem! *Ich* bin nicht verantwortlich für deine Gefühle!", wenn uns jemand anders seinen Schmerz zeigt. Wir sind jetzt soweit, daß wir uns nicht mehr *für* jemanden verantwortlich *machen*. Wir müssen aber noch lernen, wie man sich anderen *gegenüber* verantwortlich *verhält*, ohne sich emotional zu versklaven.

Zweites Stadium – „rebellisch": Wir ärgern uns; wir wollen für die Gefühle anderer nicht länger verantwortlich sein.

Wenn wir das Stadium der emotionalen Sklaverei allmählich hinter uns lassen, begleiten uns beim Erkunden unserer Bedürfnisse vielleicht noch Reste von Angst und Schuld. Da überrascht es nicht, wenn wir unsere Bedürfnisse auf eine Art zum Ausdruck bringen, die für andere hart und unnachgiebig klingt. In der Pause eines Workshops z.B. drückte eine junge Frau ihre Freude aus über die Einsichten, die sie über ihre eigene emotionale Sklaverei gewonnen hatte. Als der Workshop weiterging, schlug ich der Gruppe eine Übung vor. Dieselbe junge Frau erklärte sehr bestimmt: „Ich würde lieber etwas anderes machen." Ich merkte, daß sie ihr wiedergewonnenes Recht auf ihre Bedürfnisse sprechen ließ – auch wenn sie damit in Widerspruch zu den anderen stand.

Um sie zu ermutigen und herauszufinden, was sie genau wollte, fragte ich sie: „Möchtest du etwas anderes tun, auch wenn das mit meinen Bedürfnissen in Konflikt kommt?" Sie dachte einen Moment nach und stotterte dann: „Ja ...äh ... ich meine nein." Ihre Verwirrung im „rebellischen" Stadium macht deutlich, daß wir noch begreifen müssen, daß emotionale Befreiung viel mehr bedeutet, als einfach nur auf den eigenen Bedürfnissen zu bestehen.

Ich erinnere mich an eine Situation aus der Zeit, als meine Tochter Marla die emotionale Befreiung durchmachte. Sie war immer das „brave, kleine Mädchen" gewesen, das seine eigenen Bedürfnisse verleugnete, um die Wünsche der anderen zu erfüllen. Als mir klar wurde, wie oft sie ihre eigenen Anliegen überging, um anderen zu gefallen, sprach ich mit ihr darüber, wie sehr es mir gefallen würde, wenn sie öfter ihre eigenen Wünsche ausspricht. Als wir zum ersten Mal über das Thema sprachen, weinte Marla. „Aber, Papa, ich möchte niemanden enttäuschen!" protestierte sie hilflos. Ich versuchte Marla klarzumachen, wie ihre Ehrlichkeit ein größeres Geschenk für andere sein kann, als sich ihnen anzupassen, um Ärger zu vermeiden. Ich zeigte ihr auch Möglichkeiten auf, wie sie mit Leuten, die sich aufregten, einfühlsam umgehen konnte, ohne daß sie die Verantwortung für deren Gefühle übernahm.

Kurz darauf sah ich den Beweis, daß meine Tochter anfing, ihre Bedürfnisse offener auszudrücken. Ihr Direktor rief bei uns zu Hause an, offensichtlich irritiert über ein Gespräch mit Marla, die mit einer Latzhose in die Schule gekommen war. „Marla," hatte er gesagt, „junge Frauen ziehen so etwas nicht an." Worauf Marla geantwortet hatte: „Scheiß' drauf!" Das war ein Grund zum Feiern: Marla hatte bestanden – sie war von der emotionalen Sklaverei zum rebellischen Stadium aufgestiegen! Sie lernte, ihre Bedürfnisse auszudrücken und zu riskieren, daß sie sich mit der Unzufriedenheit der anderen auseinandersetzen mußte. Sie mußte ihre Bedürfnisse natürlich noch etwas gefälliger artikulieren und so zum Ausdruck bringen, daß auch die Bedürfnisse anderer respektiert wurden, aber ich war zuversichtlich, daß ihr das auch noch gelingen würde.

Stadium 3: Im dritten Stadium, der *emotionalen Befreiung*, reagieren wir auf die Bedürfnisse anderer aus Mitgefühl heraus, niemals aus Angst, Schuld oder Scham. Deshalb löst das, was wir machen, Zufriedenheit in uns aus, und das gleiche geschieht mit denen, die unser Angebot annehmen. Wir übernehmen die volle Verantwortung für unsere Absichten und unsere Handlungen, aber nicht für die Gefühle anderer Menschen. In diesem Stadium ist uns bewußt, daß wir unsere Bedürfnisse niemals auf Kosten anderer erfüllen können. Zur emotionalen Befreiung gehört, daß wir klar aussprechen, was wir brauchen, auf eine Weise, die deutlich macht, daß uns die Bedürfniserfüllung anderer Menschen ebenso am Herzen liegt. Die GFK ist wie geschaffen, uns bei der Kommunikation auf dieser Ebene zu unterstützen.

Drittes Stadium – emotionale Befreiung: Wir übernehmen die Verantwortung für unsere Absichten und Handlungen.

Zusammenfassung

Die dritte Komponente der GFK besteht aus dem Erkennen und Akzeptieren der Bedürfnisse hinter unseren Gefühlen. Was andere sagen oder tun, kann ein *Auslöser* für unsere Gefühle sein, ist aber nie ihre *Ursache*. Wenn sich jemand negativ äußert, haben wir vier Möglichkeiten, diese Aussage aufzunehmen: (1) uns selbst die Schuld zu geben, (2) anderen die Schuld zu geben, (3) unsere eigenen Gefühle und Bedürfnisse wahrzunehmen, (4) die Gefühle und Bedürfnisse wahrzunehmen, die in der Negativaussage des anderen verborgen sind.

Urteile, Kritik, Diagnosen und Interpretationen sind alles entfremdete Äußerungen unserer eigenen Bedürfnisse und Werte. Wenn andere Kritik hören, dann neigen sie dazu, ihre Energie in Selbstverteidigung oder einen Gegenangriff zu stecken. Je direkter wir unsere Gefühle mit unseren Bedürfnissen in Verbindung bringen können, desto leichter ist es für andere, einfühlsam zu reagieren.

In einer Welt, in der wir immer wieder gnadenlos verurteilt werden, wenn wir unsere Bedürfnisse wahrnehmen und sie auch zeigen, kann es sehr beängstigend sein, gerade das zu tun. Das gilt besonders für Frauen, die dazu erzogen werden, ihre eigenen Bedürfnisse zu ignorieren und sich um andere zu kümmern.

Im Verlauf unserer Entwicklung hin zu emotionaler Verantwortlichkeit durchlaufen die meisten von uns drei Stadien: (1) „emotionale Sklaverei" – hier glauben wir, für die Gefühle anderer verantwortlich zu sein; (2) „das rebellische Stadium" – wo wir jegliche Rücksichtnahme auf das, was andere fühlen oder brauchen, ablehnen; und (3) „emotionale Befreiung" – wir übernehmen die volle Verantwortung für unsere eigenen Gefühle, aber nicht für die Gefühle anderer Menschen. Dabei ist uns bewußt, daß wir unsere eigenen Bedürfnisse niemals auf Kosten anderer erfüllen können.

Gewaltfreie Kommunikation in der Praxis: „Unehelichkeit muß wieder als beschämend gelten."

> Eine Frau, die gerade die Gewaltfreie Kommunikation lernte, half freiwillig bei einem kostenlosen Mittagstisch, als eine ältere Kollegin hinter einer Zeitung herausplatzte: „Was wir in diesem Land unbedingt brauchen, ist, daß Unehelichkeit wieder als etwas *Beschämendes* gilt!"
>
> Normalerweise hätte die Frau auf eine solche Aussage reagiert, indem sie gar nichts gesagt, die andere jedoch stillschweigend und streng verurteilt hätte. In sicherer Entfernung vom Geschehen hätte sie dann ihre Gefühle bearbeitet. Dieses Mal dachte sie daran, daß sie die Wahl hatte, auf die Gefühle und Bedürfnisse hinter den Worten, die sie schockiert hatten, zu hören.

Frau: *(Überprüft erst ihre Vermutung darüber, was die Kollegin beobachtet hat.)* Lesen Sie gerade etwas über Schwangerschaften von Jugendlichen in der Zeitung?
Kollegin: Ja, es ist unglaublich, wie viele so was tun!
Frau: *(Hört jetzt auf die Gefühle der Kollegin und darauf, welche Bedürfnisse die Gefühle eventuell hervorgerufen haben.)* Sind Sie beunruhigt, weil Ihnen wichtig ist, daß Kinder stabile Familien haben?
Kollegin: Ja, natürlich! Wissen Sie was? Mein Vater hätte mich umgebracht, wenn ich so etwas getan hätte!
Frau: Sie erinnern sich daran, wie es für die Mädchen in Ihrer Generation war, schwanger zu werden?
Kollegin: Na klar! Wir wußten, was mit uns passiert, wenn wir schwanger werden. Wir hatten die ganze Zeit Angst davor, nicht so wie die Mädchen heutzutage.
Frau: Ärgern Sie sich darüber, daß die Mädchen, die heute schwanger werden, keine Angst vor Bestrafung haben?
Kollegin: Naja, mit Angst und Strafe hat es wenigstens funktioniert! Hier steht, daß es Mädels gibt, die mit allen möglichen Männern ins Bett gehen, damit sie schwanger werden! So ist's recht! Die kriegen die Kinder, und wir, die Gesellschaft, zahlen dafür!

Die Frau hörte zwei unterschiedliche Gefühle in dieser Aussage: Erstaunen darüber, daß Mädchen absichtlich schwanger werden, und Mißmut darüber, daß die Steuerzahler letztendlich aufkommen müssen für Kinder, die auf diese Weise zur Welt kommen. Sie entscheidet sich, auf welches Gefühl sie sich einstimmen möchte.

Frau: Wundern Sie sich darüber, daß junge Frauen heutzutage schwanger werden, ohne sich Gedanken zu machen über ihren Ruf, die Konsequenzen, das Geld ... all das, was Ihnen wichtig ist?
Kollegin: *(Fühlt sich in ihrem Erstaunen gehört und geht über zu ihrem anderen Gefühl, dem Mißmut. Wie es oft vorkommt, wenn eine Mischung von Gefühlen da ist, dann kehrt man zu den Gefühlen zurück, die noch keine Empathie bekommen haben. Es ist nicht nötig, daß die Zuhörerin auf einmal eine komplexe Gefühlsmischung widerspiegelt; im Fluß der Einfühlsamkeit kommt jedes der Gefühle zu seiner Zeit wieder zur Sprache.)* Ja, und wer, glauben Sie, bezahlt am Ende dafür?
Frau: Das klingt so, als ob Sie das aufregt, weil Sie gerne möchten, daß Ihre Steuergelder für andere Zwecke verwendet werden. Stimmt das?
Kollegin: Genauso ist es! Wissen Sie, mein Sohn und seine Frau wollen ein zweites Kind, und es geht nicht, weil es soviel kostet – obwohl beide arbeiten.
Frau: Ich nehme an, daß Sie darüber traurig sind? Sie hätten vielleicht gerne noch ein Enkelkind?
Kollegin: Ja, und es wäre ja nicht nur meinetwegen.

Frau: Sie möchten auch, daß Ihr Sohn die Familie haben kann, die er möchte ... *(Auch wenn die Frau mit ihrer Vermutung nur teilweise richtig gelegen hat, hat sie den empathischen Fluß nicht unterbrochen. Dadurch war es der Kollegin möglich, weiterzumachen und eine weiteres Anliegen zu entdecken)*
Kollegin: Ja, und außerdem glaube ich auch, daß es traurig ist, ein Einzelkind zu sein.
Frau: Ach so, Sie wünschen sich für Kathi einen kleinen Bruder?
Kollegin: Das wäre schön.

An diesem Punkt bemerkte die Frau, wie ihre Kollegin gelöster wurde. Es gab einen Moment Stille. Die Frau wollte auch noch ihre eigenen Ansichten zum Ausdruck bringen und entdeckte jetzt zu ihrer Überraschung, daß sich die Dringlichkeit und ihre Anspannung, was das anging, aufgelöst hatten, weil sie sich nicht mehr „in Konfrontation" empfand. Sie verstand die Gefühle und Bedürfnisse hinter den Aussagen ihrer Kollegin und hatte nicht mehr den Eindruck, daß „Welten sie trennten".

Frau: „Wissen Sie, als Sie vorhin gesagt haben, Unehelichkeit sollte wieder etwas Beschämendes werden (*Beobachtung*), habe ich einen Schrecken bekommen (*Gefühl*), weil es mir wirklich wichtig ist, daß wir hier alle eine engagierte Mitmenschlichkeit Leuten gegenüber zum Ausdruck bringen, die Hilfe brauchen (*Bedürfnis*). Manche von denen, die hier zum Essen kommen, sind jugendliche Eltern (*Beobachtung*), und ich möchte sicher gehen, daß sie sich hier wohlfühlen (*Bedürfnis*). Wären Sie bereit, mir zu sagen, was Sie empfinden, wenn Sie Doro oder Amy und ihren Freund hereinkommen sehen? (*Bitte*)

Die Frau hat sich in der Gewaltfreien Kommunikation ausgedrückt und alle vier Teile des Modells angewendet: Beobachtung, Gefühl, Bedürfnis und Bitte.
Der Dialog wurde fortgesetzt, bis die Frau die Sicherheit hatte, die sie brauchte, daß ihre Kollegin auch tatsächlich den unverheirateten Teenagern einfühlsame und respektvolle Hilfe anbot. Noch wichtiger für die Frau war eine neue Erfahrung: Es war ihr gelungen, eine Meinungsverschiedenheit auf eine Weise auszudrücken, die ihre Bedürfnisse nach Ehrlichkeit und gegenseitigem Respekt zufriedenstellte.
Währenddessen war ihre Kollegin sehr zufrieden, daß ihre Sorgen rund um jugendliche Schwangerschaften komplett gehört worden waren. Beide fühlten sich verstanden, und ihrem Kontakt tat es gut, daß sie ihr Verständnis und ihre Verschiedenheit ohne Feindseligkeit geteilt hatten. Ohne die GFK hätte ihre Beziehung von dem Moment an vielleicht angefangen, sich zu verschlechtern, und die Arbeit, die sie beide gemeinsam tun wollten – Menschen helfen und sich um sie kümmern –, hätte vermutlich darunter gelitten.

Übung 3: Bedürfnisse erkennen und akzeptieren

Um das Erkennen von Bedürfnissen zu üben, markieren Sie bitte die Numerierung vor jeder Aussage, in der der Sprecher/die Sprecherin die Verantwortung für seine/ihre Gefühle übernimmt.

1. Sie verärgern mich, wenn Sie Firmendokumente auf dem Boden im Konferenzraum liegenlassen.
2. Ich bin ärgerlich, wenn Sie das sagen, weil ich Respekt möchte, und ich verstehe Ihre Worte als Beleidigung.
3. Ich bin frustriert, wenn du zu spät kommst.
4. Ich bin traurig darüber, daß du nicht zum Essen kommst, weil ich gehofft hatte, wir könnten den Abend zusammen verbringen.
5. Ich bin enttäuscht, weil du gesagt hast, du würdest das machen, und du hast es nicht gemacht.
6. Ich fühle mich entmutigt, weil ich mit meiner Arbeit gerne weitergekommen wäre, als es jetzt der Fall ist.
7. So kleine Bemerkungen, die manchmal jemand fallen läßt, verletzen mich.
8. Ich bin glücklich, daß Sie diesen Preis bekommen haben.
9. Ich bekomme Angst, wenn du so laut wirst.
10. Ich bin dankbar, daß du mich mitgenommen hast, weil ich vor den Kindern zu Hause sein muß.

Hier sind meine Antworten zu Übung 3:

1. Wenn Sie die 1 markiert haben, stimmen wir nicht überein. Für mich drückt diese Feststellung aus, daß allein das Verhalten des anderen verantwortlich ist für die Gefühle des Sprechers. Die Bedürfnisse oder Gedanken des Sprechers, die zu seinen Gefühlen beitragen, werden in der Aussage nicht offengelegt. Um das zu tun, kann der Sprecher z.B: sagen: „Wenn Sie Firmendokumente auf dem Boden des Konferenzraums liegenlassen, bin ich verärgert, weil mir wichtig ist, daß interne Vorgänge vertraulich behandelt werden."

2. Wenn Sie die 2 markiert haben, stimmen wir darin überein, daß die Sprecherin die Verantwortung für ihre Gefühle übernommen hat

3. Wenn Sie die 3 markiert haben, stimmen wir nicht überein. Um die Bedürfnisse oder Gedanken auszudrücken, die seinen Gefühlen zugrunde liegen, hätte der Sprecher z.B. sagen können: „Wenn du mehr als eine halbe Stunde zu spät kommst, bin ich frustriert, weil ich gehofft hatte, daß wir einen guten Sitzplatz bekommen."

4. Wenn Sie die 4 markiert haben, stimmen wir darin überein, daß die Sprecherin die Verantwortung für ihre Gefühle übernommen hat.

5. Wenn Sie die 5 markiert haben, stimmen wir nicht überein. Um die Bedürfnisse oder Gedanken auszudrücken, die seinen Gefühlen zugrunde liegen, hätte der Sprecher z.B. sagen können: „Wenn du sagst, du machst es, und machst es dann doch nicht, bin ich frustriert, weil ich mich gerne auf deine Zusagen verlassen möchte."

6. Wenn Sie dies 6 markiert haben, stimmen wir darin überein, daß die Sprecherin die Verantwortung für ihre Gefühle übernommen hat.

7. Wenn Sie die 7 markiert haben, stimmen wir nicht überein. Um die Bedürfnisse oder Gedanken auszudrücken, die seinen Gefühlen zugrunde liegen, hätte der Sprecher z.B. sagen können: „Manchmal, wenn jemand so eine kleine Bemerkung fallen läßt, fühle ich mich verletzt, weil ich gerne anerkannt und akzeptiert werden möchte."

8. Wenn Sie die 8 markiert haben, stimmen wir nicht überein. Um die Bedürfnisse oder Gedanken auszudrücken, die ihren Gefühlen zugrunde liegen, hätte die Sprecherin z.B. sagen können: „Als Sie diesen Preis bekommen haben, war ich glücklich, weil ich gehofft habe, daß all die Arbeit, die Sie in das Projekt gesteckt haben, anerkannt wird."

9. Wenn Sie die 9 markiert haben, stimmen wir nicht überein. Um die Bedürfnisse oder Gedanken auszudrücken, die seinen Gefühlen zugrunde liegen, hätte der Sprecher z.B. sagen können: „Wenn du lauter wirst, bekomme ich Angst, weil ich mir dann sage, hier wird vielleicht jemand verletzt, und ich möchte sichergehen, daß wir hier alle gut aufgehoben sind."

10. Wenn Sie diesen Satz markiert haben, stimmen wir nicht überein. Die Bedürfnisse des Sprechers, die zu seinen Gefühlen beitragen, kommen dabei nicht klar zum Ausdruck: „... vor den Kindern zu Hause sein muß" ist eher eine Strategie zur Erfüllung eines Bedürfnisses. Ein Beispiel für das Ausdrücken eines Bedürfnisses könnte lauten: „... weil mir wichtig ist, daß die Kinder nach der Schule ins Haus können."

6 Um das bitten, was unser Leben bereichert

Bis jetzt haben wir uns mit den ersten drei Komponenten der GFK beschäftigt, mit dem, was wir *beobachten*, *fühlen* und *brauchen*. Wir haben gelernt, all das ohne zu kritisieren, beschuldigen, analysieren oder diagnostizieren so anzuwenden, daß andere zu Einfühlsamkeit inspiriert werden. Die vierte und letzte Komponente des Modells widmet sich der Frage, *um was wir andere bitten möchten*, damit sich unsere Lebensqualität verbessert. Wenn sich unsere Bedürfnisse nicht erfüllen, dann lassen wir auf unsere Beobachtungen, Gefühle und Bedürfnisse eine konkrete Bitte folgen. Wir bitten um Handlungen, die unsere Bedürfnisse erfüllen können. Wie können wir nun unsere Bitten so formulieren, daß bei anderen die Bereitschaft steigt, einfühlsam auf unsere Bedürfnisse zu reagieren?

Positive Handlungssprache benutzen

Als erstes sprechen wir aus, um was wir bitten, statt zu sagen, um *was* wir *nicht* bitten. „Wie macht man etwas *nicht*?" heißt es in einer Zeile eines Kinderliedes von meiner Kollegin Ruth Bebermeyer. „Ich weiß nur, daß ich ein *Nein* fühle, wenn ich ein *Nicht* machen soll." Dieses Lied zeigt zwei Probleme auf, die uns normalerweise begegnen, wenn Bitten in verneinter Form ausgedrückt werden: Oft sind Leute irritiert, weil sie nicht wissen, um was sie jetzt eigentlich gebeten werden, und außerdem rufen negativ formulierte Bitten gerne Widerstand hervor.

Bitten in positiver Handlungssprache formulieren.

In einem Workshop beschrieb eine Frau, die frustriert darüber war, daß ihr Mann soviel Zeit bei der Arbeit verbrachte, wie ihre Bitte zum Eigentor wurde: „Ich bat ihn, nicht soviel Zeit bei der Arbeit zu verbringen. Drei Wochen später reagierte er mit der Ankündigung, daß er sich für ein Golfturnier angemeldet hatte!" Sie hatte ihm erfolgreich vermittelt, was sie *nicht* wollte – sein vieles Arbeiten –, aber sie scheiterte an einer positiven Bitte: *was* sie eigentlich *wollte*. Ermutigt, ihre Bitte neu zu formulieren, dachte sie einen Moment nach und sagte dann: „Ich wünschte, ich hätte ihm gesagt, daß ich wenigstens einen Abend in der Woche gerne mit ihm und den Kindern verbringen möchte."

Während des Vietnam-Krieges wurde ich einmal gebeten, über dieses Thema mit einem Mann, der eine andere Position zum Krieg hatte als ich, im Fernsehen zu diskutieren. Die Sendung wurde auf Video aufgenommen, so daß ich sie abends zu Hause noch mal anschauen konnte. Als ich mich auf dem Bildschirm sah, wie ich so ganz anders kommunizierte, als ich es eigentlich wollte, regte ich mich sehr auf. „Wenn ich noch mal bei so einer Diskussion mitmache", sagte ich zu mir selbst, „darf ich es auf keinen Fall wieder so machen wie dieses Mal! Ich werde mich nicht verteidigen. Ich lasse nicht noch einmal zu, daß sie mich lächerlich machen." Fällt Ihnen auf, wie ich mit mir selbst in Begriffen von was ich *nicht mehr* machen wollte sprach, statt in Begriffen von *was* ich machen wollte?

Die Chance zur Wiedergutmachung kam schon in der darauffolgenden Woche, als ich eingeladen wurde, die Debatte in derselben Sendung fortzusetzen. Den ganzen Weg zum Studio sagte ich mir immer wieder, was ich alles nicht machen wollte. Kaum fing die Sendung an, ging der Mann auf genau die gleiche Weise zum Angriff über wie die Woche zuvor. Nachdem er fertig war, gelang es mir für etwa zehn Sekunden, nicht so zu kommunizieren, wie ich es mir dauernd vorgesagt hatte. Tatsächlich sagte ich gar nichts. Ich saß einfach da. Sobald ich jedoch den Mund aufmachte, kamen all die Wörter heraus, die ich doch unbedingt hatte vermeiden wollen! Es war eine schmerzliche Lektion darüber, was passieren kann, wenn ich mich nur darauf konzentriere, *was* ich nicht machen möchte, ohne zu klären, *was* ich *tatsächlich* machen möchte.

Ich wurde einmal eingeladen, mit Schülern zu arbeiten, die eine ganze Latte von Beschwerden gegen ihren Schulleiter hatten. Sie betrachteten ihren Direktor als Rassisten und erkundeten Möglichkeiten, sich an ihm zu rächen. Ein Geistlicher, der in engem Kontakt mit den jungen Leuten stand, machte sich über die Gefahr drohender Gewalttätigkeit ernsthaft Sorgen. Aus Achtung vor dem Pfarrer willigten die Schüler ein, sich mit mir zu treffen.

Sie begannen, mir zu beschreiben, was sie am Verhalten des Schulleiters diskriminierend fanden. Nachdem ich einer Reihe von Anklagen zugehört hatte, schlug ich vor, daß sie mit der Klärung dessen weitermachten, was sie vom Direktor wollten.

„Wozu soll das gut sein?" stieß ein Schüler verächtlich aus. „Wir waren schon bei ihm und haben ihm gesagt, was wir wollen. Er hat uns darauf geantwortet: ‚Raus hier! Ich brauche niemanden, der mir sagt, was ich tun soll!'"

Ich fragte die Schüler, um was sie gebeten hatten. Sie erinnerten sich daran, daß sie ihm gesagt hatten, sie wollten sich von ihm nicht ihre Frisur vorschreiben lassen. Ich gab zu bedenken, daß sie mit einer Aussage über das, *was* sie wollten statt was sie *nicht* wollten, wahrscheinlich eine entgegenkommendere Antwort erhalten hätten. Dann hatten sie dem Direktor erklärt, daß sie fair behandelt werden wollten, worauf er sich rechtfertigte und lautstark leugnete, jemals unfair gewesen zu sein. Ich wagte die Vermutung, daß der Schulleiter freundlicher reagiert hätte, wenn die Schüler um genauere Handlungen gebeten hätten statt um ein vages Verhalten wie „faire Behandlung".

In unserer gemeinsamen Arbeit entwickelten wir Möglichkeiten, wie die Schüler ihre Bitten in positiver Handlungssprache ausdrücken konnten. Am Ende unseres Treffens hatten sie 38 Handlungen aufgeschlüsselt, um die sie den Direktor bitten wollten. Dazu gehörte: „Wir möchten Sie bitten, einer schwarzen Schülervertretung bei Entscheidungen über die Kleidung zuzustimmen" und „Wir möchten gerne von Ihnen als ‚schwarze Schüler' bezeichnet werden und nicht als ‚Leute'". Am Tag darauf brachten die Schüler ihre Bitten vor und benutzten dabei die positive Handlungssprache, die wir geübt hatten; an diesem Abend bekam ich einen begeisterten Anruf von ihnen: Ihr Schulleiter hatte allen 38 Bitten zugestimmt!

Zusätzlich zur Anwendung der positiven Handlungssprache formulieren wir unsere Bitten als konkrete Tätigkeiten, die andere auch wirklich ausführen können. Gleichzeitig vermeiden wir vage, abstrakte und zweideutige Aussagen. In einem Comic sehen wir einen Mann, der in einen See gefallen ist. Während er darum kämpft, über Wasser zu bleiben, ruft er seinem Hund am Ufer zu: „Lassie, hol Hilfe!" Im nächsten Bild liegt der Hund auf der Couch eines Psychiaters. Wie wir alle wissen, gibt es die unterschiedlichsten Ansichten darüber, was „Hilfe" ist: In meiner Familie glauben manche, wenn sie um Hilfe beim Abwaschen gebeten werden, daß mit „Hilfe" Anweisungen geben gemeint ist.

Ein verzweifeltes Paar in einem Workshop veranschaulichte durch sein Beispiel ebenfalls, wie massiv ein ungenauer Sprachstil das Verständnis und die Kommunikation behindern kann. „Ich möchte, daß du mir meine Persönlichkeit läßt", erklärte die Frau ihrem Mann. „Das mach ich doch!" kam scharf zurück. „Nein, machst du nicht!" beharrte sie. Als sie gebeten wurde, ihr Anliegen in positiver Handlungssprache auszudrücken, erwiderte die Frau: „Ich möchte, daß du mir die Freiheit gibst, zu wachsen und ich selbst zu sein." Eine solche Aussage ist leider genauso vage und provoziert daher genauso leicht eine rechtfertigende Antwort. Die Frau bemühte sich, ihre Bitte klarer zu formulieren und gab dann zu: „Es klingt irgendwie blöd, aber wenn ich es genau sagen soll, dann hätte ich, glaube ich, gerne, daß du lächelst und sagst, daß alles, was ich mache, o.k. ist." Oft verschleiern vage und abstrakte Formulierungen solche belastenden, zwischenmenschlichen Spielchen.

Bitten in klarer, positiver, konkreter Handlungssprache zu formulieren bringt das zutage, was wir wirklich wollen.

Während einer Beratung trat ein ähnlicher Mangel an Klarheit zwischen einem Vater und seinem fünfzehnjährigen Sohn auf. „Alles, was ich möchte, ist, daß du anfängst, ein bißchen Verantwortungsgefühl zu zeigen", behauptete der Vater. „Ist das zuviel verlangt?" Ich schlug vor, daß er genau bestimmte, was sein Sohn tun solle, um so verantwortlich zu sein, wie er sich das wünschte. Nach einer Diskussion darüber, wie er seine Bitte klar formulieren könnte, antwortete der Vater verlegen; „Naja, das klingt nicht so gut, aber wenn ich sage, daß ich Verantwortlichkeit möchte, dann meine ich in Wirklichkeit, daß er ohne zu fragen alles macht, was ich sage – daß er springt, wenn ich sage springen, und dabei freundlich lächelt." Er stimmte dann mit mir überein, daß ein solches Verhalten seines Sohnes eher eine Demonstration von Unterwürfigkeit als von Verantwortungsgefühl wäre.

So wie dieser Vater sprechen wir oft vage und abstrakt, um anderen Menschen anzudeuten, welche Gefühle oder Wesenszüge wir uns von ihnen wünschen, ohne eine konkrete Handlung zu benennen, die sie ausführen könnten, um unseren Wünschen entgegenzukommen. Ein Arbeitgeber macht zum Beispiel einen ernstgemeinten Versuch, Rückmeldungen von seinen Mitarbeitern zu bekommen, und sagt zu ihnen: „Ich möchte, daß Sie in meiner Gegenwart frei über alles sprechen." Mit dieser Aussage kommuniziert der Chef seinen

Wunsch, daß sich seine Mitarbeiter „frei" fühlen sollen. Er sagt ihnen aber nicht, was sie genau tun können, um sich so zu fühlen. Statt dessen kann der Chef die positive Handlungssprache einsetzen, um eine Bitte auszusprechen: „Ich hätte gerne, daß Sie mir *sagen*, was ich *tun* kann, um es Ihnen leichter zu machen, in meiner Gegenwart frei über alles zu sprechen."

Als letzte Illustration, wie eine vage Ausdrucksweise zur inneren Konfusion beiträgt, möchte ich gerne von einem Dialog berichten, den ich in meiner Praxis als klinischer Psychologe in fast unveränderter Form mit den vielen Patienten führte, die wegen ihrer Depressionen zu mir kamen. Nachdem ich empathisch auf die tiefen Gefühle eingegangen war, die der Patient gerade gezeigt hatte, ging unser Gespräch meistens folgendermaßen weiter:

Eine vage Ausdrucksweise trägt zu innerer Konfusion bei.

MBR: „Was ist es, was Sie haben wollen und nicht bekommen?"
Patient: „Ich weiß nicht, was ich will."
MBR: „Ich dachte mir schon, daß Sie das sagen."
Patient: „Wieso?"
MBR: „Meine Theorie ist, daß wir depressiv werden, weil wir das, was wir wollen, nicht bekommen; und wir bekommen nicht, was wir wollen, weil uns nie beigebracht wurde, das zu bekommen, was wir wollen. Statt dessen haben wir gelernt, brave kleine Jungs und Mädels und gute Mütter und Väter zu sein. Wenn wir eine von diesen guten Eigenschaften haben, gewöhnen wir uns am besten gleich daran, depressiv zu werden. Depression ist die Belohnung fürs Bravsein. Aber wenn Sie sich besser fühlen wollen, dann möchte ich Sie bitten herauszufinden, was Sie sich wünschen. Was genau sollen andere Menschen tun, damit Ihr Leben besser für Sie wird?"

Depression ist die Belohnung fürs Bravsein.

Patient: „Ich möchte gerne, daß mich jemand liebt. Das kann ja nicht so falsch sein, oder?"
MBR: „Das ist ein guter Anfang. Jetzt möchte ich Sie bitten, genauer zu bestimmen, was jemand anders konkret tun soll, damit sich Ihr Bedürfnis, geliebt zu werden, erfüllt. Was könnte ich z.B. jetzt tun?
Patient: „Ach, Sie wissen doch ..."
MBR: „Ich bin mir nicht so sicher, ob ich das weiß. Ich möchte Sie bitten, mir zu sagen, was ich oder andere machen sollen, damit Sie die Liebe bekommen, nach der Sie suchen."
Patient: „Das ist schwierig."
MBR: „Ja, es kann schwierig sein, klare Bitten zu formulieren. Aber denken Sie daran, wie schwer es für andere ist, auf unsere Bitte zu reagieren, wenn uns selbst nicht einmal klar ist, was wir wollen!"
Patient: „Mir wird langsam klar, was ich mir von anderen wünsche, um mein Bedürfnis nach Liebe zu erfüllen, aber es ist mir peinlich."
MBR: „Ja, es ist sehr oft peinlich. Also, was soll ich oder jemand anders tun?"

Patient: „Wenn ich mir genau überlege, was ich möchte, wenn ich um Liebe bitte, dann möchte ich, daß Sie erraten, was ich will, möglichst bevor es mir selbst klar wird. Und dann möchte ich, daß Sie das immer so machen."
MBR: „Ich bin dankbar für Ihre Klarheit. Ich hoffe, Sie können jetzt erkennen, daß es für Sie unwahrscheinlich ist, jemanden zu finden, der Ihr Bedürfnis nach Liebe erfüllt, wenn er das dafür tun soll."

Sehr oft konnten meine Patienten dann erkennen, wie stark ihr Mangel an Bewußtheit darüber, was sie sich von anderen wünschten, zu ihren Frustrationen und Depressionen beigetragen hatte.

Bitten bewußt formulieren

Manchmal ist es sicher möglich, eine klare Bitte zu vermitteln, ohne sie in Worte zu fassen. Stellen Sie sich vor, Sie sind in der Küche und Ihre Schwester, die gerade im Wohnzimmer fernsieht, ruft: „Ich habe Durst." In diesem Fall liegt es auf der Hand, daß sie Sie höchstwahrscheinlich darum bittet, ihr ein Glas Wasser aus der Küche zu bringen.

Bei anderen Gelegenheiten kann es jedoch passieren, daß wir unser Unbehagen ausdrücken und fälschlicherweise annehmen, der Zuhörer hätte die Bitte dahinter verstanden. Eine Frau kann z.B. zu ihrem Mann sagen: „Ich ärgere mich darüber, daß du vergessen hast, Butter und Zwiebeln zum Abendessen mitzubringen; ich hatte dich doch darum gebeten." Für sie mag es klar sein, daß sie ihn bittet, noch mal in den Laden zu gehen – ihr Ehemann hingegen denkt vielleicht, daß sie es nur gesagt hat, um ihm Schuldgefühle zu machen.

Es ist dem Zuhörer vielleicht nicht klar, was wir von ihm wollen, wenn wir nur unsere Gefühle ausdrücken.

Noch öfter geschieht es, daß wir uns einfach nicht darüber im klaren sind, um was wir bitten, wenn wir miteinander sprechen. Wir sprechen andere *an* und wissen nicht, wie wir *mit* ihnen in ein richtiges Gespräch kommen können. Wir stoßen Wörter aus und benutzen die Gegenwart der anderen als Abladeplatz. In solchen Situationen erlebt der Zuhörer, der den Worten seines Gegenübers keine klare Bitte entnehmen kann, unter Umständen die Art von Anspannung, wie sie in der folgenden Anekdote zum Ausdruck kommt.

Oft ist es uns nicht bewußt, um was wir bitten.

In einer Bahn, die die Fluggäste auf dem Flughafen von Dallas/Fort Worth zu ihren entsprechenden Terminals bringt, saß ich einem Ehepaar direkt gegenüber. Für Passagiere, die es eilig haben, ein Flugzeug zu bekommen, kann das Schneckentempo des Zuges schon nervig sein. Der Mann drehte sich also zu seiner Frau und sagte heftig: „In meinem ganzen Leben bin ich noch nie mit einem so langsamen Zug gefahren!" Sie sagte nichts darauf und schien angespannt zu sein und sich unwohl zu fühlen – denn was für eine Antwort erwartete er wohl von ihr? Er machte dann das, was viele tun, wenn nicht so reagiert wird, wie sie es gerne hätten: Er wiederholte sich. Mit deutlich lauterer Stimme rief er jetzt aus: *„In meinem ganzen Leben bin ich noch nie mit einem so langsamen Zug gefahren!"*

Die Frau, die nicht wußte, wie sie reagieren sollte, sah noch angespannter aus. Ratlos drehte sie sich zu ihm hin und sagte: „Das Tempo wird elektronisch gesteuert." Ich hatte nicht den Eindruck, daß ihn diese Information zufriedenstellte, und so war es auch, denn er wiederholte sich ein drittes Mal – sogar noch lauter: „IN MEINEM GANZEN LEBEN BIN ICH NOCH NIE MIT EINEM SO LANGSAMEN ZUG GEFAHREN!" Seine Frau war mit ihrer Geduld offensichtlich am Ende, denn sie keifte wütend zurück: „Ja, was soll ich denn tun? Aussteigen und schieben?" Und schon hatten wir zwei leidende Menschen!

Welche Reaktion hatte der Mann gewollt? Ich meine, daß er Verständnis für sein Leid haben wollte. Hätte seine Frau das gewußt, dann hätte sie z.B. antworten können: „Das klingt so, als machst du dir Sorgen, daß wir vielleicht unser Flugzeug nicht mehr erwischen, und empört bist, weil du gerne schnellere Züge zwischen diesen Terminals hättest."

In der vorangegangenen Unterhaltung nahm die Frau die Frustration ihres Mannes wahr, aber sie hatte keine Ahnung, was er von ihr wollte. Ähnlich problematisch ist die umgekehrte Situation – wenn jemand eine Bitte ausspricht, ohne zuerst die Gefühle und Bedürfnisse dahinter zu vermitteln. „Warum läßt du dir nicht mal wieder die Haare schneiden?" wird von jungen Leuten leicht als Forderung oder Angriff verstanden, es sei denn, die Eltern denken daran, zuerst ihre eigenen Gefühle und Bedürfnisse offenzulegen: „Wir machen uns Sorgen, daß deine Haare so lang wachsen, daß du nicht mehr richtig sehen kannst, was um dich herum ist, besonders wenn du mit dem Fahrrad fährst. Was hältst du von einem Haarschnitt?"

Bitten, die nicht von den Gefühlen und Bedürfnissen des Bittenden begleitet werden, können wie eine Forderung klingen.

Wir sind es jedoch vielmehr gewohnt, einfach loszureden, ohne uns bewußt zu sein, worum wir eigentlich bitten. „Ich bitte um nichts", äußern sie dann vielleicht, „ich wollte einfach nur das sagen, was ich gesagt habe." Ich bin davon überzeugt, daß wir jedesmal, wenn wir etwas zu einem anderen Menschen sagen, im Gegenzug auch etwas erbitten möchten. Das kann einfach ein einfühlsamer Kontakt sein oder eine Bestätigung, ob mit oder ohne Worte, daß wir verstanden wurden (wie bei dem Mann im Zug). Oder wir bitten vielleicht um Aufrichtigkeit: Wir möchten die ehrliche Reaktion des Zuhörers auf unsere Worte erfahren. Oder wir können

Je klarer wir wissen, was wir vom anderen bekommen möchten, desto wahrscheinlicher ist es, daß sich unsere Bedürfnisse erfüllen werden.

um eine Handlung bitten, von der wir hoffen, daß sie unsere Bedürfnisse erfüllt. Je klarer wir wissen, was wir vom anderen bekommen möchten, desto wahrscheinlicher ist es, daß sich unsere Bedürfnisse erfüllen werden.

Um Wiedergabe bitten

Bekanntlich ist die Botschaft, die wir aussenden, nicht immer identisch mit der Botschaft, die empfangen wird. Im allgemeinen verlassen wir uns auf sprachliche Hinweise, um festzustellen, ob unsere Aussage zu unserer Zufriedenheit verstanden wurde. Wenn wir dagegen unsicher sind, ob sie so, wie sie gemeint ist, aufgenommen wurde, dann müssen wir in der Lage sein, klar verständlich um eine Antwort zu bitten, die uns verdeutlicht, wie unsere Aussage gehört wurde, so daß wir etwaige Mißverständnisse aufklären können. Manchmal ist eine einfache Frage wie z.B.: „Ist das so klar?" ausreichend. In anderen Situationen brauchen wir mehr als ein „Ja, ich habe dich verstanden", um sicher zu sein, daß wir wirklich verstanden wurden. In diesem Fall können wir unsere Gesprächspartner darum bitten, uns in ihren eigenen Worten wiederzugeben, was sie uns haben sagen hören. Das gibt uns die Möglichkeit, Teile unserer Aussage zu wiederholen, um auf Diskrepanzen oder Auslassungen, die uns in der Wiedergabe aufgefallen sind, zu reagieren.

Um sicherzugehen, daß die Botschaft, die wir aussenden, identisch ist mit der Botschaft, die empfangen wird, bitten wir den Zuhörer, sie wiederzugeben.

Eine Lehrerin geht z.B. auf einen Schüler zu und sagt, „Peter, ich habe mir Sorgen gemacht, als ich gestern mein Notenbuch durchgesehen habe. Ich möchte sichergehen, daß du dir darüber im klaren bist, daß ich die Hausaufgabe von dir noch nicht bekommen habe. Kommst du nach der Schule mal in mein Büro?" Peter murmelt: „O.k., alles klar" und wendet sich ab. Da sie nicht sicher ist, ob ihre Aussage auch richtig verstanden wurde, bittet die Lehrerin um eine Wiedergabe: „Kannst du mir bitte wiedergeben, was du mich gerade hast sagen hören?" Worauf Peter erwidert: „Sie haben gesagt, ich muß das Fußballspielen heute nachmittag ausfallen lassen und nach der Schule dableiben, weil Ihnen meine Hausaufgabe nicht gefallen hat." Da sie in dem Verdacht bestätigt wird, daß Peter ihre beabsichtigte Aussage nicht gehört hat, versucht die Lehrerin, sie noch einmal zu formulieren. Dabei achtet sie sehr genau auf ihre Worte.

Eine Behauptung wie „Du hast nicht zugehört", „Das habe ich nicht gesagt" oder „Du verstehst mich falsch" kann bei Peter leicht dazu führen, daß er denkt, er wird getadelt. Da die Lehrerin deutlich merkt, daß Peter auf ihre Bitte einer Wiedergabe ernsthaft geantwortet hat, kann sie z.B. sagen: „Ich danke dir, daß du mir gesagt hast, was du gehört hast. Ich merke jetzt, daß ich mich nicht so verständlich ausgedrückt habe, wie ich es gerne getan hätte, also laß es mich noch mal versuchen."

Wenn wir anfangs andere darum bitten, wiederzugeben, was sie uns haben sagen hören, fühlt sich das vielleicht ganz komisch und ungewohnt an, weil solche Bitten selten formuliert werden. Wenn ich die Bedeutung unserer Fähigkeit, um Wiedergabe zu bitten, betone, werden oft Vorbehalte geäußert. Die Leute befürchten Reaktionen wie: „Glaubst du vielleicht, ich bin taub?" oder: „Hör auf mit deinen Psycho-Spielchen". Um solchen Reaktionen aus dem Weg zu gehen, können wir unseren Gesprächspartnern schon im vorhinein erklären, warum wir sie manchmal darum bitten werden, unsere Worte wiederzugeben. Wir stellen klar, daß wir nicht ihre Aufnahmefähigkeit testen, sondern überprüfen wollen, ob wir uns verständlich ausgedrückt haben. Wenn unser Gegenüber daraufhin jedoch erwidert: „Ich höre, was du sagst, ich bin doch nicht blöd!" haben wir die Möglichkeit, uns auf seine Gefühle und Bedürfnisse zu fokussieren und – laut oder still – zu fragen: „Sagst du gerade, daß du dich ärgerst, weil du deine Fähigkeit, Dinge zu verstehen, respektiert sehen möchtest?"

Gib deinem Zuhörer Wertschätzung, wenn er versucht, deiner Bitte nach einer Wiedergabe gerecht zu werden.

Gib dem Zuhörer, der nichts wiedergeben möchte, deine Einfühlung.

Um Offenheit bitten

Nachdem wir uns offen ausgedrückt haben, möchten wir oft gerne wissen ...

Nachdem wir uns offen ausgedrückt und das Verständnis, das wir haben möchten, bekommen haben, liegt uns oft daran, die Reaktion des anderen auf das, was wir gesagt haben, zu erfahren. Die ehrliche Antwort, die wir gerne haben möchten, geht normalerweise in eine der drei folgenden Richtungen:

Manchmal möchten wir die Gefühle, die durch unsere Worte ausgelöst wurden, erfahren, und auch die Gründe für diese Gefühle. Danach können wir z.B. so fragen: „Ich möchte dich bitten, mir zu sagen, wie du das, was ich gerade gesagt habe, empfindest, und auch deine Gründe für diese Gefühle."

... was die Zuhörerin dabei empfindet, ...

Manchmal möchten wir etwas über die Gedanken unserer Zuhörer zu dem, was sie uns haben sagen hören, erfahren. Da ist es dann wichtig klarzumachen, welche Gedanken wir von ihnen hören möchten. Wir können z.B. sagen: „Kannst du mir bitte sagen, ob du glaubst, daß mein Vorschlag Erfolg haben wird, und falls du nicht an seinen Erfolg glaubst, was du meinst, woran er scheitern könnte?" statt einfach zu sagen: „Sag mir doch bitte, was du über meine Worte

... was der Zuhörer darüber denkt oder ...

denkst." Wenn wir nicht deutlich machen, welche Ansichten wir genau hören möchten, dann antwortet der andere vielleicht ausführlichst mit Gedanken, die uns in dem Augenblick nicht weiterhelfen.

Manchmal möchten wir gerne wissen, ob die andere Person bereit ist, etwas zu tun, was wir ihr empfohlen haben. Eine solche Bitte kann sich z.B. so anhören: „Ich möchte Sie bitten, mir zu sagen, ob Sie bereit sind, unser Treffen um eine Woche zu verschieben."

... ob die Zuhörerin bereit ist, etwas Bestimmtes zu tun.

Die Anwendung der GFK setzt voraus, daß wir uns über die jeweilige Art der ehrlichen Auskunft, die wir bekommen möchten, im klaren sind und daß wir die entsprechende Bitte um Offenheit sprachlich konkret formulieren.

Bitten an eine Gruppe richten

Wenn wir unsere Bitten an eine Gruppe richten, ist es besonders wichtig, Klarheit zu haben über die Art des Verständnisses und der Ehrlichkeit, die wir uns als Rückmeldung wünschen, nachdem wir etwas mitgeteilt haben. Wenn wir uns über die Resonanz, die wir gerne hätten, nicht im klaren sind, dann initiieren wir möglicherweise unproduktive Konversationen, die enden, ohne daß sich irgendein Bedürfnis erfüllt hat.

Ich werde immer mal wieder eingeladen, mit Bürgerinitiativen zu arbeiten, die sich über den Rassismus in ihren Gemeinden Sorgen machen. Ein Thema taucht in diesen Gruppen permanent auf: Ihre Meetings sind ermüdend und fruchtlos. Dieser Mangel an Produktivität ist für die Teilnehmer sehr kostspielig, da sie oft ihre begrenzten Mittel für die Fahrt und den Babysitter einsetzen, um zu den Treffen zu kommen. Frustriert über die endlosen Diskussionen, die wenig richtungsweisend sind, verlassen viele Mitglieder die Gruppen, weil sie sie als Zeitverschwendung betrachten. Darüber hinaus sind die gesellschaftlichen Veränderungen, die sie anstreben, nicht unbedingt schnell oder einfach zu bewirken. Aus all diesen Gründen ist es für solche Gruppen wichtig, bei ihren Treffen die gemeinsame Zeit gut zu nutzen.

Ich kannte Mitglieder einer Gruppe, die sich zusammengetan hatten, um im örtlichen Schulsystem etwas zu verändern. Sie waren der Überzeugung, daß die Schüler aufgrund ihrer Rasse durch verschiedene Gegebenheiten im Schulsystem diskriminiert wurden. Da ihre Zusammenkünfte unproduktiv waren und die Gruppe Mitglieder verlor, luden sie mich ein, ihre Diskussionen zu beobachten. Ich schlug vor, daß sie ihr Treffen wie üblich durchführten und daß ich ihnen dann sagen würde, ob ich Möglichkeiten sehe, wie die GFK hier helfen kann.

Ein Mann eröffnete die Diskussion mit einem kürzlich erschienenen Zeitungsartikel, in dem sich eine Mutter, die einer Minoritätengruppe angehörte, über die Behandlung ihrer Tochter durch den Schulleiter beschwerte und ihrer Sorge Ausdruck verlieh. Eine Frau reagierte darauf mit einem Erlebnis aus ihrer Zeit als Schülerin in derselben Schule. Nach und nach brachte jeder der Teilnehmer eine ähnliche persönliche Erfahrung zur Sprache. Nach zwanzig Minuten fragte ich die Leute, ob ihre Bedürfnisse durch die momentane Diskussion zufriedengestellt würden. Nicht einer antwortete mit „Ja". „Genau das passiert immer in diesen Meetings!" sagte ein Mann beleidigt. „Ich habe was Besseres zu tun, als mir immer wieder den gleichen alten Mist anzuhören."

Dann wandte ich mich an den Mann, der die Diskussion begonnen hatte: „Können Sie mir sagen, welche Reaktion sie von der Gruppe wollten, als sie den Zeitungsartikel eingebracht haben?" „Ich dachte, das wäre interessant", antwortete er. Ich erklärte ihm, daß ich nach der Reaktion gefragt hatte, die er von der Gruppe wollte, und nicht nach seiner Meinung über den Artikel. Er dachte nach und gab dann zu: „Ich weiß nicht genau, was ich wollte."

Und genau aus diesem Grund, davon bin ich überzeugt, waren zwanzig Minuten der wertvollen Zeit dieser Gruppe mit fruchtlosen Erzählungen vertan worden.

Wenn wir uns an eine Gruppe wenden, ohne uns über die Rückmeldung, die wir haben möchten, im klaren zu sein, werden oft unproduktive Diskussionen daraus entstehen. Wenn es jedoch auch nur eine Person in der Gruppe gibt, die sich der Bedeutung einer klaren Bitte nach der gewünschten Rückmeldung bewußt ist, kann sie ihr Bewußtsein auf die Gruppe ausdehnen. Wenn jetzt zum Beispiel dieser eine Mann nicht klar bestimmt hat, welche Reaktion er möchte, könnte ein Mitglied der Gruppe sagen: „Mir ist unklar, welche Resonanz du auf deine Geschichte gerne hättest. Würdest du uns bitte sagen, welche Rückmeldung du von uns haben möchtest?" Wenn sich jemand so einschaltet, kann das die Verschwendung wertvoller Gruppenzeit verhindern.

In einer Gruppe wird viel Zeit dadurch vertan, daß die Sprecher nicht genau wissen, welche Resonanz sie auf ihre Worte haben möchten.

Unterhaltungen schleppen sich oft dahin, ohne daß dabei Bedürfnisse erfüllt werden, weil unklar ist, ob der Initiator des Gesprächs das bekommen hat, was er oder sie haben wollte. Wenn man in Indien die Resonanz, die man wollte, in einem Gespräch, das von einem selbst initiiert wurde, bekommen hat, sagt man „bas" (sprich: bus). Das heißt: „Du brauchst nichts mehr zu sagen. Ich bin zufrieden und jetzt bereit, mich etwas anderem zuzuwenden." Auch wenn ein solches Wort in unserer eigenen Sprache fehlt, können wir von der Weiterentwicklung und Förderung eines „bas-Bewußtseins" in all unseren Interaktionen profitieren.

Bitten kontra Forderungen

Bitten werden als Forderungen aufgefaßt, wenn der andere davon ausgeht, daß er beschuldigt oder bestraft wird, wenn er nicht zustimmt. Wenn jemand eine Forderung von uns hört, dann sieht er nur zwei Möglichkeiten: Unterwerfung oder Rebellion. In beiden Fällen wird die bittende Person als jemand wahrgenommen, der Zwang ausübt, und so läßt die Bereitschaft des Zuhörers, einfühlsam auf die Bitte einzugehen, rapide nach.

Je mehr wir in der Vergangenheit anderen Vorwürfe gemacht, sie verdächtigt, bestraft oder ihnen Schuldgefühle aufgeladen haben, weil sie auf unsere Bitten nicht wunschgemäß reagierten, desto höher ist die Wahrscheinlichkeit, daß unsere Bitten jetzt als Forderungen wahrgenommen werden. Wir bezahlen auch dafür, wenn sich andere solcher Taktiken bedienen. Je massiver den Menschen in unserem Leben Vorwürfe gemacht, sie bestraft oder dazu gedrängt wurden, sich schuldig zu fühlen, weil sie nicht das getan haben, was andere von ihnen wollten, desto wahrscheinlicher werden sie diese Last in ihre weiteren Beziehungen hineintragen und in jeder Bitte eine Forderung hören.

Wenn jemand eine Forderung von uns hört, dann sieht er zwei Möglichkeiten: Unterwerfung oder Rebellion.

Schauen wir uns zwei Varianten einer Situation an. Jack sagt zu seiner Freundin Jane: „Ich fühle mich einsam und hätte gerne, daß du den Abend mit mir verbringst." Ist das eine Bitte oder eine Forderung? Die Antwort lautet, daß wir es solange nicht wissen, bis wir sehen, wie Jack auf Jane reagiert, wenn sie nicht einwilligt. Angenommen sie erwidert: „Jack, ich bin sehr müde. Wenn du gerne Gesellschaft hättest, warum schaust du nicht nach jemand anderem, mit dem du den heutigen Abend verbringen kannst?" Wenn Jack dann sagt: „Das ist typisch, daß du so selbstsüchtig bist!", dann war seine Bitte in der Tat eine Forderung. Statt sich auf ihr Bedürfnis nach Ruhe einzustimmen, hat er ihr Vorwürfe gemacht.

So findet man heraus, ob es sich um eine Forderung oder eine Bitte handelt: Beobachten, wie sich der Sprecher verhält, wenn seine Bitte nicht erfüllt wird.

Es ist eine Forderung, wenn der Sprecher daraufhin kritisiert oder verurteilt.

Sehen wir uns ein zweites Szenario an:
Jack: „Ich fühle mich einsam und möchte gerne, daß du den Abend mit mir verbringst."
Jane: „Jack, ich bin sehr müde. Wenn du gerne Gesellschaft hättest, warum schaust du nicht nach jemand anderem, mit dem du den heutigen Abend verbringen kannst?"
Jack dreht sich wortlos weg.
Jane merkt, daß er gekränkt ist: „Gibt es etwas, das dir Kummer macht?"

Es ist eine Forderung, wenn der Sprecher daraufhin Schuldgefühle „macht".

Jack: „Nein."
Jane: „Komm, Jack, ich merke doch, daß dich was bewegt. Was ist los?"
Jack: „Du weißt, wie alleine ich mich fühle. Wenn du mich wirklich liebst, dann würdest du den Abend mit mir verbringen."

Anstatt sich in sie einzufühlen, interpretiert Jack erneut das Verhalten von Jane, diesmal als Beweis dafür, daß sie ihn nicht liebt und daß sie ihn zurückgewiesen hat. Je öfter wir eine Nicht-Zustimmung als persönliche Ablehnung interpretieren, desto häufiger werden unsere Bitten in Zukunft als Forderungen wahrgenommen. Das führt zu einer sich selbst erfüllenden Prophezeiung, denn je mehr die Leute Forderungen hören, desto weniger gerne sind sie in unserer Nähe.

Wenn Jacks Bitte eine echte Bitte und keine Forderung wäre, hätte seine Reaktion auf Jane eine respektierende Anerkennung ihrer Gefühle und Bedürfnisse ausgedrückt, z.B: „Ja, bist du erschöpft und brauchst heute abend etwas Ruhe, Jane?"

Wir können anderen helfen uns zu vertrauen, daß wir bitten und nicht fordern, indem wir deutlich machen, daß wir nur dann ihre Zustimmung möchten, wenn sie freiwillig gegeben wird. Dann können wir fragen: „Hast du Lust, den Tisch zu decken?", statt: „Ich hätte gerne, daß du den Tisch deckst." Dennoch besteht die stärkste Art mitzuteilen, daß unsere Bitte echt ist, darin, einfühlsam auf jemanden einzugehen, der *nicht* wie gewünscht auf unsere Bitte reagiert. Wie die folgenden Illustrationen zeigen, demonstrieren wir, daß wir eine Bitte und keine Forderung ausgesprochen haben, ganz besonders durch unsere Reaktion auf diejenigen, die nicht wunschgemäß auf unsere Bitte antworten. Wenn wir darauf eingestellt sind, einfühlendes Verständnis für die Gründe zu zeigen, die jemanden davon abhalten, das zu tun, worum wir bitten, dann haben wir nach meiner Definition eine Bitte geäußert und keine Forderung. Wenn wir eine Bitte statt einer Forderung auswählen, heißt das nicht, daß wir unser Anliegen aufgeben, wenn jemand auf unsere Bitte mit „Nein" antwortet. Es heißt aber ganz sicher, daß wir erst dann einen Überzeugungsversuch starten, wenn wir einfühlsam auf die Gründe reagiert haben, die die andere Person von einem „Ja" abhalten.

Es ist eine Bitte, wenn der Sprecher anschließend einfühlsam auf die Bedürfnisse der anderen Person reagiert.

Bitte kontra Forderung

Bitte oder Forderung?

„Bitte bringen Sie die Datenbank auf den neuesten Stand"

„Ich habe keine Zeit"

Es war eine Bitte

Einfühlung:

„Fühlen Sie sich gerade unter Druck und brauchen mehr Zeit, um Ihre Arbeit fertigzumachen?"

Es war eine Forderung

Verurteilung und Vorwurf:

„Sie nutzen Ihre Zeit sehr schlecht."

Es war eine Forderung

Schuldzuweisung:

„Wenn Sie teamorientiert wären, dann würden Sie sich die Zeit nehmen."

Mit welchem Ziel äußern wir eine Bitte?

Echte Bitten auszudrücken erfordert Bewußtheit über unser Ziel. Wenn unser Ziel nur darin besteht, andere Leute und ihr Verhalten zu ändern oder unseren Willen durchzusetzen, dann ist die GFK nicht das geeignete Werkzeug. Der Prozeß ist für Menschen entwickelt worden, die zwar möchten, daß andere auf sie reagieren und sich ändern, aber nur dann, wenn sie es freiwillig und einfühlsam tun. Das Ziel der GFK ist es, Beziehungen aufzubauen, deren Basis Offenheit und Mitgefühl ist. Wenn andere darauf vertrauen, daß unser vorrangigstes Anliegen die Qualität der Beziehung ist und daß wir davon ausgehen, daß der Prozeß dazu da ist, alle Bedürfnisse zu erfüllen, dann können sie auch darauf vertrauen, daß unsere Bitten keine getarnten Forderungen, sondern tatsächlich Bitten sind.

Unser Ziel ist eine Beziehung, deren Basis Offenheit und Mitgefühl ist.

Es ist nicht so einfach, sich das immer bewußt zu machen. Besonders schwierig ist es für Eltern, Lehrer, Manager und andere, deren Aufgaben sich um das Beeinflussen von Menschen und das Erzielen von Verhaltensergebnissen drehen. Eine Mutter, die einmal nach der Mittagspause zu einem Workshop zurückkehrte, sagte: „Marshall, ich war zu Hause und habe es ausprobiert. Es hat nicht funktioniert." Ich bat sie zu beschreiben, was sie gemacht hatte.

„Ich bin nach Hause und habe meine Gefühle und Bedürfnisse ausgedrückt, so wie wir es geübt haben. Ich habe meinen Sohn nicht kritisiert und ihm auch keine Vorwürfe gemacht. Ich habe einfach gesagt: ‚Sieh mal, wenn ich sehe, daß du die Arbeit, die du machen solltest, nicht gemacht hast, bin ich sehr enttäuscht. Ich wollte gerne nach Hause kommen und das Haus ordentlich vorfinden und die Hausarbeit erledigt sehen.' Dann äußerte ich eine Bitte: Ich sagte ihm, er solle sofort saubermachen."

„Das hört sich so an, als hättest du alle Komponenten klar ausgedrückt," kommentierte ich. „Was geschah dann?" „Er hat es nicht gemacht." „Und was geschah dann?" fragte ich. „Ich sagte zu ihm, er könne nicht faul und unverantwortlich durchs Leben gehen."

Ich konnte sehen, daß diese Frau noch nicht in der Lage war, zwischen einer Bitte und einer Forderung zu unterscheiden. Für sie war der Prozeß nur dann erfolgreich, wenn ihre „Bitten" Zustimmung fanden. Wenn wir mit dem Erlernen des Prozesses am Anfang stehen, dann merken wir vielleicht, daß wir die Komponenten der GFK noch mechanisch anwenden, ohne uns über die zugrundeliegenden Absichten bewußt zu sein.

Manchmal jedoch – auch wenn wir uns unserer Anliegen bewußt sind und unsere Bitten sorgfältig formulieren – hören manche Menschen immer noch eine Forderung. Das trifft besonders dann zu, wenn wir Autoritätspositionen bekleiden und mit Leuten sprechen, die in der Vergangenheit ihre Erfahrungen mit „zwingenden" Autoritätsfiguren gemacht haben.

Der Verwalter einer High-School lud mich einmal ein, seinen Lehrern zu demonstrieren, wie die GFK im Umgang mit Schülern, die nicht im Sinne ihrer Lehrer mitarbeiten, hilfreich sein kann.

Ich wurde gebeten, vierzig Schüler kennenzulernen, die als „sozial und emotional unangepaßt" galten. Ich war fassungslos darüber, wie solche Schubladen als selbsterfüllende Prophezeiungen wirken. Wenn Sie ein Schüler wären, der so abgestempelt wird, würde Sie das nicht geradezu auffordern, sich in der Schule ein bißchen zu amüsieren, indem Sie alles abwehren, was von Ihnen verlangt wird? Wenn wir Menschen abstempeln, dann neigen wir dazu, uns ihnen gegenüber auf eine Art zu benehmen, die genau zu dem Verhalten beiträgt, das uns Sorgen macht. Das wiederum betrachten wir als weitere Bestätigung unserer Diagnose. Da diese Schüler wußten, daß sie als „sozial und emotional unangepaßt" eingestuft worden waren, wunderte es mich nicht, daß die meisten aus dem Fenster hingen, als ich hereinkam, und ihren Freunden unten auf dem Hof Obszönitäten zuschrien. Ich fing mit  einer Bitte an: „Ich möchte euch bitten, alle hierherzukommen und euch hinzusetzen, damit ich euch sagen kann, wer ich bin und was ich heute vorhabe." Ungefähr die Hälfte der Schüler kam herüber. Da ich unsicher war, ob mich alle gehört hatten, wiederholte ich meine Bitte. Daraufhin setzte sich auch der Rest der Schüler hin, mit Ausnahme von zwei jungen Männern, die weiterhin an der Fensterbank lehnten. Zu meinem Pech waren die beiden die größten Schüler in der Klasse.

„Entschuldigung", sprach ich sie an, „kann mir einer der beiden Herren bitte sagen, was Sie mich haben sagen hören?" Einer der beiden drehte sich zu mir und schnaubte: „Ja, Sie haben gesagt, wir sollen da rüberkommen und uns hinsetzen." Ich dachte bei mir: „Oha, er hat meine Bitte als Forderung gehört."

Ich sagte laut: „Sie (ich habe gelernt, immer „Sie" zu Leuten mit einem solchen Bizeps zu sagen, besonders wenn einer von ihnen mit einer Tätowierung herumläuft), sind Sie bereit, mir zu sagen, wie ich ausdrücken kann, was ich sagen möchte, ohne daß es für Sie so klingt, als wollte ich Sie herumkommandieren?" „Hä?" Da er darauf eingestellt war, von Autoritäten Forderungen zu erwarten, war meine andere Art für ihn ungewohnt. „Wie kann ich Sie wissen lassen, was ich von Ihnen möchte, ohne daß es so klingt, als wäre es mir egal, was Sie möchten?" wiederholte ich. Er zögerte einen Moment und zuckte mit den Schultern: „Ich weiß nicht".

„Was zwischen uns beiden gerade passiert ist ein gutes Beispiel für das, worüber ich heute mit euch sprechen möchte. Ich glaube, daß Menschen viel besser miteinander auskommen, wenn sie sagen können, was sie gerne möchten, ohne andere herumzukommandieren. Wenn ich euch sage, was ich gerne hätte, dann sage ich nicht, daß ihr das entweder machen müßt oder daß ich versuche, euch das Leben zu vermiesen. Ich weiß nicht, wie ich das sagen soll, daß ihr mir vertrauen könnt." Zu meiner Erleichterung schien das für den jungen Mann, der jetzt mit seinem Freund zur Gruppe herüberschlenderte, Sinn zu machen. In bestimmten Situationen, so wie dieser, kann es ein bißchen dauern, bis unsere Bitten ganz klar als das aufgefaßt werden, was sie sind.

Wenn wir eine Bitte formulieren, hilft es auch, unsere Köpfe nach Gedanken der folgenden Art abzusuchen, die Bitten automatisch in Forderungen umwandeln:

> - Er *sollte* seine Sachen wegräumen.
> - Sie *müßte* eigentlich tun, was ich von ihr verlange.
> - Ich *verdiene* eine Beförderung.
> - Ich bin *berechtigt*, sie länger bleiben zu lassen.
> - Ich habe ein *Recht* auf mehr Freizeit.

Wenn wir unsere Bedürfnisse in diese Worte kleiden, dann können wir fast gar nicht anders, als unsere Gesprächspartner zu verurteilen, wenn sie nicht das tun, worum wir sie bitten. Ich hatte einmal solche selbstgerechten Gedanken, als mein jüngerer Sohn den Müll nicht hinausbrachte. Als wir die Hausarbeiten aufgeteilt hatten, hatte er seiner Aufgabe zugestimmt, dennoch gab es jeden Tag aufs neue einen Kampf um den Müll. Täglich erinnerte ich ihn daran – „Das ist deine Aufgabe", „Wir haben alle unsere Aufgaben" usw. – mit dem einzigen Ziel, ihn dazu zu bringen, daß er den Müll hinausträgt.

Schließlich hörte ich eines Abends genauer auf das, was er mir schon die ganze Zeit über die Gründe erzählte, warum der Müll nicht hinauskam. Ich schrieb den folgenden Song nach der Diskussion an diesem Abend. Nachdem mein Sohn mein Einstimmen auf seine Position spürte, fing er an, den Müll wegzubringen, ohne daß ich ihn daran erinnern mußte.

Bretts Lied

Wenn ich wirklich sehe,
daß du ohne Forderungen kommst,
dann antworte ich, wenn du rufst.
Aber wenn du wie ein
vornehmer und mächtiger Boss daherkommst,
dann kriegst du das Gefühl, du läufst gegen eine Wand.
Und wenn du mich
so edelmütig
an all das erinnerst, was du schon für mich getan hast,
dann stell dich besser darauf ein:
Es geht in die nächste Runde!
Dann kannst du schreien,
du kannst geifern,
jammern, meckern und explodieren;
den Müll trage ich deshalb noch lange nicht raus.
Und jetzt – auch wenn du deinen Stil änderst –
werde ich ein bißchen brauchen,
bevor ich vergeben und vergessen kann.
Weil es mir so schien, als ob du mich
nur dann als menschliches Wesen betrachtet hast,
wenn ich so war, wie du mich haben wolltest.

Zusammenfassung

Die vierte Komponente der GFK beschäftigt sich mir der Frage, *um was wir einander bitten möchten, damit sich die Lebensqualität eines jeden einzelnen verbessert.* Wir versuchen vage, abstrakte oder zweideutige Formulierungen zu vermeiden, und denken daran, die positive Handlungssprache zu benutzen, indem wir statt dem, was wir *nicht* wollen, das ausdrücken, *was* wir wollen.

Je klarer wir uns beim Sprechen über die Art der Resonanz sind, die wir als Rückmeldung haben möchten, desto wahrscheinlicher ist es, daß wir sie auch bekommen werden. Da die Botschaft, die wir aussenden, nicht unbedingt dem entpricht, was aufgenommen wird, ist es nötig zu lernen, wie wir herausfinden können, ob unsere Botschaft präzise gehört wurde. Wenn wir uns in einer Gruppe mitteilen, ist es besonders wichtig, uns über die Art der Resonanz im klaren zu sein, die wir haben möchten. Sonst geben wir möglicherweise einen Impuls für unproduktive Diskussionen, die wertvolle Gruppenzeit vergeuden.

Bitten werden als Forderungen aufgefaßt, wenn die Zuhörer glauben, daß sie beschuldigt oder bestraft werden, sobald sie nicht zustimmen. Wir können andere darin unterstützen, uns zu vertrauen, daß wir bitten und nicht fordern, indem wir deutlich machen, daß wir uns ihre Zustimmung nur wünschen, wenn sie aus freiem Willen gegeben wird. Das Ziel der GFK ist es nicht, Menschen und ihr Verhalten zu ändern, damit wir unseren Willen durchsetzen; es besteht vielmehr darin, Beziehungen aufzubauen, die auf Offenheit und Einfühlsamkeit basieren, so daß sich über kurz oder lang die Bedürfnisse jedes einzelnen erfüllen.

Gewaltfreie Kommunikation in der Praxis: Mit dem besten Freund die Sorge darüber teilen, daß er Raucher ist

Albert und Fred sind seit über dreißig Jahren die besten Freunde. Albert, ein Nichtraucher, hat über die Jahre hinweg alles versucht, um Fred davon zu überzeugen, mit seinen zwei Päckchen Zigaretten am Tag aufzuhören. Eines Tages, nachdem er das ganze vergangene Jahr über miterlebt hat, wie sich Freds hartnäckiger Husten verschlimmert, kann sich Albert nicht mehr bremsen, und die ganze Anspannung und Aufregung, die unter seinem unausgesprochenen Ärger und seiner Angst vergraben waren, brechen aus ihm heraus.

Albert: Fred, ich weiß, wir haben schon so oft über das Thema gesprochen, aber hör' mal zu. Ich habe Angst, daß dich die verdammten Zigaretten umbringen! Du bist mein bester Freund, und ich möchte dich so lange wie möglich bei mir haben. Bitte denke nicht, daß ich dich verurteile, das tue ich nicht – ich mache mir nur einfach große Sorgen. *(In der Vergangenheit hatte Fred Albert oft vorgeworfen, ihn zu verurteilen bei seinen Versuchen, ihn vom Rauchen abzubringen.)*

Fred: Nein, ich merke ja, daß du dir Sorgen machst. Wir sind schon so lange gute Freunde ...

Albert: *(Formuliert eine Bitte.)* Wärst du bereit, damit aufzuhören?

Fred: Ich wünschte, ich könnte es.

Albert: *(Hört auf die Gefühle und Bedürfnisse, die Fred davon abhalten, der Bitte zuzustimmen.)* Scheust du einen Versuch, weil du nicht scheitern möchtest?

Fred: Ja ... du weißt ja, wie oft ich es schon versucht habe ... Ich weiß, daß die Leute nicht mehr soviel von mir halten, weil ich nicht aufhören kann.

Albert: *(Stellt eine Vermutung an, um was Fred möglicherweise bittet.)* Ich halte deshalb nicht weniger von dir. Und wenn du es versuchst und scheiterst, wird sich daran nichts ändern. Ich wünsche mir einfach, daß du es probierst.

Fred: Dank dir. Aber da sind noch die anderen ... eigentlich jeder: Du kannst es in ihren Augen sehen – sie denken, daß ich ein Versager bin.

Albert: *(Stimmt sich auf Freds Gefühle ein.)* Ist es dir irgendwie zuviel, dich damit zu beschäftigen, was die anderen denken könnten, wenn nur das Aufhören schon schwer genug ist?
Fred: Ich hasse echt den Gedanken, daß ich süchtig sein könnte, daß es etwas in mir gibt, das ich einfach nicht kontrollieren kann ...
Albert: *(Hat Augenkontakt mit Fred und nickt bestätigend. Alberts Interesse und seine Aufmerksamkeit für Freds tiefe Gefühle und Bedürfnisse finden in seinen Augen und in der folgenden Stille ihren Ausdruck.)*
Fred: Weißt du, ich mag das Rauchen nicht mal mehr. Es ist, als ob du ein Ausgestoßener wärst, wenn du in der Öffentlichkeit rauchst. Es ist so peinlich.
Albert: *(Hat weiterhin Mitgefühl.)* Das klingt so, als würdest du wirklich gerne aufhören, aber befürchtest zu scheitern ... und daß das dann für dein Selbstbild und für dein Selbstvertrauen nicht gut wäre.
Fred: Ja, ich glaube das stimmt. ... Weißt du was? Ich glaube, darüber habe ich noch nie mit jemandem gesprochen. Normalerweise, wenn mir Leute sagen, ich soll aufhören, dann sage ich ihnen, sie sollen mich in Ruhe lassen. Ich würde gerne aufhören, aber ich will nicht den ganzen Druck von den Leuten.
Albert: Ich will dir keinen Druck machen. Ich weiß nicht, ob ich dir deine Ängste um das Scheitern nehmen kann, aber ich würde dich ganz sicher gerne unterstützen und alles tun, was ich kann. Das heißt ... wenn du das möchtest ...
Fred: Ja, gerne. Dein Mitgefühl und deine Hilfsbereitschaft gehen mir sehr nahe. Aber ... angenommen, ich bin jetzt noch nicht soweit, es zu probieren, ist das für dich auch in Ordnung?
Albert: Ja, sicher, Fred, ich mag dich dann noch genauso gern. Es ist halt so ..., daß ich dich noch viel länger mögen will! *(Da Alberts Bitte eine echte Bitte war und keine Forderung, bleibt er sich seines Engagements um die Qualität der Beziehung, unabhängig von Freds Reaktion, bewußt. Er faßt seine Bewußtheit und seine Achtung für Freds Bedürfnisse nach Eigenständigkeit in die Worte: „Ich mag dich dann noch genauso gern", während er gleichzeitig durch die Worte „... dich noch viel länger mögen will" sein eigenes Bedürfnis ausdrückt.)*
Fred: Also gut, vielleicht versuche ich es noch einmal ... aber sags keinem, o.k.?
Albert: Ja, klar, du entscheidest, wann du bereit bist; von mir erfährt niemand etwas.

Übung 4: Bitten aussprechen

Um festzustellen, ob wir darin übereinstimmen, wie wir Bitten klar ausdrücken, markieren Sie bitte die Numerierungen vor den nun folgenden Aussagen, in denen der Sprecher eindeutig darum bittet, daß eine bestimmte Handlung ausgeführt wird.

1. Ich möchte, daß du mich verstehst.
2. Bitte nenne mir eine Sache, die ich gemacht habe und die du schätzt.
3. Ich hätte gerne, daß du mehr Selbstvertrauen hast.
4. Hör bitte mit dem Trinken auf.
5. Ich möchte gerne, daß man mich mich selbst sein läßt.
6. Sei bitte ehrlich zu mir über das Meeting gestern.
7. Ich hätte gerne, daß du nicht schneller als erlaubt fährst.
8. Ich möchte dich gerne besser kennenlernen.
9. Bitte respektiere meine Privatsphäre.
10. Ich hätte gerne, daß du öfter das Abendessen machst.

Hier sind meine Antworten zu Übung 4:

1. Wenn Sie die 1 markiert haben, dann stimmen wir nicht überein. Mit dem Wort „verstehst" wird nicht eindeutig um eine machbare Handlung gebeten. Der Sprecher hätte statt dessen sagen können: „Ich möchte dich bitten, mir zu erzählen, was du mich hast sagen hören."

2. Wenn Sie die 2 markiert haben, stimmen wir darin überein, daß die Bitte der Sprecherin in einer eindeutigen und machbaren Handlung ausgedrückt wird.

3. Wenn Sie die 3 markiert haben, dann stimmen wir nicht überein. Mit den Worten „mehr Selbstvertrauen haben" wird nicht eindeutig um eine machbare Handlung gebeten. Der Sprecher hätte statt dessen sagen können: „Ich möchte gerne, daß du einen Kurs in Selbstbehauptung machst, weil ich glaube, daß damit dein Selbstvertrauen gestärkt wird."

4. Wenn Sie die 4 markiert haben, dann stimmen wir nicht überein. Die Worte „mit dem Trinken aufhören" bitten nicht eindeutig um eine machbare Handlung. Die Sprecherin hätte statt dessen sagen können: „ Ich möchte dich bitten, mir zu sagen, welche deiner Bedürfnisse durch das Trinken erfüllt werden, und mit mir zu besprechen, welche Möglichkeiten es noch gibt, diese Bedürfnisse zu erfüllen."

5. Wenn Sie die 5 markiert haben, dann stimmen wir nicht überein. Mit den Worten „mich mich selbst sein läßt" wird nicht eindeutig um eine machbare Handlung gebeten. Der Sprecher hätte statt dessen sagen können: „Ich möchte gerne von dir hören, daß du mich nicht verläßt – auch wenn ich ein paar Dinge tue, die dir nicht gefallen."

6. Wenn Sie die 6 markiert haben, dann stimmen wir nicht überein. Mit den Worten „ehrlich zu mir sein" wird nicht eindeutig um eine machbare Handlung gebeten. Die Sprecherin hätte statt dessen sagen können: „Bitte sage mir, welche meiner Aussagen dir nicht gefallen haben und was ich genau deiner Meinung nach hätte anders machen können."

7. Wenn Sie die 7 markiert haben, stimmen wir darin überein, daß die Bitte des Sprechers in einer eindeutigen und machbaren Handlung ausgedrückt wird.

8. Wenn Sie die 8 markiert haben, dann stimmen wir nicht überein. Für mich wird in diesem Satz nicht eindeutig um eine machbare Handlung gebeten. Die Sprecherin hätte statt dessen sagen können: „Sage mir bitte, ob du Lust hast, einmal die Woche mit mir zum Mittagessen zu gehen."

9. Wenn Sie die 9 markiert haben, dann stimmen wir nicht überein. Mit den Worten „meine Privatsphäre respektieren" wird nicht eindeutig um eine machbare Handlung gebeten. Der Sprecher hätte statt dessen sagen können: „Ich möchte gerne deine Zustimmung dafür, daß du an meine Tür klopfst, bevor du in mein Büro kommst."

10. Wenn Sie die 10 markiert haben, dann stimmen wir nicht überein. Mit den Worten „öfter" wird nicht eindeutig um eine machbare Handlung gebeten. Die Sprecherin hätte statt dessen sagen können: „Ich hätte gerne, daß du montags immer das Abendessen machst."

7 Empathisch aufnehmen

In den letzten vier Kapiteln wurden die vier Komponenten der GFK beschrieben: Was wir beobachten, fühlen und brauchen, und um was wir bitten möchten, um unser aller Leben reicher zu machen. Jetzt gehen wir vom Ausdruck unserer selbst einen Schritt weiter und wenden die vier Komponenten auf andere Menschen an. Wir hören jetzt, was andere beobachten, fühlen, brauchen und erbitten. Wir nennen diesen Teil des Prozesses „empathisch aufnehmen".

Die beiden Teile der GFK:

– Sich selbst offen ausdrücken,

– andere Menschen empathisch aufnehmen.

Präsenz: Tu nicht irgend etwas, sei einfach da

Empathie bedeutet ein respektvolles Verstehen der Erfahrungen anderer Menschen. Der chinesische Philosoph Chuang-Tzu legt dar, daß es für wahre Empathie erforderlich ist, mit dem ganzen Wesen zuzuhören: „Das Hören, das sich nur in den Ohren abspielt, ist eine Sache. So zu hören, daß man die Worte erfaßt, ist eine andere. Aber das Hören der Essenz ist nicht auf einen der Empfangskanäle begrenzt, weder auf die Ohren noch auf den Verstand. Sie erfordert vielmehr die Leere aller Empfangskanäle. Und wenn die Empfangskanäle leer sind, dann hört das ganze Wesen. Dann gibt es einen direkten Zugang zu dem, was direkt vor dir ist, was niemals nur mit dem Ohr gehört oder mit dem Verstand erfaßt werden kann."

Empathie: Den Verstand leer machen und mit dem ganzen Wesen zuhören.

Empathie tritt im Kontakt mit anderen Menschen nur dann auf, wenn wir alle vorgefaßten Meinungen und Urteile über sie abgelegt haben. Der in Österreich geborene, israelische Philosoph Martin Buber beschreibt diese Qualität der Präsenz, die das Leben von uns erwartet: „Trotz aller Ähnlichkeiten hat jede lebendige Situation, wie ein neugeborenes Kind, auch ein neues Gesicht, das es noch nie zuvor gegeben hat und das auch nie mehr wiederkehren wird. Die neue Situation erwartet von dir eine Antwort, die nicht im vorhinein vorbereitet werden kann. Sie erwartet nichts aus der Vergangenheit. Sie erwartet Präsenz, Verantwortung; sie erwartet – dich."

Es ist nicht einfach, die von der Empathie geforderte Präsenz aufrechtzuerhalten. „Die Befähigung, einem Leidenden die ganze Aufmerksamkeit zu schenken, kommt sehr selten vor und ist eine schwierige Angelegenheit; sie ist fast ein Wunder; sie *ist* ein Wunder," sagt die französische Schriftstellerin Simone Weil. „Fast alle, die denken, sie hätten diese Fähigkeit, haben sie nicht." Statt einer empathischen Reaktion geben wir eher unserem Drang nach, Ratschläge zu geben oder zu beschwichtigen und unsere Meinung oder unser eigenes Gefühl darzulegen. In einem buddhistischen Sprichwort wird diese Fähigkeit treffend beschrieben: „Tu nicht irgend etwas, sei einfach da."

Es kann sehr frustrierend für jemanden sein, der Empathie braucht, wenn andere davon ausgehen, daß er Trost oder Ratschläge nach dem Motto „Wie bringen wir's wieder in Ordnung?" möchte. Meine Tochter erteilte mir einmal eine Lektion, die mich lehrte, mich zu vergewissern, ob meine Ratschläge oder mein Trost überhaupt gefragt sind – und zwar *bevor* ich sie gebe. Eines Tages schaute sie in den Spiegel und sagte, „Ich bin so häßlich wie ein Schwein."

Frage nach, bevor du Ratschläge oder Trost geben möchtest.

„Du bist das wunderbarste Geschöpf auf Gottes Erdboden," verkündete ich. Verzweifelt verdrehte sie die Augen, rief aus: „Oh, Papa!" und schlug die Tür hinter sich zu. Später fand ich heraus, daß sie Empathie gebraucht hätte. Statt meines Kompliments zur falschen Zeit hätte ich fragen können: „Bist du heute enttäuscht über dein Aussehen?".

Meine Freundin Holley Humphrey hat einige weitverbreitete Verhaltensweisen entdeckt, die uns davon abhalten, so präsent zu sein, daß wir mit anderen in empathischen Kontakt treten können. Hier einige Beispiele solcher Hindernisse:

Ratschläge: „Ich finde, du solltest ..." „Warum hast du nicht ...?"
Noch eins draufsetzen: „Das ist ja noch gar nichts; hör erst mal, was mir passiert ist."
Belehren: „Das kann sich in eine ganz positive Erfahrung verwandeln, wenn du nur ..."
Trösten: „Das war nicht dein Fehler; du hast dein Bestes getan."
Geschichten zum besten geben: „Das erinnert mich an die Zeit ..."
Über den Mund fahren: „Komm, lach mal wieder. Laß dich nicht so hängen."
Bemitleiden: „Ach, du Armer ..."
Verhören: „Wann hat das angefangen?"
Erklärungen abgeben: „Ich hätte ja angerufen, aber ..."
Verbessern: „So ist das nicht gewesen."

In seinem Buch *When Bad Things Happen to Good People (Wenn guten Menschen Böses widerfährt)* beschreibt der Rabbi Harold Kushner, wie weh es ihm getan hat, als sein Sohn starb und die Leute versuchten, ihn mit ihren Worten aufzumuntern. Aber noch schmerzlicher war für ihn die Erkenntnis, daß er zwanzig Jahre lang das gleiche zu anderen Menschen in ähnlichen Sitationen gesagt hatte!

Der Glaube, wir müßten Situationen „in Ordnung" bringen und dafür sorgen, daß es anderen wieder besser geht, hindert uns daran, präsent zu sein. Menschen in helfenden Berufen oder Psychotherapeuten sind besonders anfällig für diesen Glauben. In einem Seminar mit dreiundzwanzig Psychologen stellte ich einmal die Aufgabe, Wort für Wort aufzuschreiben, wie sie auf einen Patienten reagieren, der sagt: „Ich fühle mich sehr deprimiert. Ich sehe keinen Grund mehr weiterzumachen." Ich sammelte ihre Antworten ein und erklärte: „Ich werde jetzt laut vorlesen, was jeder einzelne als Antwort geschrieben hat. Versetzen Sie sich in die Person, die ihre depressiven Gefühle geäußert hat, und heben Sie jedesmal die Hand, wenn Ihnen ein Satz das Gefühl gibt, verstanden worden zu sein." Die Hände wurden nur bei drei der dreiundzwanzig Sätze gehoben. Fragen wie: „Wann hat das angefangen?" gehörten zu den am häufigsten geäußerten Entgegnungen; sie geben den Anschein, daß der Fachmann die notwendigen Informationen für die Diagnose bekommt, damit er dann das Problem behandeln kann. Ein derart intellektuelles Erfassen eines menschlichen Problems blockiert jedoch genau die Art der Präsenz, die wir für die Empathie brauchen. Wenn wir über die Worte eines Menschen nachdenken und darauf hören, wie sie in unsere Theorien passen, dann schauen wir *auf* den Menschen – wir sind nicht *bei* ihm. Die wichtigste Zutat zur Empathie ist Präsenz: Wir sind ganz da für den anderen und seine Erfahrungen. Diese Qualität der Präsenz unterscheidet Empathie von vernunftmäßigem Verstehen und auch von Mitleid. Auch wenn wir uns manchmal dafür entscheiden, Mitleid zu haben, indem wir das *fühlen*, was die anderen fühlen, sollten wir uns bewußt machen, daß wir in dem Moment des Mitleidens keine Empathie geben.

Intellektuelles Verstehen blockiert Empathie.

Auf Gefühle und Bedürfnisse hören

In der GFK spielt es keine Rolle, mit welchen Worten unsere Mitmenschen ihr Anliegen ausdrücken, denn wir hören auf ihre Beobachtungen, Gefühle und Bedürfnisse und worum sie bitten, um die Lebensqualität zu verbessern. Stellen Sie sich vor, Sie haben Ihren Wagen einem neuen Nachbarn geliehen, der sich in einem persönlichen Notfall an Sie gewandt hat. Als Ihre Familie es erfährt, ist die Reaktion heftig: „Du bist ein Dummkopf, daß du einem völlig Fremden vertraust!" Die folgende Illustration zeigt, wie man sich auf die Gefühle und Bedürfnisse eines Familienmitglieds einstimmen kann im Gegensatz zu 1) sich selbst die Schuld zu geben, indem man die Worte persönlich nimmt, oder 2) der Familie die Schuld zu geben und sie zu verurteilen.

Egal was jemand sagt, wir hören nur darauf, was er

a) *beobachtet,*
b) *fühlt,*
c) *braucht und*
d) *erbittet.*

In dieser Situation liegt es auf der Hand, was die Familie beobachtet und worauf sie reagiert: das Verleihen des Autos an einen relativ Fremden. In anderen Situationen ist das vielleicht nicht so offensichtlich. Wenn uns ein Kollege oder eine Kollegin mitteilt: „Du bist kein gutes Teammitglied", dann wissen wir unter Umständen nicht, was er oder sie beobachtet, obwohl wir normalerweise vermuten können, durch welches Verhalten die Aussage hervorgerufen wurde.

Das folgende Gespräch aus einem Workshop zeigt, wie schwierig es ist, die Aufmerksamkeit auf die Gefühle und Bedürfnisse anderer Menschen zu richten, wenn wir es gewohnt sind, die Verantwortung für die Gefühle anderer zu tragen und deren Aussagen persönlich zu nehmen. In diesem Dialog wollte die Ehefrau lernen, die Gefühle und Bedürfnisse hinter bestimmten Aussagen ihres Mannes zu hören. Ich schlug vor, daß sie Vermutungen über seine Gefühle und Bedürfnisse äußern und diese dann gemeinsam mit ihm überprüfen sollte.

Aussage des Mannes: „Was nutzt es, mit dir zu sprechen? Du hörst sowieso nie zu."
Frau: „Bist du unglücklich mit mir?"
MBR: „Wenn Sie sagen ‚mit mir', gehen Sie davon aus, daß seine Gefühle aus dem resultieren, was Sie getan haben. Ich würde an Ihrer Stelle statt ‚Bist du unglücklich mit mir?' eher sagen: ‚Bist du unglücklich, weil du ....gebraucht hast?' Dadurch wird Ihre Aufmerksamkeit auf das gelenkt, was in ihm vorgeht, und die Wahrscheinlichkeit nimmt ab, daß Sie die Aussage persönlich nehmen."
Frau: „Aber was sage ich dann ..." ‚Bist du unglücklich, weil du ...?' Weil du was?"
MBR: „Schließen Sie das aus dem, was Ihr Mann in seinen Worten zum Ausdruck bringt: ‚Was nutzt es, mit dir zu sprechen? Du hörst sowieso nie zu.' Was braucht er und bekommt es nicht, wenn er das sagt?"
Frau *(versucht sich auf die Bedürfnisse einzustimmen, die durch die Aussage ihres Mannes ausgedrückt werden)*: „Bist du unglücklich, weil du das Gefühl hast, ich verstehe dich nicht?"
MBR: „Jetzt konzentrieren Sie sich auf das, was er denkt, und nicht auf das, was er braucht. Ich glaube, Sie werden Menschen als weniger bedrohlich empfinden, wenn Sie auf das hören, was sie brauchen statt was sie von Ihnen denken. Anstatt darauf zu hören, daß er unglücklich ist, weil er meint, daß Sie nicht zuhören, konzentrieren Sie sich darauf, was er braucht, indem Sie sagen: ‚Bist du unglücklich, weil du .... möchtest'"
Frau *(versucht es noch mal)*: „Bist du unglücklich, weil du gerne gehört werden möchtest?"
MBR: „Ja, so habe ich es gemeint. Macht es für Sie einen Unterschied, ihn auf diese Weise zu hören?"
Frau. „Ganz sicher – einen großen Unterschied. Ich sehe, was in ihm vorgeht, ohne zu hören, daß ich etwas falsch gemacht habe."

> *Hören Sie auf das, was andere Menschen brauchen, und nicht auf das, was sie über Sie denken.*

Empathie kontra Nicht-Empathie

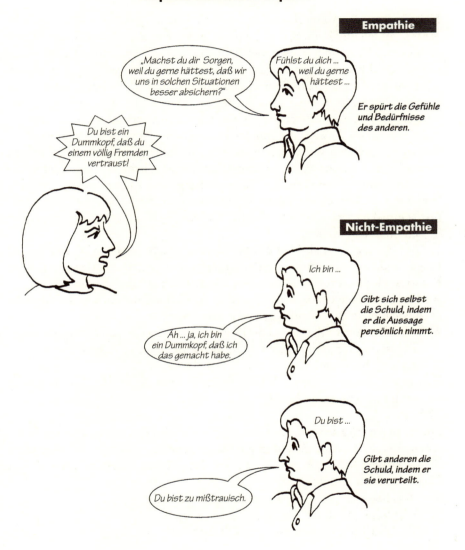

Paraphrasieren – Mit eigenen Worten wiedergeben

Haben wir unsere Aufmerksamkeit fokussiert und das gehört, was andere beobachten, fühlen und brauchen und worum sie bitten, um ihre Lebensqualität zu verbessern, dann möchten wir vielleicht das, was wir verstanden haben, paraphrasieren, d.h. mit unseren eigenen Worten noch einmal wiedergeben. In unserer vorangegangenen Diskussion über Bitten (Kapitel 6) haben wir uns damit auseinandergesetzt, wie wir um eine Wiedergabe unserer Aussage bitten; jetzt werden wir uns damit beschäftigen, wie wir sie anderen anbieten können.

Haben wir die Aussage der anderen Person richtig verstanden, werden unsere widerspiegelnden Worte ihr dies bestätigen. Sollte unsere Wiedergabe nicht ganz stimmen, hat unser Gesprächspartner die Möglichkeit, sie richtigzustellen. Ein weiterer Vorteil unserer Entscheidung, eine Aussage wiederzugeben, liegt darin, daß der andere dadurch Zeit bekommt, über das, was er gesagt hat, noch einmal nachzudenken; und er hat auch Gelegenheit, noch einmal genauer in sich hineinzuhorchen.

Die GFK legt uns nahe, die Wiedergabe mit unseren eigenen Worten in eine Frage zu kleiden, die unser Verständnis zeigt und gleichzeitig den Partner zur Richtigstellung ermutigt. Die Fragen können sich auf das richten, ...

A) was der andere beobachtet: „Beziehst du dich auf die Anzahl der Abende, die ich letzte Woche auswärts verbracht habe?"
B) was der andere fühlt und auf die Bedürfnisse, die seine Gefühle hervorrufen: „Fühlst du dich verletzt, weil du für deine Bemühungen gerne mehr Anerkennung bekommen hättest, als du erhalten hast?"
C) was der andere erbittet: „Möchtest du von mir gerne die Gründe hören, warum ich das gesagt habe?"

Diese Fragen erfordern, daß wir uns einstimmen auf das, was in anderen Menschen vorgeht, und sie gleichzeitig einladen, das zu revidieren, was wir nicht richtig erspürt haben. Achten Sie bitte auf den Unterschied zwischen diesen Fragen und den nun folgenden:

a) „Was habe ich gemacht, worauf beziehst du dich?"
b) „Wie fühlst du dich?" „Warum fühlst du dich so?"
c) „Was möchtest du von mir, was soll ich tun?"

Dieses zweite Set von Fragen erkundigt sich nach Informationen, ohne sich zuerst auf die Realität des Gegenübers einzustimmen. Auch wenn es uns so vorkommen mag, als sei dies die direkte Verbindung mit dem, was in der anderen Person vorgeht, habe ich die Erfahrung gemacht, daß es nicht der sicherste Weg ist, um die gewünschten Informationen zu erhalten. Diese Art zu fragen kann der anderen Person den Eindruck geben, als würde sie von einem Lehrer geprüft oder als wäre sie ein Fall, an dem der Psychiater arbeitet. Wenn wir uns dennoch entscheiden, auf diese Weise nach Informationen zu fragen, dann fühlen sich unsere Gesprächspartner meiner Erfahrung nach sicherer, wenn wir zuerst unsere Gefühle und Bedürfnisse, aus denen die Frage entstanden ist, offenlegen. So können wir statt: „Was habe ich gemacht?" sagen: „Ich bin frustriert, weil ich gerne klarer sehen möchte, worauf du dich beziehst. Magst du mir sagen, was ich gemacht habe, das dich dazu führt, mich so zu sehen?" Dieser Schritt ist eventuell dann nicht notwendig – und auch nicht hilfreich – wenn unsere Gefühle und Bedürfnisse durch den Zusammenhang oder auch unseren Tonfall eindeutig vermittelt werden. Ich möchte ihn aber ganz besonders in Situationen empfehlen, wenn die Fragen, die wir stellen, von starken Gefühlen begleitet sind.

Wenn wir nach Informationen fragen, drücken wir zuerst unsere eigenen Gefühle und Bedürfnisse aus.

Wie stellen wir fest, ob es in einer Situation nötig ist, anderen Menschen ihre Aussagen widerzuspiegeln? Natürlich, wenn wir unsicher sind, ob wir die Äußerung richtig verstanden haben, dann können wir das Wiedergeben einsetzen, um unsere Vermutung richtigstellen zu lassen. Aber auch wenn wir uns sicher sind, daß wir richtig verstanden haben, merken wir vielleicht, daß die andere Person gerne eine Bestätigung darüber hätte, daß ihre Aussage richtig angekommen ist. Unter Umständen wird dieser Wunsch auch mit den Worten, „Ist das klar?" oder „Verstehst du, was ich meine?" offen zum Ausdruck gebracht. In solchen Augenblicken wird eine klare Wiedergabe für den Sprecher oft stärker bestätigend wirken als nur zu hören: „Ja, ich verstehe dich."

Kurz nach ihrer Teilnahme an einem GFK-Training wurde z.B. eine ehrenamtliche Mitarbeiterin in einem Krankenhaus von einigen Krankenschwestern gebeten, mit einer älteren Patientin zu sprechen. „Wir haben der Patientin schon gesagt, daß sie nicht so krank ist und daß es ihr besser gehen würde, wenn sie ihre Medikamente nimmt. Aber alles, was sie tut, ist, den ganzen Tag in ihren Zimmer zu sitzen und immer wieder zu sagen: ‚Ich will sterben. Ich will sterben.'"

Die Frau ging zu der älteren Patientin, und wie die Krankenschwestern vorausgesagt hatten, saß sie dort alleine und flüsterte immer wieder: „Ich will sterben".

„Sie möchten also gerne sterben", stimmte sich die Frau ein. Überrascht unterbrach die Patientin ihren Monolog und schien erleichtert zu sein. Sie fing an, darüber zu sprechen, daß keiner sie verstand und wie schrecklich sie sich fühlte. Die Mitarbeiterin reflektierte weiterhin die Gefühle der Frau, und kurz darauf war ihr Gespräch so warmherzig geworden, daß sie eng umarmt da saßen. Später am selben Tag fragten die Krankenschwestern ihre Kollegin nach ihrer Zauberformel: Die ältere Patientin hatte angefangen zu essen und ihre Medikamente zu nehmen, und sie war offensichtlich besserer Laune. Obwohl die Krankenschwestern versucht hatten, ihr mit Ratschlägen und Beschwichtigungen zu helfen, hatte die Patientin erst im Gespräch mit der ehrenamtlichen Kollegin das bekommen, was sie wirklich gebraucht hatte: Kontakt mit einem menschlichen Wesen, das ihre tiefe Verzweiflung hören konnte.

Es gibt keine unfehlbaren Regeln, was das Wiedergeben mit eigenen Worten angeht, aber als Faustregel können wir relativ sicher davon ausgehen, daß Menschen, die sich sehr intensiv emotional äußern, gerne unsere Wiedergabe ihrer Gefühle hören möchten. Wenn wir selbst sprechen und deutlich signalisieren, ob wir unsere Worte wiedergegeben haben möchten oder nicht, dann macht es das dem Zuhörer möglicherweise leichter.

Geben Sie Aussagen wieder, die emotional stark geladen sind.

Es gibt Situationen, in denen wir uns u. U. dafür entscheiden, die Aussagen einer Person aus Respekt vor bestimmten kulturellen Normen nicht verbal wiederzugeben. Es nahm z.B. einmal ein Chinese an einem Workshop teil, der lernen wollte, wie er die Gefühle und Bedürfnisse hinter den Bemerkungen seines Vaters heraushören konnte. Weil er die Kritik und die Angriffe, die er ständig aus den Worten seines Vaters heraushörte, nicht mehr ertragen konnte, fürchtete sich der Mann davor, seinen Vater zu besuchen, und ging monatelang nicht mehr zu ihm hin. Zehn Jahre später kam er zu mir und berichtete, daß seine Fähigkeit, auf Gefühle und Bedürfnisse zu hören, die Beziehung zu seinem Vater radikal umwandeln konnte, und daß sie jetzt viel Freude an ihrem nahen und liebevollen Kontakt hatten. Auch wenn er auf die Gefühle und Bedürfnisse seines Vaters hört, gibt er nicht wieder, was er aufnimmt. „Ich sage es nie laut", erklärte er. „In unserer Kultur sind es die Menschen nicht gewohnt, direkt auf ihre Gefühle angesprochen zu werden. Aber dank der Tatsache, daß ich das, was er sagt, nicht mehr als Angriff höre, sondern als seine eigenen Gefühle und Bedürfnisse, ist unsere Beziehung unglaublich schön geworden."

Geben Sie die Worte des anderen nur dann wieder, wenn es zu größerem Mitgefühl und Verständnis beiträgt.

„Sie werden ihn also nie direkt auf seine Gefühle ansprechen, aber es hilft, daß Sie sie hören können?" fragte ich. „Nein, ich glaube, jetzt bin ich bereit für ein direkteres Ansprechen," antwortete er. „Jetzt, wo wir eine so stabile Beziehung haben, wenn ich da zu ihm sagen würde, ‚Papa, ich würde auch gerne mit dir über das sprechen, was wir fühlen,' glaube ich, daß er einfach auch bereit dazu sein könnte."

Wenn wir mit unseren eigenen Worten etwas wiedergeben, ist der Ton, in dem wir das tun, von großer Bedeutung. Wenn sie ihre eigenen Aussagen hören, reagieren die Leute besonders sensibel auf den kleinsten Anflug von Kritik oder Ironie. Genauso negativ wirkt ein bestimmender Ton, der impliziert, daß wir den anderen erklären, was in ihnen vorgeht. Wenn wir jedoch bewußt auf die Gefühle und Bedürfnisse anderer Menschen hören, dann vermittelt unser

Ton, daß wir *fragen*, ob wir sie verstehen – und nicht beanspruchen, daß wir *verstanden haben*.

Wir sollten auch auf die Möglichkeit vorbereitet sein, daß die Absicht hinter unserer Wiedergabe mißverstanden wird. „Laß mich mit diesem Psychomist in Ruhe!" sagt dann vielleicht jemand zu uns. Wenn das passiert, stimmen wir uns weiterhin auf die Gefühle und Bedürfnisse der anderen Person ein; vielleicht merken wir dann, daß sie unseren Motiven nicht vertraut und ein besseres Verständnis unserer Absichten braucht, bevor es einen Wert für sie hat, unsere Wiedergabe zu hören. Wie wir gesehen haben, verschwinden alle Kritiken, Angriffe, Beleidigungen und Urteile, sobald wir unsere Aufmerksamkeit darauf richten, die Gefühle und Bedürfnisse hinter einer Äußerung zu hören. Je mehr wir uns darin üben, desto deutlicher wird uns eine einfache Wahrheit: Hinter all diesen Botschaften, bei denen wir uns eingeschüchterte Gefühle erlaubt haben, stehen einfach Menschen mit unerfüllten Bedürfnissen, die sich an uns wenden, damit wir zu ihrem Wohlergehen beitragen. Wenn wir mit diesem Bewußtsein die Äußerungen anderer Leute aufnehmen, dann fühlen wir uns durch das, was sie zu uns sagen, nie gedemütigt. Wir fühlen uns nur dann gedemütigt, wenn wir uns in abfälligen Vorstellungen über andere Menschen verfangen oder in Gedanken, daß mit uns etwas nicht stimmt. Der Autor und Mythologe Joseph Campbell empfiehlt, den Satz: „Was denken die anderen wohl von mir?' dem Glück zuliebe beiseite zu legen." Wir fangen an, dieses Glück zu fühlen, wenn wir damit beginnen, Aussagen anderer, die wir zuvor als kritisch oder vorwurfsvoll erlebt haben, als die Geschenke ansehen, die sie sind: Gelegenheiten, Menschen, die in Not sind, etwas zu geben.

> *Hinter einschüchternden Aussagen stehen ganz einfach Menschen, die an uns appellieren, auf ihre Bedürfnisse einzugehen.*

Wenn es immer wieder vorkommt, daß andere Menschen unseren Motiven und unserer Aufrichtigkeit beim Wiedergeben ihrer Worte mißtrauen, dann sollten wir vielleicht einmal unsere eigenen Absichten genauer untersuchen. Vielleicht ist unsere Wiedergabe und die Art, wie wir die Elemente der GFK anwenden, zu mechanisch, ohne ein klares Bewußtsein über ihren Hintergrund. Wir können uns z.B. fragen, ob wir mehr darauf aus sind, den Prozeß „richtig" anzuwenden, als mit dem Menschen vor uns in Kontakt zu treten. Oder: Wir setzen zwar die Form der GFK ein, unser Hauptinteresse liegt jedoch darin, das Verhalten der anderen Person zu ändern.

> *Eine schwierige Äußerung wird zu einer Gelegenheit, das Leben eines Menschen zu bereichern.*

Manche Leute verweigern das Paraphrasieren als Zeitverschwendung. Ein städtischer Verwaltungsbeamter erklärte in einer Übungssitzung: „Ich werde dafür bezahlt, Fakten und Lösungen zu produzieren, und nicht dafür, herumzusitzen und mit jedem, der in mein Büro kommt, Psychotherapie zu betreiben." Gleichzeitig wurde dieser Beamte jedoch von ärgerlichen Bürgern konfrontiert, die mit ihren wichtigen Anliegen zu ihm kamen und frustriert wieder weggingen, weil sie nicht gehört wurden. Einige dieser Bürger vertrauten mir später an: „Wenn man in sein Büro kommt, dann überschüttet er einen mit Informationen, aber man weiß nie, ob er einen überhaupt verstanden hat. Dadurch mißtraut man allmählich all seinen Informationen." Das Wiedergeben mit den eigenen Worten spart tendenziell Zeit, statt sie zu verschwenden. Studien über Verhandlungen in Arbeitskonflikten zeigen deutlich, daß sich der Zeitaufwand für die Lösung des Konfliktes halbiert, wenn sich die Parteien darauf einigen, daß jeder, bevor er selbst spricht, erst genau wiederholt, was der andere gesagt hat.

Ich erinnere mich an einen Mann, der dem Wert des Wiedergebens anfangs skeptisch gegenüberstand. Er und seine Frau besuchten einen GFK-Workshop in einer Zeit, die für ihre Ehe sehr kritisch war. Während des Workshops sagte seine Frau zu ihm: „Du hörst mir nie zu."

Paraphrasieren spart Zeit.

„Doch, das tue ich", war seine Antwort.

„Nein, das tust du nicht", gab sie zurück.

Ich wandte mich an den Mann: „Ich befürchte, Sie haben Ihrer Frau gerade recht gegeben. Sie haben nicht so reagiert, daß Ihre Frau wissen kann, daß Sie ihr zugehört haben."

Das verwirrte ihn, und deshalb bat ich ihn um die Erlaubnis, seine Rolle zu spielen – er gab sie mir bereitwillig, weil er bisher nicht besonders erfolgreich darin gewesen war. Seine Frau und ich hatten dann das folgende Gespräch:

Frau: „Du hörst mir nie zu."
MBR in der Rolle ihres Mannes: „Das klingt, als wärst du total frustriert, weil du gerne mehr Kontakt zwischen uns fühlen möchtest, wenn wir miteinander sprechen."

Die Frau war zu Tränen gerührt, als sie endlich die Bestätigung bekam, daß sie verstanden wurde. Ich drehte mich zu ihrem Mann und erläuterte: „Ich glaube, das ist es, was sie Ihnen sagen möchte – sie braucht eine Wiedergabe ihrer Gefühle und Bedürfnisse als Bestätigung, daß sie gehört wurde." Ihr Mann schien verblüfft zu sein. „Ist das alles, was sie möchte?" fragte er, ungläubig, daß eine so einfache Handlung eine so starke Wirkung auf seine Frau hatte.

Kurze Zeit später genoß er die gleiche Zufriedenheit aus erster Hand, als seine Frau ihm seine Worte wiedergab, die er unter großer emotionaler Beteiligung geäußert hatte. Während er noch ihre Reflektion auskostete, schaute er zu mir und verkündete: „Das ist es wert." Es ist ein bewegendes Erlebnis, die konkrete Bestätigung dafür zu bekommen, daß jemand empathisch mit uns verbunden ist.

Empathie vertiefen

Ich empfehle, daß wir unseren Gesprächspartnern ausgiebig Gelegenheit geben, ihr Anliegen vollständig auszudrücken, bevor wir unsere Aufmerksamkeit einer Lösung oder einer Bitte zuwenden. Gehen wir zu schnell zu dem über, was jemand eventuell erbitten möchte, dann besteht die Gefahr, daß unser echtes Interesse an den Gefühlen und Bedürfnissen der anderen Person nicht deutlich wird; statt dessen entsteht unter Umständen der Eindruck, daß wir es eilig damit haben, sie entweder wieder loszuwerden oder ihr Problem „in Ordnung" zu bringen. Zudem ist eine erste Äußerung oft nur die Spitze eines Eisberges; es können bisher nicht ausgedrückte, aber dazugehörige – und oft viel stärkere – Gefühle folgen. Indem wir mit unserer Aufmerksamkeit bei dem bleiben, was in anderen vorgeht, bieten wir ihnen die Möglichkeit, ihr Inneres voll und ganz zu ergründen und auszudrücken. Diesen Fluß würden wir aufhalten, wenn wir unsere Aufmerksamkeit zu schnell entweder auf die Bitten verlagern oder auf unseren Wunsch, selbst zu Wort zu kommen.

Nehmen wir an, eine Mutter sucht uns auf und sagt: „Mein Junge ist unmöglich. Egal, was ich ihm auftrage, er hört einfach nicht zu." Wir können ihre Gefühle und Bedürfnisse widerspiegeln, indem wir z.B. sagen: „Das klingt, als wären Sie verzweifelt und auf der Suche nach einer Möglichkeit, mit Ihrem Sohn wirklich in Kontakt zu kommen." So eine Wiedergabe ermutigt einen Menschen oft, nach innen zu schauen. Wenn wir ihre Aussage richtig wiedergegeben haben, kommt die Mutter vielleicht in Kontakt mit anderen Gefühlen: „Vielleicht ist es mein Fehler. Ich schreie ihn immer an." Wir würden als Zuhörer weiterhin bei den angesprochenen Gefühlen und Bedürfnissen bleiben und z.B. erwidern: „Fühlen Sie sich schuldig, weil Sie ihm gerne mehr Verständnis entgegengebracht hätten, als das manchmal der Fall war?" Wenn die Mutter weiterhin Verständnis in unserer Wiedergabe spürt, geht sie vielleicht tiefer in ihre Gefühle hinein und verkündet: „Ich bin einfach eine Niete als Mutter." Wir bleiben weiterhin bei ihren Gefühlen und Bedürfnissen: „Fühlen Sie sich entmutigt und würden gerne anders mit ihm in Verbindung treten?" Wir machen so weiter, bis die Person alle ihre Gefühle zu dem Thema ausgedrückt hat.

Welchen Beweis gibt es, daß wir der anderen Person die richtige Einfühlung gegeben haben? Zum einen erlebt ein Mensch, der volles Mitgefühl und Verständnis für alles bekommen hat, was in ihm vorgeht, ein Gefühl der Erleichterung. Wir können uns dieses Phänomens bewußt werden,

Wenn wir im einfühlsamen Kontakt bleiben, ermöglichen wir es dem Sprechenden, mit tieferen Ebenen seiner selbst in Kontakt zu kommen.

Wir wissen, daß unser Gesprächspartner genügend Empathie bekommen hat, wenn ...

a. wir ein Nachlassen der Anspannung spüren

oder

b. wenn der Sprechfluß versiegt.

wenn wir ein entsprechendes Nachlassen der Anspannung in unserem eigenen Körper bemerken. Ein zweites, noch deutlicheres Zeichen besteht darin, daß der andere aufhört zu sprechen. Wenn wir uns unsicher sind, ob wir lange genug in dem Prozeß geblieben sind, können wir auch immer fragen: „Gibt es noch etwas, das Sie sagen möchten?"

Wenn Schmerz unsere Empathiefähigkeit blockiert

Eine Mutter kann ihren Säugling nicht stillen, wenn sie nicht selbst genügend Nahrung erhält. Genauso ist es, wenn wir selbst trotz aller Anstrengungen unfähig oder nicht willens sind, Empathie aufzubringen. Das weist uns dann meistens darauf hin, daß unser eigener Hunger nach Empathie zu groß ist, als daß wir für andere einfühlsam da sein könnten. Manchmal, wenn wir offen dazu stehen, daß unsere eigene Anspannung eine empathische Reaktion auf den anderen nicht zuläßt, bekommen wir von ihm oder ihr möglicherweise die Empathie, die wir gerade brauchen.

In anderen Situationen kann es notwendig sein, daß wir uns selbst zunächst mit etwas Einfühlung aus der „Notfall-Empathie" versorgen, indem wir mit der gleichen Qualität an Präsenz und Aufmerksamkeit, die wir anderen anbieten, dem zuhören, was in unserem eigenen Inneren vorgeht.

Um Empathie zu geben, brauchen wir selbst Empathie.

Der frühere Generalsekretär der Vereinten Nationen, Dag Hammarskjöld, sagte einmal: „Je intensiver du deiner inneren Stimme zuhörst, desto besser wirst du erfassen, was in der äußeren Welt vor sich geht." Wenn wir geübter darin werden, uns selbst Empathie zu geben, dann erleben wir oft in nur wenigen Sekunden ein natürliches Freisetzen von Energie, die es uns dann möglich macht, für die andere Person da zu sein. Wenn das jedoch nicht geschieht, haben wir noch ein paar andere Möglichkeiten.

Wir können z.B: auch schreien – gewaltfrei. Ich erinnere mich an eine dreitägige Mediation zwischen zwei Gangs, die sich gegenseitig ausrotteten. Eine Gang nannte sich Schwarze Ägypter, die andere Polizeidienststelle Ost-St. Louis. Es stand zwei zu eins – insgesamt drei Tote in einem Monat. Nachdem ich drei Tage voller Anspannung versucht hatte, die beiden Gruppen zusammenzubringen, damit sie einander hören und ihre Konflikte lösen konnten, fuhr ich nach Hause und dachte, daß ich in meinem ganzen Leben nie mehr mitten in einem Konflikt stehen wollte.

Das erste was ich sah, als ich durch die Tür ins Haus kam, waren meine Kinder, die sich stritten. Ich hatte keine Energie mehr, um ihnen Empathie zu geben, also schrie ich gewaltfrei: „Hey, ich habe gerade viel Schmerz in mir! Ich will mich jetzt überhaupt *nicht* mit eurem Streit beschäftigen! Ich will einfach nur ein bißchen Ruhe und Frieden!" Mein älterer Sohn, der damals neun war, hielt inne, schaute mich an und fragte: „Möchtest du darüber sprechen?" Wenn es uns gelingt, unseren Schmerz, so wie er ist, ohne Schuldzuweisung auszudrücken, dann ist es meiner Erfahrung nach sogar Leuten unter Streß manchmal möglich, unser Bedürfnis zu hören. Dabei brülle ich natürlich nicht: „Was ist los mit euch? Könnt ihr euch nicht besser benehmen? Ich habe gerade einen harten Tag hinter mir!" oder irgendwie andeute, daß mit ihrem Verhalten etwas nicht stimmt. Ich schreie gewaltfrei, indem ich die Aufmerksamkeit auf meine eigenen verzweifelten Bedürfnisse und momentanen Schmerzen richte.

Wenn jedoch unser Gegenüber in dem Augenblick ebenfalls eine derart hohe Gefühlsintensität durchlebt, daß er uns weder hören noch von uns lassen kann, dann besteht unsere dritte Zuflucht darin, rein körperlich aus der Situation herauszugehen. Wir geben uns dann selbst eine Auszeit und die Gelegenheit, zu der Empathie zu kommen, die wir brauchen, um in einem anderen seelischen und geistigen Zustand wieder zurückzukehren.

Zusammenfassung

Empathie ist ein respektvolles Verstehen der Erfahrungen anderer Menschen. Anstatt Empathie anzubieten, haben wir oft einen starken Drang, Ratschläge zu geben oder zu beschwichtigen und unsere eigene Position oder unsere eigenen Gefühle darzulegen. Empathie hingegen fordert uns auf, unseren Kopf leerzumachen und anderen mit unserem ganzen Wesen zuzuhören.

In der GFK spielt es keine Rolle, mit welchen Worten sich andere Menschen ausdrücken, wir hören einfach auf ihre Beobachtungen, Gefühle, Bedürfnisse und Bitten. Dann möchten wir das Gehörte vielleicht wiedergeben und mit unseren eigenen Worten sagen, was wir verstanden haben. Wir bleiben in der Einfühlung und geben anderen die Gelegenheit, all das, was in ihnen vorgeht, vollständig zum Ausdruck zu bringen, bevor wir uns Lösungen oder Bitten um Unterstützung zuwenden.

Um Empathie geben zu können, brauchen wir selbst Empathie. Wenn wir abwehrende Gefühle in uns spüren und merken, daß wir keine Einfühlung geben können, dann können wir a) innehalten, atmen, uns selbst Empathie geben, b) gewaltfrei schreien oder c) eine Auszeit nehmen.

Gewaltfreie Kommunikation in der Praxis: Eine Frau geht in intensiven Kontakt mit ihrem sterbenden Mann

Bei einem Patienten wurde gerade ein fortgeschrittenes Stadium von Lungenkrebs diagnostiziert. Die folgende Szene bei ihm zu Hause, mit einer Krankenschwester, die einen Besuch macht, und mit seiner Frau, stellt die letzte Gelegenheit dar, mit seiner Frau im Gefühlskontakt zu sein und über sein Sterben zu sprechen, bevor er ins Krankenhaus eingeliefert wird. Die Frau fängt das Gespräch an und beklagt sich bei der Krankenschwester über die Physiotherapeutin, die zum gesundheitlichen Betreuungsteam gehörte, das ihren Mann zu Hause gepflegt hat.

Frau: Sie ist eine schlechte Therapeutin.

Schwester: *(Hört empathisch auf das, was die Frau fühlt und braucht.)*. Sind Sie ärgerlich und möchten gerne eine andere Qualität in der Pflege?

Frau: Sie macht gar nichts. Er sollte aufhören herumzulaufen, als sein Puls hochging.

Schwester: *(Hört weiter auf die Gefühle und Wünsche der Frau.)* Möchten Sie, daß es Ihrem Mann bessergeht und haben deshalb Angst, daß die Physiotherapeutin ihn nicht genug herausfordert, so daß er nicht kräftiger werden kann?

Frau: *(Fängt an zu weinen.)* Ja, ich habe solche Angst!

Schwester: Haben Sie Angst, ihn zu verlieren?

Frau: Ja, wir waren so lange zusammen.

Schwester: *(Hört auf andere Gefühle hinter der Angst.)* Machen Sie sich Sorgen darüber, wie es Ihnen gehen wird, wenn er stirbt?

Frau: Ich kann mir einfach nicht vorstellen, wie ich ohne ihn weiterleben soll. Er war immer für mich da. Immer.

Schwester: Sind Sie traurig, wenn Sie daran denken, ohne ihn zu leben?

Frau: Es gibt niemanden außer ihm. Er ist alles, was ich habe, wissen Sie. Meine Tochter spricht ja gar nicht mit mir.

Schwester: Das klingt so, als fühlten Sie sich frustriert, wenn Sie an Ihre Tochter denken, weil Sie sich einen anderen Kontakt mir ihr wünschen?

Frau: Das hätte ich gerne, aber sie ist ja so selbstsüchtig. Ich weiß nicht, warum ich mir überhaupt die Mühe gemacht habe, Kinder zu bekommen. Das ist jetzt ganz toll für mich!

Schwester: Das hört sich für mich so an, als wären sie ein bißchen verärgert und enttäuscht, weil Sie sich von Ihrer Familie mehr Unterstützung wünschen mit der Krankheit Ihres Mannes?

Frau: Ja, er ist so krank; ich weiß nicht, wie ich das alles alleine durchstehen soll. Ich habe niemanden ... nicht mal zum Reden, außer Ihnen jetzt ... hier. Nicht mal er möchte darüber sprechen. ... Schauen Sie ihn an! *(Ihr Mann bleibt still und gelassen.)* Er sagt gar nichts!

Schwester: Sind Sie traurig und wünschen sich, daß Sie beide sich gegenseitig unterstützen könnten und sich enger miteinander verbunden fühlen?
Frau: Ja. *(Sie macht eine Pause und spricht dann eine Bitte aus.)* Sprechen Sie so mit ihm, wie Sie mit mir sprechen.
Schwester: *(Möchte gerne das Bedürfnis, das hinter die Bitte der Frau angesprochen wird, klar verstehen.)* Möchten Sie, daß ihm auf eine Weise zugehört wird, die ihm hilft, das auszudrücken, was er innen fühlt?
Frau: Ja, ja, genau das ist es! Ich möchte gerne, daß er sich wohlfühlt, wenn er spricht, und ich möchte wissen, was er fühlt. *(Indem sie die Vermutung der Schwester aufgreift, ist es der Frau möglich, sich bewußt zu werden, was sie selbst möchte und dafür auch Worte zu finden. Das ist eine Schlüsselsituation: Oft fällt es Leuten schwer herauszufinden, was sie in einer Situation wollen – auch wenn sie vielleicht wissen, was sie nicht wollen. Wir sehen, wie eine klare Bitte („Sprechen Sie so mit ihm, wie Sie mit mir sprechen") ein Geschenk ist, das der anderen Person Kraft gibt. Die Schwester ist jetzt in der Lage, sich so zu verhalten, daß ihr Verhalten mit den Wünschen der Frau übereinstimmt. Das verändert die Atmosphäre im Raum, da die Schwester und die Frau jetzt „zusammenarbeiten", beide in mitfühlender Stimmung.*
Schwester: *(Wendet sich dem Ehemann zu.)* Wie geht es Ihnen, wenn Sie die Worte Ihrer Frau hören?
Mann: Ich liebe sie wirklich.
Schwester: Freuen Sie sich, daß Sie die Gelegenheit haben, mit ihr darüber zu sprechen?
Mann: Ja, wir müssen darüber sprechen.
Schwester: Wären Sie bereit zu sagen, wie Sie sich mit dem Krebs fühlen?
Mann: *(Schweigt kurz.)* Nicht sehr gut *(Die Wörter „gut" und „schlecht" werden oft benutzt, um Gefühle zu beschreiben, die erst noch genauer bestimmt werden müssen. Seine Gefühle genauer auszudrücken würde dem Mann helfen, die Gefühlsverbindung herzustellen, die er sich mit seiner Frau wünscht.)*
Schwester: *(Ermutigt ihn zu einem genaueren Gefühlsaudruck.)* Haben Sie Angst vorm Sterben?
Mann: Nein, ich habe keine Angst. *(Achten Sie darauf, daß die unrichtige Vermutung der Schwester dem Gesprächsfluß keinen Abbruch tut.)*
Schwester: Ärgern Sie sich über das Sterben? *(Da sich der Patient schwer damit tut, seine inneres Erleben in Worte zu fassen, unterstützt ihn die Schwester weiter in dem Prozeß.)*
Mann: Nein, ich ärgere mich nicht.
Schwester: *(An diesem Punkt, nach zwei unrichtigen Vermutungen, entschließt sich die Schwester zur Offenheit über sich selbst.)* Tja, jetzt bin ich etwas unsicher darüber, wie es Ihnen gehen mag; können Sie es mir vielleicht sagen?
Mann: Ich glaube, ich denke daran, wie sie ohne mich zurechtkommen wird.

> Schwester: Oh, machen Sie sich Sorgen, daß es ihr ohne Sie vielleicht nicht gelingen wird, ihr Leben zu meistern?
> Mann: Ja, ich mache mir Sorgen, daß sie mich vermissen wird.
> Schwester: *(Ist sich bewußt, daß sich sterbende Patienten oft an der Sorge über die Zurückbleibenden festklammern. Die Patienten brauchen manchmal die Versicherung, daß die geliebten Menschen ihren Tod akzeptieren, bevor sie selbst loslassen können.)* Möchten Sie gerne hören, wie sich Ihre Frau fühlt, wenn Sie das sagen?
> Mann: Ja.
>
> Hier kommt die Ehefrau wieder in das Gespräch hinein; die Krankenschwester ist weiterhin präsent, und das Ehepaar beginnt, sich einander zu öffnen.
> Der ganze Dialog begann ursprünglich damit, daß sich die Ehefrau über die Physiotherapeutin beschwerte. Aber nach einer Serie von Wortwechseln, in denen sie sich empathisch aufgenommen fühlte, gelang es der Frau herauszufinden, daß sie sich in Wirklichkeit nach einer tieferen Verbindung mit ihrem Mann während dieses kritischen Stadiums in ihrem Leben sehnte.

Übung 5: Die empathische Reaktion von der nicht-empathischen Reaktion unterscheiden

In der folgenden Übung können Sie selbst einmal überprüfen, ob empathisch kommuniziert wird oder nicht: Bitte kreuzen Sie die Aussagen an, in denen Person B Ihrer Meinung nach empathisch auf die Aussage von Person A reagiert.

1. Person A: Wie konnte ich nur so was Dummes tun?
   Person B: Niemand ist perfekt; Sie sind einfach zu streng mit sich.
2. Person A: Also, wenn Sie mich fragen: Wir sollten die ganzen Asylanten dahin zurückschicken, wo sie hergekommen sind.
   Person B: Glauben Sie wirklich, das würde etwas ändern?
3. Person A: Du bist nicht der liebe Gott!
   Person B: Bist du frustriert, weil du möchtest, dass gesehen wird, dass man die ganze Angelegenheit auch anders interpretieren kann?
4. Person A: Ich glaube, du hältst meine Arbeit für selbstverständlich. Ich möchte mal sehen, wie du ohne mich zurechtkommen würdest.
   Person B: Das stimmt nicht! Ich halte deine Arbeit nicht für selbstverständlich.
5. Person A: Wie konntest du so etwas zu mir sagen?
   Person B: Bist du verletzt, weil ich das gesagt habe?

6. Person A: Ich ärgere mich über meinen Mann. Er ist nie da, wenn ich ihn brauche.
Person B: Du meinst, dass er öfter da sein sollte, als er da ist?
7. Person A: Es ekelt mich an, dass ich so zugenommen habe.
Person B: Vielleicht hilft dir Jogging?
8. Person A: Die Vorbereitungen für die Hochzeit meiner Tochter nehmen mich so in Anspruch, dass ich ganz fertig bin. Die Familie ihres Verlobten tut gar nichts. Sie ändern nur jeden Tag ihre Meinung darüber, wie die Hochzeit ablaufen soll.
Person B: Sie werden ganz nervös, wenn Sie daran denken, wie Sie alles arrangieren sollen, und brauchen Rücksichtnahme und Unterstützung?
9. Person A: Wenn mich meine Verwandten ohne rechtzeitige Ankündigung besuchen, fühle ich mich überrannt. Es erinnert mich daran, wie meine Eltern meine Bedürfnisse immer ignoriert und für mich geplant haben.
Person B: Ich weiß, wie du dich fühlst. Mir ist es auch schon so gegangen.
10. Person A: Ihre Leistung enttäuscht mich. Ich hätte es gerne gesehen, dass sich die Produktion in Ihrer Abteilung letzten Monat verdoppelt.
Person B: Ich verstehe, dass Sie enttäuscht sind, aber wir hatten viele Ausfälle wegen Krankheit.

Hier sind meine Antworten zu Übung 5:

1. Diese Aussage halte ich nicht für empathisch, weil Person B eher beschwichtigt, als auf die Worte von Person B empathisch zu reagieren.

2. In diesem Beispiel versucht Person B meiner Meinung nach Person A zu belehren, statt empathisch zu regieren.

3. Wenn Sie diese Aussage angekreuzt haben, stimmen wir überein. Nach meinem Verständnis reagiert Person B empathisch auf die Aussage von Person A.

4. Meiner Meinung nach widerspricht und verteidigt sich Person B, statt empathisch auf das zu reagieren, was in Person A vorgeht.

5. Hier finde ich, dass Person B die Verantwortung für die Gefühle von Person A übernimmt, statt empathisch darauf einzugehen, was Person A bewegt. Person B hätte z.B. sagen können: „Bist du verletzt, weil dir wichtig ist, dass mit deinen Bitten respektvoll umgegangen wird?"

6. Wenn Sie diese Aussage angekreuzt haben, stimmen wir teilweise überein. Nach meinem Verständnis greift Person B die Gedanken von Person A auf. Gleichzeitig meine ich, dass wir in einen intensiveren Kontakt miteinander

kommen, wenn wir uns auf die Gefühle und Bedürfnisse statt auf die Gedanken der anderen Person beziehen. Deshalb ist es mir lieber, wenn Person B sagt: „Regst du dich auf, weil dir Nähe wichtig ist?"

7. Hier gibt Person B meiner Meinung nach Ratschläge, statt empathisch auf das zu reagieren, was in Person A vorgeht.

8. Wenn Sie diese Aussage angekreuzt haben, stimmen wir überein. Nach meinem Verständnis reagiert Person B empathisch auf die Aussage von Person A.

9. Hier nimmt es Person B als gegeben hin, dass sie verstanden hat, und spricht daraufhin von den eigenen Gefühlen, statt empathisch auf das zu reagieren, was in Person A vorgeht.

10. In diesem Beispiel beginnt Person B mit einer empathischen Resonanz auf die Gefühle von Person A, geht jedoch dann zu einer Rechtfertigung über.

8 Die Macht der Empathie

Empathie, die heilt

Carl Rogers beschrieb die Wirkungen der Empathie auf diejenigen, die sie bekommen: „Wenn ... dir jemand wirklich zuhört, ohne dich zu verurteilen, ohne daß er den Versuch macht, die Verantwortung für dich zu übernehmen oder dich nach seinem Muster zu formen – dann fühlt sich das verdammt gut an. Jedesmal, wenn mir zugehört wird und ich verstanden werde, kann ich meine Welt mit neuen Augen zu sehen und weiterkommen. Es ist erstaunlich, wie scheinbar unlösbare Dinge doch zu bewältigen sind, wenn jemand zuhört. Wie sich scheinbar unentwirrbare Verstrickungen in relativ klare, fließende Bewegungen verwandeln, sobald man gehört wird."

Empathie macht es möglich, daß wir „unsere Welt mit neuen Augen sehen und weiterkommen können."

Eine meiner Lieblingsgeschichten über Empathie handelt von der Direktorin einer innovativen Schule. Sie kam einmal vom Essen zurück und fand Milly, eine Grundschülerin, in ihrem Büro. Milly saß dort ganz niedergeschlagen und wartete auf sie. Sie setzte sich neben Milly, die zu sprechen anfing: „Frau Anderson, haben Sie schon mal eine Woche erlebt, in der alles, was Sie tun, jemanden verletzt, auch wenn Sie überhaupt niemanden verletzen wollen?"

„Ja", antwortete die Direktorin, „Ich glaube, ich verstehe", worauf Milly mit der Beschreibung ihrer Woche weitermachte. „Mittlerweile", erzählte die Direktorin, „war ich wegen eines wichtigen Termins ziemlich in Eile – ich hatte noch meinen Mantel an – und wollte nicht einen ganzen Raum voll Menschen warten lassen. Und so fragte ich: ‚Milly, was kann ich für dich tun?' Milly streckte ihre Arme aus, packte mich an beiden Schultern, schaute mir direkt in die Augen und sagte mit ganz fester Stimme: ‚Frau Anderson, ich möchte nicht, daß Sie irgend etwas *tun*; ich möchte nur, daß Sie mir zuhören.'

Das war einer der wichtigsten Lernmomente in meinem Leben – und ich lernte etwas von einem Kind – und so dachte ich mir: ‚Die ganzen Erwachsenen in dem Raum, die jetzt auf mich warten, spielen keine Rolle!' Milly und ich gingen zu einer Bank hinüber, die uns mehr Privatsphäre bot, und wir setzten uns hin, mein Arm um ihre Schultern, ihr Kopf an meiner Brust und ihr Arm um meine Taille, und so sprach sie, bis sie fertig war. Und wissen Sie, so lange hat das gar nicht gedauert."

Tu nicht einfach irgendwas ...

Zu hören, wie Menschen die GFK genutzt haben, um ihre Fähigkeit zu entwickeln, mit anderen einfühlsam in Kontakt zu treten, ist einer der zufriedenstellendsten Aspekte meiner Arbeit. Meine Freundin Laurence, die in der Schweiz lebt, erzählte mir, wie sie sich geärgert hatte, als ihr sechsjähriger Sohn

mitten im Gespräch einfach davongestürmt war. Isabelle, ihre zehnjährige Tochter, die sie kürzlich auf einen GFK-Workshop begleitet hatte, sagte: „Du bist also wirklich sauer, Mama. Du hättest gerne, daß er etwas sagt, wenn er sich ärgert, und nicht einfach davonläuft." Laurence staunte darüber, wie sie bei Isabelles Worten ein unmittelbares Nachlassen ihrer Anspannung spürte. Daraufhin konnte sie wieder mehr Verständnis für ihren Sohn aufbringen, als er zurückkam.

Ein Collegelehrer beschrieb, wie es die Beziehungen zwischen den Studenten und Dozenten beeinflußte, daß einige Dozenten gelernt hatten, empathisch zuzuhören und sich selbst verletzlicher und offener auszudrücken. „Die Studenten öffneten sich mehr und mehr und erzählten uns von verschiedenen persönlichen Problemen, die sich störend auf ihr Studium auswirkten. Je mehr sie darüber sprachen, desto besser konnten sie studieren. Auch wenn dieses Zuhören viel Zeit in Anspruch nahm, waren wir froh, die Zeit so zu nutzen. Leider regte sich der Dekan darüber auf; er sagte, wir wären keine Sozialarbeiter und sollten mehr Zeit auf das Lehren verwenden und weniger auf Gespräche mit den Studenten."

Als ich fragte, wie sie damit umgegangen waren, antwortete der Dozent: „Wir stimmten uns auf das Anliegen des Dekans ein. Wir hörten, daß er sich Sorgen machte und sicher sein wollte, daß wir uns nicht auf Probleme einließen, mit denen wir dann nicht umgehen konnten. Wir hörten auch, daß er eine Bestätigung brauchte, daß uns die Zeit, die wir mit den Gesprächen verbrachten, nicht bei unseren Lehrverpflichtungen fehlte. Er schien durch die Art, wie wir ihm zuhörten, erleichtert zu sein. Wir unterhielten uns weiterhin mit den Studenten, denn je mehr wir ihnen zuhörten, desto besser wurden sie in ihrem Studium; das war ganz offensichtlich."

In einer hierarchisch strukturierten Institution gibt es die Tendenz, Kommandos und Urteile von denen zu hören, die in der Hierarchie über uns stehen. Es fällt uns wahrscheinlich leicht, mit unseren Kollegen und Mitarbeitern in untergeordneten Positionen einfühlsam zu sein. In der Gegenwart von denen, die wir als „höhergestellt" betrachten, kann es jedoch eher vorkommen, daß wir uns verteidigen oder entschuldigen, statt Empathie aufzubringen. Deshalb habe ich mich besonders darüber gefreut, daß die Lehrer daran gedacht hatten, ihrem Dekan genauso einfühlsam zu begegnen wie ihren Studenten.

Es fällt schwerer, mit denen Empathie zu haben, die scheinbar mehr Macht, Status oder Mittel besitzen.

Empathie und die Fähigkeit, verletzlich zu sein

Weil unsere tiefsten Gefühle und Bedürfnisse angesprochen werden, empfinden wir es manchmal als große Herausforderung, uns in der GFK auszudrücken. Der Selbstausdruck fällt uns jedoch leichter, wenn wir anderen Empathie gegeben haben, weil wir dann mit ihrer Menschlichkeit in Berührung kommen und erleben, daß es menschliche Eigenschaften gibt, die wir gemeinsam haben. Je mehr wir uns mit den Gefühlen und Bedürfnissen hinter ihren Worten verbinden, desto weniger angst macht es, sich anderen Menschen zu öffnen. Die Situationen, in denen wir uns am stärksten dagegen wehren verletzlich zu sein, sind meist geprägt davon, daß wir ein „starkes Image" bewahren wollen aus Angst vor Autoritäts- oder Kontrollverlust.

> *Je mehr wir uns in die andere Person einfühlen, desto sicherer fühlen wir uns selbst.*

Ich zeigte einmal meine Verletzlichkeit einigen Mitgliedern einer Straßengang in Cleveland, indem ich offen zu meiner Verletztheit stand und zu meinem Wunsch, mit mehr Respekt behandelt zu werden. „Ach, sieh mal an", bemerkte einer von ihnen. „Er fühlt sich verletzt; ist das nicht schrecklich!", worauf alle seine Freunde in Gelächter ausbrachen. Hier hatte ich die Möglichkeit, sie so zu interpretieren, daß sie meine Verletzlichkeit ausnutzten (Wahlmöglichkeit zwei – „andere beschuldigen"), oder ich konnte die Gefühle und Bedürfnisse hinter ihrem Verhalten empathisch aufnehmen (Wahlmöglichkeit vier).

Wenn ich jedoch das Gedankenmuster habe, daß ich gedemütigt und ausgenutzt werde, dann bin ich vielleicht zu verletzt, zu ärgerlich oder zu ängstlich, um in einen empathischen Kontakt treten zu können. In so einem Augenblick muß ich mich zurückziehen, um mir selbst Empathie zu geben oder sie von einer verläßlichen Quelle zu erbitten. Wenn ich die Bedürfnisse entdeckt habe, die so stark in mir angesprochen wurden, und dafür genügend Einfühlung bekommen habe, dann bin ich bereit zurückzukehren und auf meine Gesprächspartner empathisch einzugehen. In schmerzlichen Situationen rate ich ihnen, sich zuerst selbst mit der notwendigen Einfühlsamkeit zu versorgen, die man braucht, um über die Gedankenmuster hinauszugehen und die tieferen Bedürfnisse zu erkennen.

Da ich der Bemerkung des Bandenmitglieds genau zugehört hatte: „Ach, sieh mal an, er fühlt sich verletzt; ist das nicht schrecklich?" und auch dem darauffolgenden Gelächter, nahm ich wahr, daß er und seine Freunde verärgert waren und sich nicht einer Schuldzuweisung oder Manipulation aussetzen wollten. Sie reagierten vielleicht auf Menschen aus ihrer Vergangenheit, die Ausdrücke wie „das verletzt mich" benutzt hatten, um Kritik zu verpacken. Da ich diese Vermutung nicht laut aussprach und mit ihnen gemeinsam überprüfte, läßt sich nicht mehr herausfinden, ob ich damit richtig lag. Das Fokussieren meiner Aufmerksamkeit jedoch bewahrte mich davor, die Äußerung persönlich zu nehmen oder mich zu ärgern. Anstatt sie für „lächerlich machen" und „respektloses Verhalten mir gegenüber" zu verurteilen, konzentrierte ich mich darauf, ihren Schmerz und ihre Bedürfnisse hinter ihrem Verhalten zu hören.

„Hey!" platzte einer von ihnen heraus, „das ist völliger Schwachsinn, was du uns da anzubieten hast! Stell dir nur vor, es wären Leute von einer anderen Bande hier, und die haben Waffen, und du hast keine. Und du sagst: Bleibt einfach stehen und sprecht mit ihnen? So ein Quatsch!"

Dann lachten wieder alle, und ich lenkte meine Aufmerksamkeit auf ihre Gefühle und Bedürfnisse. „Ja, das klingt, als hättet ihr echt die Nase voll davon, etwas zu lernen, das in solchen Situationen nutzlos ist?" „Ja, und wenn du hier in der Gegend wohnen würdest, dann *wüßtest* du, was das für ein Mist ist." „Wenn euch jemand was beibringt, dann wollt ihr darauf vertrauen können, daß er sich wenigstens ein bißchen in eurer Gegend auskennt?" „Verdammt richtig. Diese Kerle würden dich wegpusten, bevor auch nur zwei Wörter aus deinem Mund gekommen sind!" „Und ihr wollt darauf vertrauen können, daß jemand, der versucht, euch etwas beizubringen, die Gefahren hier kennt?" Ich hörte weiter zu und faßte das, was ich gehört hatte, manchmal in Worte und manchmal auch nicht. Das ging fünfundvierzig Minuten lang so weiter, und dann bemerkte ich eine Veränderung: Sie fühlten, daß ich sie wirklich verstand. Einem Sozialarbeiter aus dem Straßengang-Programm fiel die Veränderung auch auf, und er fragte sie laut: „Was haltet ihr von dem Mann hier?" Der junge Mann, der es mir am schwersten gemacht hatte, antwortete: „Er ist der beste Lehrer, den wir je hatten."

Wir „sagen viel", wenn wir auf die Gefühle und Bedürfnisse anderer Menschen hören.

Erstaunt drehte sich der Sozialarbeiter zu mir um und flüsterte: „Aber Sie haben doch gar nichts gesagt!" In der Tat hatte ich viel gesagt, indem ich ihnen demonstrierte, daß es keine Rolle spielte, was sie mir an den Kopf werfen würden: Alles konnte in allgemein menschliche Gefühle und Bedürfnisse übersetzt werden.

Wie Empathie Gefahrensituationen entschärft

Die Fähigkeit, Menschen, die unter Streß stehen, Empathie anzubieten, kann potentielle Gewalt abmildern.

Eine Lehrerin in der Innenstadt von St. Louis erzählte von einem Vorfall: Sie war pflichtbewußt nach dem Unterricht noch in der Schule geblieben, um einem Schüler zu helfen, obwohl die Lehrer gewarnt worden waren: Sie sollten das Gebäude zu ihrer eigenen Sicherheit nach dem Unterricht verlassen. Ein fremder Mann betrat den Klassenraum, und der folgende Wortwechsel entspann sich:

Junger Mann: „Ziehen Sie sich aus."
Lehrerin *(Bemerkte, daß er zitterte.)*: „Ich habe den Eindruck, daß Ihnen das ganz schön angst macht."
Junger Mann: „Haben Sie gehört? Verdammt noch mal, ziehen Sie sich aus!"
Lehrerin: „Ich habe den Eindruck, Sie sind gerade stocksauer und wollen, daß ich tue, was Sie sagen."
Junger Mann: „Sie haben verdammt recht, und es wird Ihnen was passieren, wenn Sie es nicht tun."
Lehrerin: „Ich möchte gerne von Ihnen hören, ob es eine Möglichkeit gibt, ihren Bedürfnissen entgegenzukommen, ohne daß mir etwas passiert."
Junger Mann: „Ich habe gesagt, ausziehen."
Lehrerin: „Ich höre, wie sehr Sie das wollen. Gleichzeitig möchte ich, daß Sie wissen, wie groß meine Angst ist und wie schrecklich ich mich fühle und wie dankbar ich wäre, wenn Sie gehen, ohne mir etwas zu tun."
Junger Mann: „Geben Sie mir Ihren Geldbeutel."

Die Lehrerin händigte dem Fremden ihren Geldbeutel aus und war erleichtert, daß er sie nicht vergewaltigt hatte. Sie beschrieb später, wie sie jedesmal, wenn sie ihm Empathie gab, wahrnehmen konnte, daß die Hartnäckigkeit seiner Absicht nachließ, sie zu vergewaltigen.
Ein Polizist aus einer großen Stadt, der ein Aufbautraining in GFK besuchte, begrüßte mich einmal mit dem folgenden Bericht:

„Ich bin wirklich froh, daß wir letztes Mal den empathischen Umgang mit wütenden Leuten geübt haben. Nur ein paar Tage nach unserem Seminar mußte ich jemanden in einem städtischen Wohnprojekt verhaften. Als ich ihn herausbrachte, war mein Auto von etwa sechzig Leuten umringt, die mich anschrien: ‚Lassen Sie ihn gehen! Er hat nichts getan! Ihr Polizisten seid ein Haufen Rassistenschweine!' Obwohl ich skeptisch war, ob Einfühlsamkeit hier helfen würde, hatte ich kaum eine andere Wahl. Also gab ich die Gefühle wieder, die auf mich zukamen; ich sagte z.B. so was wie: ‚Sie haben kein Vertrauen in meine Gründe, diesen Mann zu verhaften? Sie glauben, es hat mit seiner Rasse zu tun?' Nachdem ich ein paar Minuten lang weiter ihre Gefühle reflektiert hatte, ließ die Feindseligkeit bei den Leuten nach. Am Ende machten sie eine Gasse frei, und ich konnte zu meinem Auto gehen."

Zum Schluß möchte ich noch aufzeigen, wie eine junge Frau Empathie einsetzte, um während ihrer Nachtschicht in einem Drogenentgiftungszentrum in

Toronto Gewalt zu verhindern. Die junge Frau berichtete von ihrem Erlebnis während ihres zweiten GFK-Workshops. Einige Wochen nach ihrem ersten Training marschierte eines Abends gegen 23 Uhr ein Mann von der Straße herein. Er stand offensichtlich unter Drogen und verlangte ein Zimmer. Die junge Frau fing an ihm zu erklären, daß für diese Nacht alle Zimmer belegt seien. Sie wollte dem Mann gerade die Adresse eines anderen Zentrums geben, als er sie zu Boden schleuderte. „Als nächstes weiß ich, daß er auf meinem Brustkorb saß, mir ein Messer an den Hals hielt und laut rief: ‚Du Nutte, lüg mich nicht an! Natürlich hast du noch ein Zimmer!'"

Im weiteren Verlauf konnte sie ihr Training umsetzen, indem sie auf seine Gefühle und Bedürfnisse hörte.

„Unter diesen Bedingungen hast du daran gedacht?" fragte ich beeindruckt.

„Was hatte ich für eine Wahl? Verzweiflung macht aus uns allen manchmal gute Kommunikatoren! Weißt du, Marshall", fügte sie hinzu, „der Witz, den du im Workshop erzählt hast, hat mir echt geholfen. Ich glaube sogar, daß er mir das Leben gerettet hat." „Welcher Witz?" „Erinnerst du dich, wie du gesagt hast, daß man einem wütenden Menschen niemals ein „aber" ins Gesicht sagen soll? Ich war schon kurz davor, mit ihm zu streiten; ich wollte gerade sagen: ‚Aber ich habe kein Zimmer!', als mir dein Witz einfiel. Der war mir wirklich im Gedächtnis geblieben, weil ich erst in der Woche zuvor einen Streit mit meiner Mutter hatte, und da sagte sie zu mir: ‚Ich könnte dich umbringen, wenn du auf alles, was ich sage, mit »aber« reagierst!' Stell dir vor, wenn schon meine eigene Mutter wütend genug war, mich umzubringen, weil ich dieses Wort gesagt hatte, was hätte dieser Mann dann gemacht? Hätte ich gesagt: ‚Aber ich habe kein Zimmer!', als er mich anschrie, dann hätte er ohne Zweifel meinen Hals aufgeschlitzt.

Also habe ich statt dessen tief durchgeatmet und gesagt: ‚Das klingt so, als wären Sie sehr wütend und wollen, daß man Ihnen ein Zimmer gibt.' Er brüllte zurück: ‚Ich bin vielleicht drogenabhängig, aber bei Gott, ich verdiene Respekt. Ich habe es satt, daß ich von niemandem Respekt bekomme. Von meinen Eltern bekomme ich keinen Respekt. Ich werde mir Respekt verschaffen!' Ich konzentrierte mich einfach auf seine Gefühle und Bedürfnisse und sagte: ‚Hängt es Ihnen zum Hals raus, daß sie nicht den Respekt bekommen, den sie möchten?'"

„Wie lange ging das so?", fragte ich. „Noch so etwa fünfunddreißig Minuten", antwortete sie. „Du mußt schreckliche Angst gehabt haben." „Nein, nicht nach den ersten Sätzen, weil mir dann etwas anderes deutlich wurde, was wir hier gelernt haben. Als ich mich darauf konzentrierte, seine Gefühle und Bedürfnisse zu hören, betrachtete ich ihn nicht mehr als Monster. Ich konnte sehen – wie du gesagt hast –, daß Menschen, die mir als Monster erscheinen,

Fühlen Sie sich lieber in den anderen ein, statt Ihr „Aber" einem wütenden Menschen ins Gesicht zu sagen.

einfach menschliche Wesen sind, deren Sprache und Verhalten uns manchmal davon abhalten, ihre Menschlichkeit wahrzunehmen. Je besser es mir gelang, meine Aufmerksamkeit auf seine Gefühle und Bedürfnisse zu fokussieren, desto mehr sah ich in ihm einen Menschen voller Verzweiflung, dessen Bedürfnisse sich nicht erfüllten. Ich wurde zuversichtlicher, daß er mir nichts tun würde, wenn ich mit meiner Aufmerksamkeit bei ihm blieb. Nachdem er die Empathie, die er brauchte, bekommen hatte, stand er von mir auf, steckte das Messer weg, und ich half ihm, in einem anderen Zentrum ein Zimmer zu finden."

> *Wenn wir auf ihre Gefühle und Bedürfnisse hören, betrachten wir andere Menschen nicht mehr als Monster.*

Ich freute mich sehr, daß es ihr gelungen war, in so einer extremen Situation einfühlsam zu reagieren und fragte sie neugierig: „Was machst du dann noch hier? Es klingt so, als hättest du die GFK gemeistert und solltest hinausgehen und anderen beibringen, was du gelernt hast." „Jetzt brauche ich deine Unterstützung in einem wirklich schweren Fall", sagte sie. „Ich scheue mich fast ein bißchen, das zu fragen, aber: Was könnte noch schwerer sein?" „Jetzt brauche ich deine Unterstützung mit meiner Mutter. Trotz aller Einsichten, die ich in das Phänomen „aber" gewonnen habe – weißt du, was dann passiert ist? Am nächsten Abend, beim Essen, als ich meiner Mutter erzählte, was mir mit dem Mann passiert war, sagte sie: ,Wenn du in diesem Job bleibst, dann kriegen dein Vater und ich noch einen Herzinfarkt. Du mußt dir einfach eine andere Arbeit suchen!' Rate mal, was ich daraufhin zu ihr sagte? ,*Aber* Mutter, das ist mein Leben!'"

> *Es kann schwierig sein, den Menschen, die uns am nächsten stehen, Empathie zu geben.*

Mir hätte selbst kein passenderes Beispiel dafür einfallen können, wie schwierig es sein kann, auf seine eigenen Familienangehörigen empathisch zu reagieren!

Ein „Nein" empathisch hören

Aufgrund unserer Tendenz, in ein „Nein" oder ein „Ich-möchte-nicht ...." eine Zurückweisung hineinzuinterpretieren, ist es gerade bei diesen Botschaften sehr wichtig für uns, die Fähigkeit für eine empathische Reaktion zu entwickeln. Nehmen wir solche Äußerungen persönlich, dann fühlen wir uns vielleicht verletzt, ohne zu verstehen, was im anderen tatsächlich vorgeht. Wenn wir jedoch das Licht unseres Bewußtseins auf die Gefühle und Bedürfnisse hinter einem „Nein" richten, dann wird uns das Bedürfnis klar, das den anderen davon abhält, unseren Wünschen entsprechend zu reagieren.

> *Empathisch auf ein „Nein" zu reagieren schützt uns davor, es persönlich zu nehmen.*

Während einer Workshop-Pause fragt ich einmal eine Frau, ob sie nicht mit mir und anderen Teilnehmern in der Nähe ein Eis essen gehen wollte. „Nein!" erwiderte sie schroff. Der Ton, in dem sie das sagte, hätte mich beinahe ihre Antwort als Zurückweisung interpretieren lassen, aber mir fiel noch ein, mich auf ihre Gefühle und Bedürfnisse, die sie vielleicht durch ihr „Nein" ausdrückte, einzustimmen. „Ich habe den Eindruck, daß du ärgerlich bist," sagte ich. „Ist das richtig?" „Nein", antwortete sie, „es ist nur, daß ich nicht jedesmal korrigiert werden möchte, wenn ich meinen Mund aufmache."

Jetzt spürte ich, daß sie eher Angst hatte als Wut. Ich überprüfte das durch die Frage: „Hast du Angst und möchtest dich vor einer Situation schützen, in der du vielleicht für deine Art zu kommunizieren verurteilt wirst?" „Ja", bestätigte sie, „ich kann mir vorstellen, wie ich in der Eisdiele sitze und du verfolgst genau, was ich sage."

Da merkte ich, daß meine Art, im Workshop Feedback zu geben, für sie beängstigend war. Meine Empathie für ihre Äußerung hatte für mich den Stachel aus ihrem „Nein" genommen: Jetzt hörte ich ihren Wunsch, kein solches Feedback in der Öffentlichkeit zu bekommen. Ich versicherte ihr, daß ich ihre Kommunikation in der Öffentlichkeit nicht bewerten würde, und besprach dann mit ihr Möglichkeiten, Feedback zu geben, mit dem sie sich sicher und wohlfühlen konnte. Ja, und dann schloß sie sich der Gruppe zum Eisessen an.

Mit Empathie ein leerlaufendes Gespräch wiederbeleben

Wir haben alle schon mal mitten in einem leerlaufenden Gespräch gesteckt. Vielleicht hören wir auf einer Veranstaltung gesprochene Worte, ohne eine Verbindung mit dem Sprecher zu empfinden. Oder wir hören einer „Quasselstrippe" zu – so nennt mein Freund Kelly Bryson Leute, die in anderen die Befürchtung eines Endlosmonologs auslösen. Die Lebendigkeit schwindet dann aus einem Gespräch, wenn wir die Verbindung mit den Gefühlen und Bedürfnissen verlieren, die zu den Worten des Sprechers gehören, und auch mit den Bitten, die zu den Bedürfnissen gehören. Das passiert, wenn Leute reden, ohne sich bewußt zu machen, was sie fühlen, brauchen und erbitten wollen. Anstatt mitten in einem Austausch lebendiger Energie mit anderen Leuten zu sein, sehen wir uns zu Abladeplätzen für ihre Worte mutieren.

Wie und wann unterbrechen wir ein totgelaufenes Gespräch, um wieder Leben hineinzubringen? Ich schlage vor, daß die beste Zeit für eine Unterbrechung dann gekommen ist, wenn wir ein Wort mehr gehört haben, als wir hören wollen. Je länger wir warten, desto schwerer wird es, freundlich zu bleiben, wenn wir den anderen stoppen. Wir unterbrechen nicht mit der Absicht, endlich selbst zu Wort zu kommen, sondern um den Sprecher darin zu unterstützen, mit der lebendigen Energie hinter seinen gesprochenen Worten in Kontakt zu kommen.

Das tun wir durch Einstimmung auf die möglichen Gefühle und Bedürfnisse. Wenn z.B. eine Tante die Geschichte, wie ihr Mann sie vor zwanzig Jahren mit zwei kleinen Kindern hat sitzenlassen, immer wieder erzählt, dann können wir sie so unterbrechen: „Ja, Tante, das klingt so, als fühlst du dich immer noch verletzt und wünschst dir, du wärst fairer behandelt worden." Die meisten Leute merken nicht, daß es häufig Empathie ist, was sie brauchen. Und sie realisieren auch nicht, daß sie leichter Einfühlung bekommen, wenn sie ihre lebendigen Gefühle und Bedürfnisse zum Ausdruck bringen, statt immer wieder die Geschichten von vergangener Ungerechtigkeit und Not aufzuwärmen.

Ein Gespräch wieder zum Leben erwecken: mit Empathie unterbrechen.

Eine andere Möglichkeit, ein Gespräch wiederzuerwecken, besteht darin, unseren Wunsch nach mehr Verbindung offen auszusprechen und um Informationen zu bitten, die uns helfen können, diese Verbindung herzustellen. Auf einer Cocktailparty fand ich mich einmal mitten in einem üppigen Redeschwall wieder, den ich als scheintot empfand. „Entschuldigung", unterbrach ich und wandte mich an die neun anderen Leute, die um mich herumstanden, „ich werde ungeduldig, weil ich gerne mehr Kontakt mit euch hätte, aber unser Gespräch führt nicht zu der Art von Kontakt, die ich gerne hätte. Ich würde gerne erfahren, ob unser Gespräch eure Bedürfnisse erfüllt, und wenn das so ist, um welche Bedürfnisse es sich handelt."

Alle neun starrten mich an, als hätte ich eine Maus in die Bowle geworfen. Zum Glück erinnerte ich mich daran, auf ihre Gefühle und Bedürfnisse, die durch ihr Schweigen ausgedrückt wurden, einzugehen. „Ärgert ihr euch über die Unterbrechung, weil ihr gerne mit dem Gespräch weitergemacht hättet?" fragte ich.

Nach weiterem Schweigen sagte schließlich einer der Männer: „Nein, ich ärgere mich nicht. Ich habe über deine Bitte nachgedacht. Nein, mir hat das Gespräch keine Freude gemacht; es hat mich, um ehrlich zu sein, total gelangweilt."

Was für den Zuhörer langweilig ist, ist für den Sprecher genauso langweilig.

Damals hat mich diese Antwort überrascht, denn er hatte von allen am meisten geredet! Jetzt überrascht mich das nicht mehr, denn mittlerweile habe ich herausgefunden, daß Gespräche, die für den Zuhörer totgelaufen sind, im Sprecher genau das gleiche Gefühl auslösen.

Sie fragen sich vielleicht, wie man den Mut aufbringen soll, jemanden einfach mitten im Satz zu unterbrechen. Ich führte einmal eine inoffizielle Umfrage durch und stellte die folgende Frage: „Wenn Sie mehr sagen, als jemand hö-

Wer etwas sagt, wird von seinem Zuhörer ggf. lieber unterbrochen, als daß der vortäuscht, es würde ihn interessieren.

ren möchte, ist es Ihnen dann lieber, daß die Person vorgibt zuzuhören oder daß sie Sie unterbricht?" Die Auswertung ergab, daß alle, bis auf eine Person, lieber unterbrochen werden wollten. Diese Antworten ermutigten mich, weil sie mich überzeugten, daß es rücksichtsvoller ist, jemanden zu unterbrechen als vorzutäuschen, man würde zuhören. Jeder von uns möchte gerne, daß seine Worte für andere eine Bereicherung sind und keine Last.

Empathie für Stille

Schweigen ist für viele von uns ist die größte Herausforderung an unser Einfühlungsvermögen. Das gilt besonders dann, wenn wir uns verletzlich gezeigt haben und wissen möchten, wie andere auf unsere Worte reagieren. In solchen Augenblicken ist die Gefahr groß, daß wir unsere schlimmsten Ängste in den Mangel an Resonanz hineinprojizieren und vergessen, uns mit den Gefühlen und Bedürfnissen zu verbinden, die durch das Schweigen zum Ausdruck kommen.

Ich arbeitete einmal mit den Mitarbeitern eines Unternehmens, sprach über etwas sehr Bewegendes und fing an zu weinen. Als ich hochschaute, reagierte der Geschäftsführer auf eine Weise, die schwer anzunehmen war für mich: mit Schweigen. Er wandte seinen Blick mit einem Gesichtausdruck ab, den ich als Abscheu interpretierte. Zum Glück dachte ich daran, meine Aufmerksamkeit auf das zu richten, was in ihm vorgehen mochte, und sagte, „Durch Ihre Reaktion auf mein Weinen habe ich den Eindruck, daß Sie empört sind und als Trainer für Ihre Mitarbeiter lieber jemanden hätten, der seine Gefühle besser kontrollieren kann."

Hätte er mit „ja" geantwortet, dann wäre es mir möglich gewesen, unsere unterschiedlichen Wertvorstellungen zum Thema Gefühlsausdruck zu akzeptieren, ohne irgendwie zu denken, daß mit mir etwas nicht stimmt, weil ich meine Gefühle so ausgedrückt hatte wie kurz zuvor. Aber statt mit „ja" antwortete der Geschäftsführer mit: „Nein, gar nicht. Ich habe nur gerade daran gedacht, wie sehr sich meine Frau wünscht, daß ich weinen könnte." Er öffnete sich weiter und sprach davon, daß seine Frau, die sich gerade von ihm scheiden ließ, immer wieder darüber geklagt hatte, daß es sich mit ihm lebte wie mit einem Felsblock.

Stimmen sie sich auf ein Schweigen ein, indem Sie auf die Gefühle und Bedürfnisse dahinter hören.

Während meiner Arbeit als Psychotherapeut kamen einmal die Eltern einer zwanzigjährigen Frau zu mir, die sich in psychiatrischer Behandlung befand. Sie war mehrere Monate lang mit Medikamenten, klinischen Aufenthalten und Schocktherapie behandelt worden. Drei Monate bevor ihre Eltern mit mir Kontakt aufnahmen, war sie völlig verstummt. Als sie in meine Praxis gebracht wurde, brauchte sie Hilfe, denn von alleine bewegte sie sich überhaupt nicht mehr.

In der Praxis krümmte sie sich zitternd in ihrem Sessel zusammen, die Augen auf den Boden gerichtet. Ich versuchte mit ihren Gefühlen und Bedürfnissen hinter ihrem Ausdruck des Schweigens einfühlsamen Kontakt aufzunehmen und sagte: „Ich spüre, daß Sie Angst haben und gerne sicher wären, daß es ungefährlich ist zu sprechen. Stimmt das?"

Sie zeigte keine Reaktion, und so drückte ich mein eigenes Gefühl aus: „Ich mache mir große Sorgen um Sie und möchte Sie bitten, mir zu sagen, ob es etwas gibt, das ich tun kann, damit Sie sich sicherer fühlen." Immer noch keine Antwort. Die nächsten vierzig Minuten machte ich weiter mit der Wiedergabe ihrer Gefühle und Bedürfnisse oder sprach meine eigenen aus. Es gab keine sichtbare Resonanz, auch nicht das kleinste Anzeichen, daß sie meine Versuche, mit ihr zu kommunizieren, überhaupt wahrnahm. Schließlich brachte ich zum Ausdruck, daß ich müde war. Ich bat sie, am nächsten Tag wiederzukommen.

Die nächsten Tage glichen dem ersten Tag. Ich konzentrierte meine Aufmerksamkeit weiterhin auf ihre Gefühle und Bedürfnisse, gab manchmal mit Worten wieder, was ich verstanden hatte, und manchmal auch ohne Worte. Von Zeit zu Zeit äußerte ich, was in mir vorging. Sie saß zitternd auf ihrem Stuhl und sagte nichts.

Am vierten Tag, als sie immer noch nicht reagierte, lehnte ich mich zu ihr herüber und nahm ihre Hand. Da ich nicht wußte, ob meine Worte ihr meine Sorge vermittelt hatten, hoffte ich, daß es durch den körperlichen Kontakt besser gelingen würde. Bei der ersten Berührung spannten sich ihre Muskeln an, und sie krümmte sich noch mehr in ihrem Sessel zusammen. Ich wollte gerade ihre Hand wieder loslassen, als ich ein leichtes Nachgeben spürte, und so behielt ich ihre Hand; kurz darauf merkte ich, wie sie sich langsam entspannte. Ich hielt ihre Hand eine Weile und sprach dabei mit ihr so wie an den vorangegangenen Tagen. Sie sagte immer noch nichts.

Als sie am nächsten Tag kam, schien sie mir noch angespannter zu sein als vorher, aber etwas war anders: Sie streckte mir ihre Faust entgegen und wandte ihr Gesicht gleichzeitig ab. Zuerst war ich von der Geste verwirrt, merkte aber dann, daß sie etwas in der Hand hatte, das sie mir geben wollte. Ich nahm ihre Faust in die Hand und bog ihre Finger auf. In ihrer Hand war ein zusammengeknüllter Zettel mit folgenden Worten. „Bitte helfen Sie mir auszusprechen, was in mir vorgeht."

Ich war sehr glücklich über dieses Zeichen, daß sie mit mir kommunizieren wollte. Nach einer weiteren Stunde der Ermutigung sagte sie schließlich ihren ersten Satz, langsam und voller Angst. Als ich wiedergab, was ich sie hatte sagen hören, schien sie erleichtert zu sein und sprach dann weiter, langsam und ängstlich. Ein Jahr später schickte sie mir eine Kopie ihrer Tagebucheinträge:

„Ich kam aus dem Krankenhaus raus, weg von der Schocktherapie und den starken Medikamenten. Das war ungefähr im April. Die drei Monate davor sind in meinem Kopf völlig ausgelöscht, genauso wie die ganzen dreieinhalb Jahre vor dem Tag im April.

Meine Eltern sagen, daß nach der Klinik zu Hause eine Zeit anfing, in der ich nichts aß, nicht sprach und immer nur im Bett bleiben wollte. Dann kam ich zu Dr. Rosenberg in Behandlung. Die nächsten zwei oder drei Monate kann ich mich an kaum etwas erinnern, außer daß ich bei Dr. Rosenberg in der Praxis war und mit ihm sprach.

Von der ersten Sitzung an, die ich bei ihm hatte, fing ich an ‚aufzuwachen'. Ich fing an, ihm Sachen zu erzählen, die mich beunruhigten – Sachen, von denen ich mir nie hätte träumen lassen, sie jemals auszusprechen. Und ich erinnere mich daran, wieviel mir das bedeutete. Es fiel mir so schwer zu sprechen. Aber Dr. Rosenberg lag etwas an mir, und das zeigte er mir auch, und ich wollte mit ihm sprechen. Ich war hinterher immer froh, daß ich etwas herausgelassen hatte. Ich kann mich erinnern, daß ich die Tage, ja sogar die Stunden bis zur nächsten Sitzung mit ihm zählte.

Ich habe auch gelernt, daß es überhaupt nicht schlimm ist, sich der Realität zu stellen. Mir wird immer klarer, welchen Dingen ich gewachsen sein möchte, Dinge, die ich ausdrücken und selbständig tun muß.

Das macht mir angst. Und es fällt mir sehr schwer. Und es ist so entmutigend, wenn ich versuche, ganz viel auf die Reihe zu kriegen und es dann immer wieder so schrecklich danebengehen kann. Aber das Gute an der Realität ist, daß ich erlebt habe, daß auch ganz wunderbare Sachen dazugehören.

Im letzten Jahr habe ich erfahren, wie wundervoll es sein kann, mich anderen Menschen mitzuteilen. Ich glaube, ich habe hauptsächlich nur eins gelernt, nämlich wie aufregend es ist, wenn ich anderen etwas erzähle, und sie hören richtig zu – und verstehen mich manchmal sogar wirklich."

Ich bin nach wie vor erstaunt über die heilende Kraft der Empathie. Immer wieder habe ich miterlebt, wie Menschen aus den lähmenden Folgen seelischer

Schmerzen herauswachsen, sobald sie genug Kontakt mit jemandem haben, der ihnen empathisch zuhören kann. Als Zuhörer brauchen wir keine tieferen Einsichten in psychologische Zusammenhänge oder eine psychotherapeutische Ausbildung. Worauf es ankommt ist unsere Fähigkeit, für das präsent zu sein, was sich innen abspielt – für die einzigartigen Gefühle und Bedürfnisse, die ein Mensch gerade jetzt durchlebt.

Empathie liegt in unserer Fähigkeit, präsent zu sein.

Zusammenfassung

Unsere Fähigkeit, Empathie zu geben, ermöglicht es uns, verletzlich zu bleiben, potentielle Gewalt zu entschärfen, das Wort „nein" zu hören, ohne es als Zurückweisung zu verstehen, ein totgelaufenes Gespräch wiederzubeleben und sogar Gefühle und Bedürfnisse zu hören, die schweigend ausgedrückt werden. Immer wieder wachsen Menschen aus den lähmenden Folgen seelischer Schmerzen heraus, wenn sie genug Kontakt mit jemandem haben, der ihnen empathisch zuhören kann.

9 Einen einfühlsamen Kontakt mit uns selbst aufbauen*

„Laßt uns zu dem Wandel werden, den wir in der Welt erreichen möchten." – *Mahatma Gandhi*

---

* Die Anm. d. Übersetzerin: Die Rohfassung einer Übersetzung dieses Kapitels von Gernot Krieger (Berlin) war als Referenz immer wieder hilfreich. Danke!

Wir haben gelesen, wie die GFK unsere Beziehungen in Freundschaften, in der Familie, am Arbeitsplatz und in der politischen Arena auf einen Boden stellt, der von Wertschätzung geprägt ist. Ihre entscheidendste Wirkung hat die Gewaltfreie Kommunikation vermutlich jedoch auf den Umgang mit uns selbst. Wenn wir innerlich gewalttätig mit uns selbst umgehen, dann ist es schwierig, auf andere von Herzen empathisch zu reagieren.

Die bedeutendste Anwendung der GFK liegt vermutlich in der Entwicklung von Selbst-Einfühlung.

Erinnern wir uns wieder an unsere Einzigartigkeit

In dem Stück „Tausend Clowns" von Herb Gardner weigert sich der Protagonist, seinen zwölf Jahre alten Neffen einem Kinderheim zu überlassen: „Ich möchte, daß er seine Einzigartigkeit kennenlernt, denn sonst merkt er nicht, wenn sie bei ihm anklopft. Ich möchte, daß er wach bleibt ... und seine enormen Möglichkeiten ... mitbekommt. Ich möchte ihm beibringen, daß sich alle Probleme lohnen, um hin und wieder die Chance zu ergreifen, die Welt ein bißchen mit der Nase darauf zu stoßen, worauf es wirklich ankommt. Und ich möchte, daß er den feinen, ganz besonderen und wichtigen Grund kennenlernt, wieso er als menschliches Wesen und nicht als Stuhl auf die Welt gekommen ist."

Ich mache mir ernsthaft Sorgen darüber, daß viele von uns das Bewußtsein über ihre Einzigartigkeit verloren haben; wir haben den „feinen, ganz besonderen und wichtigen Grund" dafür vergessen, der dem Onkel für seinen Neffen so immens wichtig ist. Wenn uns kritische Selbsteinschätzungen davon abhalten, die Schönheit in uns zu erkennen, dann verlieren wir den Kontakt zur göttlichen Energie als unserer Quelle. Wir sind darauf getrimmt, uns selbst als Objekte zu betrachten – Objekte, die nicht perfekt sind. Wundert es dann, daß sich viele von uns in gewalttätigen Handlungsweisen gegen sich selbst wiederfinden?

Ein wichtiges Feld, auf dem diese Gewalt durch Einfühlsamkeit ersetzt werden kann, ist die permanente Bewertung unserer selbst. Da uns viel daran liegt, daß unsere Handlungen zur Bereicherung des Lebens beitragen, gewinnt eine Fähigkeit ganz besondere Bedeutung: Es ist die Fähigkeit, Vorfälle und Umstände so zu bewerten, daß wir darin unterstützt werden, aus den Erfahrungen zu lernen und dann auch immer öfter Entscheidungen treffen, die uns weiterbringen. Unglücklicherweise fördert unsere antrainierte Art der Bewertung eher den Selbsthaß als die Weiterentwicklung.

Mit der GFK bewerten wir uns so, daß Wachstum statt Selbsthaß gefördert wird.

Wie bewerten wir uns selbst, wenn wir nicht *ganz* perfekt sind?

In meinen Workshops mache ich regelmäßig eine Übung, in der ich die TeilnehmerInnen bitte, sich an eine noch nicht lange zurückliegende Begebenheit zu erinnern, wo sie etwas getan haben, das sie hinterher lieber nicht getan hätten. Dann schauen wir uns genauer an, was sie direkt nach dem, was gemeinhin als „Fehler" oder „Irrtum" bezeichnet wird, zu sich selbst sagen. Typische Aussagen sind dann: „Das war blöd von mir!", „Wie konnte ich nur so was Dummes tun?", „Was hast du für ein Problem?", „Du bringst immer alles durcheinander!" „Das ist egoistisch!".

Wer so etwas sagt, dem wurde beigebracht, sich selbst auf eine Weise zu verurteilen, die impliziert, daß die eigene Handlung falsch oder schlecht war. Diese Selbstkritik geht davon aus, daß es einem schlecht gehen soll für das, was man getan hat: das hat man schließlich verdient. Es ist tragisch, daß sich so viele von uns in Selbsthaß verstricken, statt aus Fehlern Nutzen zu ziehen, denn Fehler zeigen uns unsere Grenzen und damit unsere Wachstumschancen auf.

Selbst wenn wir hin und wieder unsere „Lektion" aus Fehlern lernen, für die wir uns streng kritisieren, dann mache ich mir Sorgen über die Motivation, die hinter dieser Art des Lernens und der Veränderung steckt. Mir ist es wichtig, daß Veränderung durch den klaren Wunsch motiviert ist, dadurch das Leben für uns und andere zu bereichern und daß wir uns nicht aufgrund destruktiver Energien wie Scham oder Schuld verändern.

Wenn die Art unserer Selbstbewertung dazu führt, daß wir uns schämen und wir daraufhin unser Verhalten ändern, dann lassen wir zu, daß unsere Entwicklung und unser Lernen von Selbsthaß geleitet werden. Scham ist eine Form von Selbsthaß, und Handlungen als Reaktion auf Scham sind weder frei gewählt noch machen sie Freude. Auch wenn wir uns eigentlich freundlicher und sensibler verhalten wollen – sobald Menschen Scham oder Schuld hinter unserem Verhalten wahrnehmen, sinkt die Chance, daß sie es wertschätzen. Die Chancen für eine wertschätzende Reaktion steigen hingegen, wenn wir mit dem, was wir tun, sozusagen reinen Herzens zum Leben beitragen möchten.

In unserer Sprache gibt es ein Wort, das mit enormer Kraft zur Entstehung von Scham und Schuld beiträgt. Dieses gewalttätige Wort, das zu unserem normalen Sprachgebrauch gehört, wenn wir uns selbst bewerten, ist so tief in unser Bewußtsein eingegraben, daß es für viele von uns schwer vorstellbar ist, ohne es auszukommen. Es ist das Wort „sollte" bzw. „hätte sollen", wie z.B. in dem Satz: „Ich sollte es besser wissen"; oder „ich hätte das nicht tun sollen". Wenn wir dieses Wort zu uns sagen, dann blockieren wir unsere Weiterentwicklung, denn „hätte sollen" heißt: Es gibt keine Wahl. Wenn ein Mensch irgendeine Art von Forderung hört, neigt er oder sie dazu, Widerstand zu leisten, denn eine Forderung bedroht unsere Autonomie, unser starkes Bedürfnis, frei zu wählen. So reagieren wir auf Gewaltherrschaft, selbst wenn es unsere eigene innere Gewaltherrschaft in Form eines „du solltest" ist.

Vermeiden Sie, sich selbst zu „sollten"!

Ein ähnlicher Ausdruck innerer Forderungen tritt in der folgenden Selbstbewertung auf: „Was ich mache, ist einfach schrecklich. Ich muß wirklich was ändern!" Denken Sie einen Augenblick an all die Leute, die Sie haben sagen hören: „Ich müßte wirklich aufhören zu rauchen"; oder: „Ich muß wirklich schauen, daß ich mehr Sport mache." Sie reden ständig davon, daß sie etwas tun „müssen" oder „müßten" und blockieren sich ständig, es auch zu tun, denn: Menschen sind einfach nicht für die Sklaverei geschaffen. Es liegt uns nicht, vor dem Diktat von „sollen" und „müssen" in die Knie zu gehen – ob es jetzt von außen oder von innen heraus kommt. Und wenn wir es doch tun und den Forderungen nachgeben, dann handeln wir aus einer Energie heraus, die ohne lebensspendende Freude ist.

Selbstkritik und innere Forderungen übersetzen

Wenn wir normalerweise durch innere Kritik, Schuldzuweisungen und Forderungen mit uns selbst kommunizieren, dann ist es nicht verwunderlich, wenn wir uns „eher wie ein Stuhl als wie ein menschliches Wesen" vorkommen. Eine Grundannahme in der GFK sagt folgendes: Immer wenn wir davon ausgehen, daß jemand falsch oder schlecht ist, meinen wir eigentlich, daß sie oder er sich nicht in Übereinstimmung mit unseren Bedürfnissen verhält. Wenn die Person, die wir so verurteilen, zufälligerweise wir selbst sind, dann meinen wir eigentlich: „Ich, ganz persönlich, verhalte mich nicht in Übereinstimmung mit meinen eigenen Bedürfnissen." Ich bin überzeugt davon, daß die Chancen steigen, mit unseren Beurteilungen unsere Weiterentwicklung zu fördern, wenn wir bereit sind, unser eigenes Verhalten danach zu bewerten, ob und wie gut es unsere Bedürfnisse erfüllt.

Selbstverurteilung ist, wie jede Verurteilung, tragischer Ausdruck unerfüllter Bedürfnisse.

Unsere herausfordernde Aufgabe sieht also so aus: Wenn wir etwas tun, das das Leben nicht bereichert, dann werten wir unsere Handlungen von Moment zu Moment so aus, daß Veränderung in zweifacher Hinsicht geschehen kann:
1. Veränderung in die Richtung, in die wir gerne gehen möchten und
2. Veränderung motiviert durch Respekt und Empathie für uns selbst statt aus Selbsthaß, Schuld oder Scham.

Trauern in der GFK

Nach lebenslangen Belehrungen in der Schule und auch danach und nach ebensolanger Anpassung durch Sozialisation ist es vielleicht für die meisten von uns zu spät, ihr Gehirn und ihr Wesen so umzuwandeln, daß sie nur noch in Richtung Bedürfnisse denken und von Moment zu Moment entsprechende Auswertungen anstellen. Jedoch wie wir auch gelernt haben, im Gespräch mit anderen Urteile zu übersetzen, können wir uns darin üben, verurteilende Selbstgespräche wahrzunehmen und unsere Aufmerksamkeit sofort auf die dahinter liegenden Bedürfnisse zu richten.

Wenn wir uns z.B. dabei ertappen, vorwurfsvoll auf etwas zu reagieren, das wir getan haben: „Siehst du, das hast du wieder gründlich verpfuscht!", dann können wir schnell sagen: „Halt! Welches unerfüllte Bedürfnis drücke ich durch diese moralische Abwertung aus?" Wenn es uns dann gelingt, mit dem Bedürfnis in Kontakt zu kommen – und da kann es mehrere Bedürfnisschichten geben – dann wird uns eine deutliche Veränderung im Körper auffallen. Statt Scham, Schuld oder Depression, mit denen wir wahrscheinlich zu tun haben, wenn wir uns dafür kritisieren, „etwas gründlich verpfuscht" zu haben, empfinden wir jetzt eine ganze Reihe von Gefühlen. Ob es Traurigkeit, Frustration, Enttäuschung, Angst, Kummer oder andere Gefühle sind, die Natur hat uns nicht ohne Grund mit diesen Gefühlen ausgestattet: Sie mobilisieren uns zu handeln, uns das zu erfüllen, was wir brauchen und was uns wichtig ist. In ihrer Wirkung auf unseren Geist und unseren Körper unterscheiden sie sich grundlegend von der inneren Spaltung, die durch Schuld, Scham und Depression entsteht.

Trauern in der GFK ist ein Prozeß, der uns vollständig mit den unerfüllten Bedürfnissen und Gefühlen verbindet, die sich melden, wenn wir nicht *ganz* perfekt waren. Es ist ein Erlebnis des Bedauerns, jedoch ein Bedauern, das uns darin unterstützt, aus dem, was wir getan haben, zu lernen, ohne uns Vorwürfe zu machen oder uns zu hassen. Statt dessen erkennen wir, wie sich unser Verhalten gegen unsere Bedürfnisse und Werte gerichtet hat, und wir öffnen uns für die Gefühle, die aus dieser Bewußtwerdung heraus zu uns kommen. Wenn wir unser Bewußtsein auf das richten, was wir brauchen, dann werden wir auf ganz natürliche Weise angeregt, all die kreativen Möglichkeiten ausfindig zu machen, die unser Bedürfnis erfüllen können. Demgegenüber verschleiern die moralischen Abwertungen, mit denen wir uns Vorwürfe machen, tendenziell dieses Potential und erhalten einen Zustand von Selbsthaß aufrecht.

Trauern in der GFK: Verbindung aufnehmen mit den Gefühlen und Bedürfnissen, die durch vergangene Handlungen, die wir jetzt bedauern, hervorgerufen werden.

Uns selbst verzeihen

Nach dem Trauern kommt jetzt die Selbst-Vergebung. Wir richten unsere Aufmerksamkeit auf den Teil in uns, der das Verhalten gewählt hat, das zur gegenwärtigen Situation führte, und fragen uns: „Als ich mich so verhalten habe, wie ich es jetzt bedaure, welches Bedürfnisse habe ich damit versucht zu erfüllen?" Ich bin der Überzeugung, daß Menschen immer aus ihren Bedürfnissen und Werten heraus handeln. Das ist so, unabhängig davon, ob die Handlung das Bedürfnis erfüllt oder nicht – ob wir sie letztendlich feiern oder betrauern.

Wenn wir uns selbst empathisch zuhören, dann wird es uns gelingen, das dahinter liegende Bedürfnis wahrzunehmen. Selbst-Vergebung geschieht in dem Augenblick, wo diese empathische Verbindung hergestellt ist. Denn dann können wir erkennen, wie unsere Handlungsentscheidung dem Leben dienen *wollte*. Gleichzeitig macht uns der Trauer-Prozeß deutlich, wo es nicht gelungen ist, dem Leben zu dienen.

Selbst-Vergebung in der GFK: Verbindung aufnehmen mit dem Bedürfnis, das wir erfüllen wollten – durch die Handlung, die wir jetzt bedauern.

Ein wichtiger Aspekt der Selbst-Vergebung ist die Fähigkeit, einen empathischen Kontakt mit *beiden* Teilen in uns aufrechtzuerhalten: Mit dem Teil, der die geschehene Handlung betrauert, und mit dem Teil, der gehandelt hat. Der Trauerprozeß und die Selbst-Vergebung machen uns frei, zu lernen und zu wachsen. Wenn wir uns von Moment zu Moment mit unseren Bedürfnissen verbinden, dann erweitern wir unser kreatives Potential, in Übereinstimmung mit ihnen zu handeln.

Was ich vom gesprenkelten Anzug gelernt habe

Ich möchte den Prozeß des Trauerns und der Selbst-Vergebung mit einer Begebenheit veranschaulichen, die ich selbst erlebt habe. Vor einem wichtigen Workshop hatte ich mir einen hellgrauen Sommeranzug gekauft, den ich dort tragen wollte. Am Ende des gut besuchten Workshops wurde ich von TeilnehmerInnen umringt, die nach meiner Anschrift, meiner Unterschrift und anderen Informationen fragten. Die Zeit für einen weiteren Termin rückte näher, und ich beeilte mich, die Fragen der Leute zu beantworten. Eilig unterschrieb und kritzelte ich auf die vielen Blätter, die mir entgegengehalten wurden. Als ich zur Tür herauslief, steckte ich den Filzstift – ohne Kappe – in die Tasche meines neuen Anzugs. Als ich draußen war, entdeckte ich zu meinem Schrecken, daß ich statt eines schönen hellgrauen, jetzt einen gesprenkelten Anzug anhatte.

Zwanzig Minuten lang machte ich mich fertig: „Wie konntest du nur so gedankenlos sein? Wie kann man sich nur so blöd anstellen!" Ich hatte gerade einen nagelneuen Anzug ruiniert. Wenn ich jemals Mitgefühl und Verständnis gebraucht hatte, dann jetzt. Was machte ich statt dessen? Ich ging mit mir so um, daß es mir nur noch schlechter ging.

Glücklicherweise – nach etwa zwanzig Minuten – merkte ich, was ich da tat. Ich hielt inne und forschte nach dem Bedürfnis, das dadurch zu kurz kam, daß ich den Stift nicht wieder zugemacht hatte. „Welches Bedürfnis liegt hinter meiner Verurteilung als ‚gedankenlos' und ‚blöd'?"

Mir wurde klar, daß es um mein Bedürfnis ging, mich gut um mich selbst zu kümmern. Ich hätte gerne auch auf meine eigenen Bedürfnisse geachtet, als ich mich beeilte, den Bedürfnissen anderer gerecht zu werden. Sobald ich mit diesem Teil in mir in Berührung kam und mich mit der tiefen Sehnsucht verband, meine eigenen Bedürfnisse wahrzunehmen und für sie zu sorgen, veränderten sich meine Gefühle. Die Anspannung in meinem Körper löste sich, als der Ärger, die Scham und die Schuldzuweisungen, die ich gegen mich gerichtet hatte, nachließen. Ich betrauerte aus vollem Herzen, daß ich nicht so auf meine Bedürfnisse Rücksicht genommen hatte, wie ich es gern getan hätte, und daher den Stift nicht verschlossen und den Anzug ruiniert hatte. Ich öffnete mich mehr und mehr den traurigen Gefühlen, die sich mit dem wichtigen und zu kurz gekommenen Bedürfnis, gut für mich zu sorgen, einstellten.

Dann richtete ich meine Aufmerksamkeit auf das Bedürfnis, das ich erfüllt hatte, als ich den unverschlossenen Stift in meine Tasche steckte. Mir wurde klar, wieviel mir daran liegt, auf die Bedürfnisse anderer Menschen einzugehen, auch wenn ich mir mit diesem Eingehen auf die Bedürfnisse anderer nicht mehr die Zeit genommen hatte, meine eigenen Bedürfnisse zu berücksichtigen. Aber statt Vorwürfen spürte ich eine Welle von Mitgefühl für mich selbst, als mir klar wurde, daß ich meine ganze Zeit den Menschen gewidmet und mich so unter Zeitdruck gebracht hatte, was wiederum zu dem unverschlossenen Stift führte. Ich sah jedoch, daß das alles aus meinem Bedürfnis heraus kam, auf andere rücksichtsvoll einzugehen!

Wir sind dann einfühlsam mit uns selbst, wenn es uns gelingt, alle Teile unseres Selbst aufzunehmen und mit den Bedürfnissen und Werten in Kontakt zu kommen, die von jedem einzelnen Teil gerade zum Ausdruck gebracht werden.

An diesem einfühlsamen, inneren Ort konnte ich mit beiden Bedürfnissen in Kontakt bleiben: einerseits die Bedürfnisse anderer Menschen zu berücksichtigen und andererseits mir meiner eigenen Bedürfnisse bewußt zu sein und für sie zu sorgen. Bin ich mir beider Bedürfnisse bewußt, dann komme ich auf Möglichkeiten, wie ich mich in zukünftigen Situationen anders verhalten kann und finde stimmigere Lösungen, als wenn ich mich in einem Meer von Selbst-Verurteilungen verliere.

Tue nichts, was du nicht aus spielerischer Freude heraus tust!

Zusätzlich zum Trauer-Prozeß und der Selbst-Vergebung betone ich einen weiteren Aspekt der Selbst-Einfühlung: Es ist die Energie, die allen unseren Handlungen zugrundeliegt. Wenn ich empfehle: „Tue nichts, was du nicht aus spielerischer Freude heraus tust!", halten mich manche für radikal oder sogar für gestört. Ich bin jedoch fest davon überzeugt, daß ein wichtiger Teil der Selbst-Einfühlung darin besteht, uns für Wahlmöglichkeiten zu entscheiden, die einzig und allein aus unserem Wunsch kommen, zum Leben beizutragen, und nicht aus Angst, Scham, Schuld und Verpflichtung heraus. Wenn wir uns der lebensfördernden Absicht hinter jeder unserer Handlungen bewußt werden, wenn die Energie in unserer Seele, die uns motiviert, einfach nur das Leben für andere und für uns selbst bereichern möchte, dann hat selbst harte Arbeit ein Element spielerischer Freude in sich. Die andere Seite der Medaille sieht so aus: Eine an sich erfreuliche Tätigkeit, die aus Verpflichtung, Angst, Schuld oder Scham heraus getan wird, verliert all ihre Erfreulichkeit und führt eher zu Widerstand.

In Kapitel 2 haben wir uns damit beschäftigt, einen Sprachgebrauch, der Wahlmöglichkeiten boykottiert, durch eine Sprache zu ersetzen, die Wahlmöglichkeiten fördert. Vor vielen Jahren habe ich öfter eine Übung gemacht, die den Anteil von Freude und Glücklichsein in meinem Leben entscheidend vergrößerte. Gleichzeitig ließen dadurch Depression, Schuld und Scham erheblich nach. Ich zeige sie Ihnen hier als eine Möglichkeit, die Einfühlsamkeit mit sich selbst zu intensivieren. Gleichzeitig hilft die Übung dabei, unser Leben aus spielerischer Freude heraus zu leben, denn sie stellt uns fest auf den Boden einer klaren Bewußtheit über die lebensbereichernden Bedürfnisse, die allem zugrundeliegen, was wir tun.

„Müssen" in „frei wählen" übersetzen

Erster Schritt
Was tun Sie in Ihrem Leben, das Ihnen keine Freude bereitet? Erstellen Sie eine Liste all der Aufgaben, bei denen Sie sich sagen, daß Sie sie tun müssen, und schreiben Sie auch alle Tätigkeiten auf, die Sie furchtbar finden, die Sie aber dennoch tun, weil Sie meinen, Sie hätten keine Wahl.

Als ich mir meine eigene Liste zum ersten Mal anschaute und feststellen mußte, wie lang sie war, ließ mich das erkennen, warum ich soviel Zeit damit verbrachte, das Leben nicht zu genießen. Mir fiel auf, was ich alles an einem normalen Alltag tat, nur weil ich mich glauben machen wollte, ich müßte das alles tun.

Der erste Punkt auf meiner Liste hieß „Patientenberichte schreiben". Ich haßte es, diese Berichte zu schreiben, und dennoch saß ich täglich mindestens eine Stunde wie gelähmt über ihnen. Der zweite Punkt lautete „Fahrdienst für die Schulkinder".

Zweiter Schritt
Wenn Sie Ihre Liste fertig haben, dann nehmen Sie ganz deutlich wahr und erkennen Sie an, daß Sie all diese Dinge tun, weil Sie sie frei gewählt haben und nicht, weil Sie sie tun müssen. Setzen Sie die Wörter „Ich habe frei gewählt zu ..." vor jeden Punkt auf Ihrer Liste.

Ich kann mich gut an meine eigenen Widerstände bei diesem Schritt erinnern. Ich beharrte darauf, daß „Patientenberichte schreiben" nicht etwas ist, „das ich frei gewählt habe! Ich muß sie schreiben. Ich bin klinischer Psychologe. Ich muß diese Berichte schreiben."

Dritter Schritt
Haben Sie anerkannt, daß Sie eine bestimmte Tätigkeit frei gewählt haben, dann nehmen Sie Kontakt auf mit dem Anliegen hinter Ihrer Wahl, indem Sie folgendes Satzfragment vervollständigen: „Ich habe frei gewählt zu ...., denn ich möchte ....".

Anfangs fiel es mir schwer herauszufinden, was ich mit dem Schreiben von Patientenberichten eigentlich wollte. Ein paar Monate zuvor hatte ich schon festgestellt, daß der Nutzen dieser Berichte für meine Patienten den Zeitaufwand nicht rechtfertigte. Warum also investierte ich nur weiterhin soviel Energie in ihre Erstellung? Schließlich wurde mir klar, daß ich die Berichte einzig und allein wegen des daraus resultierenden Einkommens schrieb. Nachdem ich das einmal erkannt hatte, schrieb ich nie wieder einen Patientenbericht. Ich kann Ihnen gar nicht sagen, wie glücklich ich mich fühle, wenn ich nur daran denke, wie viele Patientenberichte ich seit diesem Augenblick vor fünfunddreißig Jahren *nicht* geschrieben habe! Als ich Geld als meine Hauptmotivation entdeckte, war mir sofort klar, daß es andere Möglichkeiten gibt, finanziell für mich zu sorgen. Und in der Tat wollte ich lieber Mülltonnen nach Essen durchwühlen, als noch einen einzigen Patientenbericht zu schreiben.

Der nächste Punkt auf meiner Liste der unerfreulichen Aufgaben hieß: „Fahrdienst für die Schulkinder". Als ich untersuchte, was hinter dieser lästigen Pflicht lag, war ich dann doch sehr dankbar für die Bereicherung, die meinen Kindern durch den Besuch ihrer derzeitigen Schule zuteil wurde. Sie hätten leicht in die Schule in der Nachbarschaft zu Fuß gehen können, aber ihre Schule bot eine weit größere Übereinstimmung mit dem, was mir in der Erziehung wichtig ist. Ich fuhr sie weiterhin – mit einer ganz anderen Energie. Statt: „Oh, nein, heute habe ich schon wieder Fahrdienst", war ich mir meines Anliegens bewußt: Ich wollte für meine Kinder eine Qualität von Erziehung und Bildung, die mir sehr am Herzen lag. Natürlich mußte ich mich an manchen Tagen während der Fahrt zwei-, dreimal daran erinnern, meine Aufmerksamkeit wieder auf das Anliegen zu richten, dem mein Handeln diente.

Das Bewußtsein kultivieren über die Energie, die hinter unseren Handlungen steckt

Beim Erforschen der Aussage, „ich habe frei gewählt zu ...., denn ich möchte ....", entdecken Sie vielleicht – so wie ich mit dem Fahrdienst für die Schulkinder – die wichtigen Anliegen hinter der jeweiligen Wahl, die Sie getroffen haben. Ich bin fest davon überzeugt, daß die Klarheit über das Bedürfnis, dem unsere Handlungen dienen, dazu führt, daß wir diese Tätigkeiten als erfreulich erleben, auch wenn sie harte Arbeit, Herausforderung oder Frustration mit sich bringen. Es kann jedoch auch sein, daß Sie bei den Punkten auf Ihrer Liste auf eine oder mehrere der nun folgenden Beweggründe stoßen:

1. Geld

Geld ist in unserer Gesellschaft eine der wichtigsten Formen von Belohnung, die wir von außen bekommen. Wenn wir eine Wahl treffen aus dem Wunsch nach einer Belohnung heraus, kann das teuer werden, denn Belohnungen nehmen uns die Freude, die dann entsteht, wenn unsere Handlungen ihre Wurzeln in der eindeutigen Absicht haben, zur Erfüllung menschlicher Bedürfnisse beizutragen. Geld ist kein Bedürfnis, so wie wir Bedürfnis in der GFK definieren; Geld ist eine der unzähligen Strategien, die möglicherweise gewählt werden, um ein Bedürfnis zu erfüllen.

Passen Sie auf bei Handlungen, die vom Wunsch nach Geld oder nach der Bestätigung durch andere, durch Angst, Scham oder Schuldgefühle motiviert sind. Machen Sie sich klar, welchen Preis Sie dafür zahlen.

2. Bestätigung

Wie Geld so ist auch die Bestätigung von anderen eine Form der Belohnung, die von außen kommt. Unsere Kultur hat uns einen Hunger nach Belohnung anerzogen. Wir haben Schulen besucht, die mit extrinsischen Mitteln unsere Lernmotivation erhöhen wollten; wir sind in Elternhäusern aufgewachsen, wo wir dafür belohnt wurde, brave kleine Jungs oder Mädels zu sein, und wir wurden bestraft, wenn die Erwachsenen uns für böse hielten. So passiert es uns als Erwachsene ganz leicht, daß wir uns einreden, das Leben bestünde daraus, etwas für eine Belohnung zu tun. Wir sind süchtig nach einem Lächeln, einem wohlwollenden Schulterklopfen und den verbalen Urteilen anderer Leute, daß wir „gute Menschen", „gute Eltern", „gute BürgerInnen", „gute ArbeiterInnen", „gute FreundInnen" usw. sind. Wir handeln aus dem Wunsch heraus, andere dazu zu bringen, uns zu mögen – und vermeiden andererseits Handlungen, die vielleicht dazu führen könnten, dass sie uns ablehnen oder bestrafen.

Ich finde es tragisch, daß wir uns so sehr dafür anstrengen, Liebe zu erkaufen, und daß wir davon ausgehen, wir müßten uns selbst verleugnen und tun, was andere von uns verlangen, um gemocht zu werden. Es ist vielmehr so: Handeln wir einzig und allein aus einer lebensspendenden Energie heraus, dann werden wir feststellen, daß andere Menschen uns Wertschätzung entgegenbringen. Ihre Wertschätzung ist jedoch nur ein Rückmeldungsmechanismus, der uns zeigt, daß unsere Bemühungen zum gewünschten Ergebnis geführt haben. Wir feiern die Wertschätzung für unsere Wahl, unsere ganze Kraft für das Leben einzusetzen, und daß uns das auch gelungen ist. Dieses Feiern schenkt uns eine so unverfälschte Freude, wie sie uns die Bestätigung anderer niemals geben kann.

3. Um einer Bestrafung zu entgehen

Manche Leute zahlen in erster Linie deshalb Steuern, weil sie einer Bestrafung entgehen möchten. Als Konsequenz daraus sehen wir diesem alljährlichen Ritual mit einem gewissen Widerwillen entgegen. Ich erinnere mich jedoch noch gut daran, wie anders mein Vater und mein Großvater zum Thema Steuern standen. Sie waren aus Russland in die Vereinigten Staaten eingewandert, und es lag ihnen sehr am Herzen, einen Staat zu unterstützen, von dem sie glaubten, daß er seine Bürger auf eine Weise schützt, wie es der russische Zar damals nicht tat. Wenn sie an die vielen Menschen dachten, deren Sozialhilfe von ihren Steuern bestritten wurde, dann waren sie tief beglückt, wenn sie der US-Regierung ihre Steuern bezahlten.

4. Um uns nicht zu schämen

Es kann sein, daß wir uns entscheiden, Aufgaben zu erledigen, damit wir uns nicht schämen. Erledigen wir sie nicht, dann wissen wir genau, daß es in heftigen Selbstvorwürfen enden wird; dann werden wir wieder unsere eigene Stimme hören, die uns sagt, was mit uns nicht stimmt oder wie blöd wir sind. Wenn wir einzig und allein aus dem Drang, uns nicht schämen zu wollen, etwas tun, werden wir es normalerweise letztendlich verabscheuen.

5. Um uns nicht schuldig zu fühlen

Bei anderen Gelegenheiten denken wir vielleicht „Wenn ich das nicht tue, ist man von mir enttäuscht." Wir haben Angst davor, uns im Endeffekt schuldig zu fühlen, weil es uns nicht gelungen ist, die Erwartungen anderer zu erfüllen. Es ist ein himmelweiter Unterschied, ob ich für andere etwas tue, damit ich mich nicht schuldig fühle, oder ob ich es aus einer klaren Bewußtheit heraus tue, daß ich damit mein Bedürfnis erfüllen möchte, zum Glück anderer Menschen beizutragen. Im ersten Fall leben wir in einer leidvollen Welt, im zweiten Fall in einer Welt voll spielerischer Freude.

6. Aus Pflichtgefühl heraus

Wenn unser Sprachgebrauch Wahlmöglichkeiten leugnet, z.B. durch Worte wie „solltest", „müßt", „du hast zu ..." „dürfen", „nicht können", „es wird erwartet" usw., dann wird unser Verhalten von einer vagen Empfindung von Schuld, Verpflichtung oder Gezwungensein bestimmt. Ich halte es für die gesellschaftlich gefährlichste und persönlich leidvollste Art zu handeln, wenn wir von unseren Bedürfnissen abgeschnitten sind.

Im zweiten Kapitel haben wir gesehen, wie die Vorstellung von einer „Amtssprache" Adolf Eichmann und seinen Kollegen erlaubte, Zehntausende von Menschen in den Tod zu schicken, ohne davon emotional berührt zu werden oder sich einer persönlichen Verantwortung bewußt zu sein. Wenn wir uns in einer Sprache ausdrücken, die Wahlmöglichkeiten leugnet, dann opfern wir das Lebendige in uns für eine roboterhafte Mentalität, die uns von unseren eigenen Wurzeln abschneidet.

Dinge zu tun, „weil sie von uns erwartet werden", führt zu den potentiell gefährlichsten Verhaltensweisen.

Wenn Sie die Liste überprüfen, die Sie erstellt haben, entscheiden Sie sich vielleicht dafür, bestimmte Dinge nicht mehr zu tun, aus derselben Energie heraus, die mich dazu bewog, von den Patientenberichten Abstand zu nehmen. So radikal es auch klingen mag, es ist möglich, nur aus spielerischer Freude heraus zu handeln. In dem Maß, wie wir uns von Moment zu Moment in der spielerischen Freude der Lebensbereicherung engagieren – einzig und allein motiviert durch diesen Wunsch, das Leben zu bereichern –, in dem Maß gehen wir auch einfühlsam mit uns selbst um.

Zusammenfassung

Die bedeutendste Anwendung der GFK liegt vermutlich in der Art und Weise, wie wir mit uns selbst umgehen. Wenn wir Fehler machen, können wir mit Hilfe des GFK-Trauerprozesses und mit der Selbst-Vergebung erkennen, wo unsere Wachstumschancen liegen, anstatt uns in moralische Selbstabwertungen zu verstricken. Bewerten wir unser Verhalten in bezug auf unsere unerfüllten Bedürfnisse, dann kommt der Veränderungsimpuls nicht aus Scham, Schuld, Ärger oder Depression, sondern aus einem aufrichtigen Wunsch, zum eigenen Wohlergehen und zu dem anderer Menschen beizutragen.

Wir kultivieren Selbst-Einfühlung auch dadurch, daß wir uns im täglichen Leben bewußt dafür entscheiden, nur im Dienst unserer Bedürfnisse und Werte zu handeln und nicht aus Pflicht, für Belohnungen von außen oder um Schuld, Scham und Bestrafung zu vermeiden. Wenn wir noch einmal die freudlosen Handlungen anschauen, denen wir uns aktuell verschrieben haben, und „ich muß ..." in „ich wähle frei ..." übersetzen, dann werden wir mehr spielerische Freude und Integrität in unserem Leben entdecken.

10 Ärger vollständig ausdrücken

Das Thema Ärger bietet uns eine besondere Chance, noch tiefer in die GFK einzutauchen. Da der Ausdruck von Ärger viele Aspekte dieses Prozesses wie unter einem Vergrößerungsglas deutlich hervortreten läßt, wird an diesem Punkt auch der Unterschied zwischen GFK und anderen Formen der Kommunikation sehr klar.

Ich finde, daß es nicht ausreicht, jemanden umbringen zu wollen. Morden, schlagen, beschuldigen, andere verletzen – ob körperlich oder seelisch – sind alles eher milde Ausdrucksformen von dem, was in uns vorgeht, wenn wir uns ärgern. Wenn wir wirklich wütend sind, dann brauchen wir etwas Kraftvolleres, um unserer Wut ihren angemessenen Ausdruck zu verleihen.

Jemanden umbringen zu wollen reicht nicht aus.

Für viele Gruppen, mit denen ich arbeite, ist diese Sichtweise erleichternd; besonders dann, wenn sie sich mit Unterdrückung und Diskriminierung befassen und ihre Kraft, Veränderungen zu bewirken, stärken wollen. Die Leute in solchen Gruppen fühlen sich nicht wohl, wenn sie die Begriffe „gewaltfreie" oder „einfühlsame" Kommunikation hören, weil sie allzuoft dazu gedrängt worden sind, ihren Ärger herunterzuschlucken, sich zu beruhigen und den Status quo zu akzeptieren. Kommunikationsformen, die den Ärger als eine unerwünschte Eigenschaft betrachten, von der man sich irgendwie befreien muß, machen ihnen Kopfzerbrechen. Der hier vorgestellte Prozeß jedoch unterstützt uns nicht darin, die Wut zu ignorieren, klein zu machen oder herunterzuschlucken, sondern sie statt dessen aus vollem Herzen und in ihrer ganzen Wucht auszudrücken.

Den Auslöser von der Ursache unterscheiden

Der erste Schritt zum vollständigen Artikulieren unseres Ärgers besteht darin, die andere Person von jeglicher Verantwortung für diesen Ärger zu trennen. Wir machen uns frei von Gedanken wie: „Er, sie oder die anderen haben mich wütend gemacht, weil sie das und das getan haben." Solche Gedankenmuster führen dazu, daß wir unsere Wut nur oberflächlich ausdrücken, indem wir andere beschuldigen oder bestrafen. Wir haben bereits gehört, daß das Verhalten anderer Menschen ein Auslöser für unsere Gefühle sein kann, aber nicht ihre Ursache ist. Wir sind niemals wütend, weil jemand anders etwas gesagt oder getan hat. Wir können das Verhalten der anderen Person als Auslöser identifizieren, und gleichzeitig ist es sehr wichtig, eine klare Trennlinie zwischen Auslöser und Ursache zu ziehen.

Wir sind niemals wütend, weil jemand anders etwas gesagt oder getan hat.

Ich möchte diese Unterscheidung mit einem Beispiel aus meiner Arbeit in einem schwedischen Gefängnis veranschaulichen. Meine Aufgabe bestand darin, den Gefangenen, die sich auf die eine oder andere Weise gewalttätig verhalten hatten, zu zeigen, wie sie ihren Ärger vollständig ausdrücken können, ohne jemanden umzubringen, zu schlagen oder zu vergewaltigen. Während einer Übung, in der sie den Auslöser für ihre Wut bestimmen sollten, schrieb ein Gefangener: „Vor drei Wochen habe ich bei der Gefängnisleitung einen Antrag eingereicht, und sie haben bis jetzt nicht darauf geantwortet." Seine Aussage war die klare Beobachtung eines Auslösers, eine Beschreibung, was andere Leute getan hatten.

Dann bat ich ihn, die Ursache seines Ärgers zu schildern: „Als das passiert ist, waren Sie wütend, weil ... *was*?" „Das habe ich Ihnen doch gerade erzählt!" rief der Mann aus. „Ich war wütend, weil Sie nicht auf meinen Antrag reagiert haben!" Weil er Auslöser und Ursache in einen Topf warf, fiel er auf das Gedankenmuster herein, daß es das Verhalten der Gefängnisverwaltung war, das ihn wütend machte. Dieses Muster kann man sich in einer Kultur, die Schuldzuweisung als Mittel zur Kontrolle der Menschen einsetzt, leicht angewöhnen. Für solche Kulturen ist es wichtig, die Leute zu der Vorstellung zu verleiten, daß sie anderen bestimmte Gefühle *machen* können.

*U*m durch Schuldzuweisung zu motivieren, vermischt man Auslöser und Ursache.

Wenn Schuldzuweisung zu einer Taktik der Manipulation und der Nötigung wird, ist es nützlich, Auslöser und Ursache miteinander zu vermischen. Wie schon zuvor erwähnt, werden Kinder, denen gesagt wird: „Es verletzt Mama und Papa, wenn du schlechte Noten bekommst" dazu verleitet zu glauben, daß ihr Verhalten die Ursache für die Verletzung ihrer Eltern ist. Die gleiche Dynamik kann man in Partnerschaften beobachten: „Es enttäuscht mich wirklich, wenn du an meinem Geburtstag nicht hier bist." Unsere Sprache erleichtert den Gebrauch dieser schuldzuweisenden Taktik. Wir sagen: „Du machst mich wütend." „Du verletzt mich, wenn du das tust." „Ich bin traurig, weil du das getan hast." Unsere Sprache kennt viele Formulierungen, die glauben machen, daß unsere Gefühle aus dem resultieren, was andere tun. Der erste Schritt in dem Prozeß, unseren Ärger vollständig auszudrücken, besteht darin, daß wir folgendes realisieren: Das, was andere Menschen tun, ist niemals die Ursache für das, was wir fühlen.

*D*ie Ursache des Ärgers liegt in unserem Denken: in Gedankenmustern von Schuld und Verurteilung.

Was ist also die Ursache des Ärgers? Im Kapitel 5 wurden die vier Wahlmöglichkeiten vorgestellt, die uns zur Verfügung stehen, wenn wir mit einer Äußerung oder einem Verhalten konfrontiert werden, das uns nicht gefällt. Ärger entsteht dann, wenn wir die zweite Möglichkeit auswählen: Immer wenn wir uns ärgern, suchen wir beim anderen einen Fehler – wir entscheiden uns, Gott zu spielen, indem wir den anderen verurteilen oder ihm den Vorwurf machen, daß er etwas falsch gemacht hat oder Bestrafung verdient. Ich möchte Ihnen nahelegen, hier die Ursache des Ärger zu suchen. Auch wenn es uns anfangs nicht bewußt ist: Ärger wohnt in unserem eigenen Denken.

Die dritte Reaktionsmöglichkeit, die in Kapitel 5 beschrieben wird, besteht darin, mit dem Licht unseres Bewußtseins unsere eigenen Gefühle und Bedürfnisse zu erhellen. Anstelle einer verkopften Analyse der Fehler einer anderen Person entscheiden wir uns für den Kontakt mit der lebendigen Energie, die in uns ist. Diese Lebensenergie ist direkt vor unserer Nase, ganz einfach zugänglich, wenn wir uns auf das konzentrieren, was wir in jedem einzelnen Augenblick brauchen.

Wenn z.B. jemand zu spät zu einer Verabredung kommt und wir die Bestätigung brauchen, daß wir ihm etwas bedeuten, dann fühlen wir uns vielleicht verletzt. Wenn wir statt dessen das Bedürfnis haben, unsere Zeit sinnvoll und konstruktiv zu verbringen, sind wir vielleicht frustriert. Wenn wir andererseits das Bedürfnis nach einer stillen halben Stunde haben, dann sind wir unter Umständen sogar dankbar für die Verspätung und ärgern uns keineswegs. So wird deutlich, daß nicht das Verhalten des anderen, sondern unser eigenes Bedürfnis unser Gefühl hervorruft. Wenn wir mit unseren Bedürfnissen in Kontakt sind, ob es jetzt Bestätigung, Sinnhaftigkeit oder Stille ist, dann sind wir mit unserer Lebensenergie verbunden. Wir mögen dann starke Gefühle haben, aber wir ärgern uns nicht. Dieser Ärger entsteht aus lebensentfremdenden Gedankenmustern, die von unseren Bedürfnissen abgetrennt sind. Sie zeigen uns, daß wir in unseren Kopf gegangen sind, um jemanden zu analysieren und zu verurteilen, anstatt unsere Aufmerksamkeit auf das zu richten, was wir brauchen und nicht bekommen.

Zusätzlich zur dritten Variante, uns mit unseren eigenen Bedürfnissen und Gefühlen zu beschäftigen, steht es uns jederzeit frei, das Licht unseres Bewußtseins auf die Gefühle und Bedürfnisse der *anderen* Person strahlen zu lassen. Wenn wir uns für diese vierte Wahlmöglichkeit entscheiden, werden wir uns ebenfalls niemals ärgern. Wir unterdrücken den Ärger nicht; wir merken, wie Ärger einfach nicht vorhanden ist in jedem Moment, den wir ganz präsent bei den Gefühlen und Bedürfnissen unserer Gesprächspartner sind.

Ärger hat immer einen lebensbejahenden Kern

„Aber", werde ich gefragt, „gibt es nicht Umstände, unter denen Ärger gerechtfertigt ist? Ruft nicht zum Beispiel rücksichtslose, fahrlässige Umweltverschmutzung nach ‚gerechter Empörung'?" Meine Antwort darauf lautet: Sobald ich die Überzeugung nähre, in welchem Ausmaß auch immer, daß es so et-

Wenn wir andere verurteilen, tragen wir zur Gewalt bei.

was *gibt* wie „rücksichtsloses Handeln" oder „pflichtbewußtes Handeln" oder einen „gierigen Menschen" oder einen „anständigen Menschen", dann trage ich zur Gewalt auf diesem Planeten bei. Daran glaube ich ganz fest. Statt sich darauf zu einigen oder auch nicht zu einigen, was Menschen *sind*, wenn sie morden, vergewaltigen oder die Umwelt verschmutzen, fördern wir meiner Meinung nach die lebensbejahenden Energien mehr, wenn wir unsere Aufmerksamkeit auf das lenken, was wir brauchen.

Ich verstehe jeden Ärger als Ergebnis einer lebensentfremdenden, Gewalt provozierenden Art zu denken. Im Kern jeden Ärgers findet sich ein Bedürfnis, das nicht erfüllt ist. So kann Ärger sehr wertvoll sein, wenn wir ihn als Wecker nehmen, der uns aufweckt – um zu realisieren, daß wir ein unerfülltes Bedürfnis haben und daß unsere Art zu denken dessen Erfüllung unwahrscheinlich macht. Um Ärger vollständig auszudrücken, brauchen wir ein klares Bewußtsein für unser Bedürfnis. Zusätzlich brauchen wir Energie, um unser Bedürfnis zufriedenzustellen. Der Ärger jedoch zieht uns Energie ab, indem er sie in Richtung „Leute bestrafen" statt „Bedürfnisse erfüllen" lenkt. Anstatt uns für „gerechte Empörung" einzusetzen, empfehle ich, daß wir uns mit unseren eigenen oder den Bedürfnissen anderer Menschen empathisch verbinden. Dazu mag intensives Üben notwendig sein, wo wir immer wieder ganz bewußt den Satz „Ich bin wütend, weil sie ..." ersetzen durch „Ich bin wütend, *weil ich ... brauche*".

Nimm den Ärger als einen Weckruf.

Ärger zieht uns Energie ab, indem er sie auf Strafaktionen umlenkt.

Mir wurde einmal eine bemerkenswerte Lektion zuteil, als ich mit Schülern in einem Heim für schwererziehbare Kinder in Wisconsin arbeitete. An zwei aufeinanderfolgenden Tagen wurde ich in auffällig ähnlicher Weise auf die Nase geschlagen. Beim ersten Mal landete ein Ellbogen hart auf meiner Nase, als ich in einen Kampf zwischen zwei Schülern eingriff. Ich war so erbost, daß ich mich nur mit Mühe davon abhalten konnte, zurückzuschlagen. Auf den Straßen von Detroit, wo ich aufgewachsen war, hatte es viel weniger gebraucht als einen Ellbogen auf der Nase, um einen Wutausbruch bei mir zu provozieren. Am zweiten Tag: ähnliche Situation, dieselbe Nase (also viel schmerzhafter), aber kein bißchen Ärger!

Als ich an diesem Abend über meine Erfahrungen intensiv nachdachte, erkannte ich, daß ich das erste Kind in Gedanken als „verzogenes Gör" bezeichnet hatte. Dieses Bild war schon in meinem Kopf, bevor der Ellbogen auch nur in die Nähe meiner Nase gekommen war, und als es dann passierte, war es nicht nur einfach ein Ellbogen auf meiner Nase. Es war: „Dieses unausstehliche Gör hat kein Recht, das zu tun!" Ich hatte auch ein Urteil über das andere Kind; ich betrachtete es als „bedauernswertes Wesen". Da ich dazu neigte, mir um dieses Kind Sorgen zu machen, empfand ich überhaupt keinen Ärger, obwohl meine

Nase am zweiten Tag viel stärker schmerzte und blutete. Es hätte keine wirkungsvollere Lektion für mich geben können, um zu verstehen, daß mein Ärger nicht durch die Handlungen anderer Menschen hervorgerufen wird, sondern durch die Bilder und Interpretationen in meinem eigenen Kopf.

Auslöser kontra Ursache: Praktische Auswirkungen

Ich betone die Unterscheidung zwischen Ursache und Auslöser aus praktischen, taktischen und auch aus philosophischen Gründen. Ich möchte diesen Punkt noch einmal verdeutlichen und kehre deshalb zu meinem Gespräch mit John, dem schwedischen Gefangenen, zurück.

John: „Vor drei Wochen habe ich bei der Gefängnisleitung einen Antrag eingereicht, und sie haben bis jetzt noch nicht darauf geantwortet."
MBR: „Als das passiert ist, waren Sie *weshalb* wütend?"
John: „Das habe ich Ihnen gerade gesagt. Sie haben auf meinen Antrag nicht reagiert!"
MBR: „Einen Moment. Anstatt zu sagen: ‚Ich habe mich geärgert, weil sie ....', machen Sie bitte eine kurze Pause und werden Sie sich bewußt, was Sie zu sich selbst sagen, das Sie so ärgerlich macht."
John: „Ich sage gar nichts zu mir selbst."
MBR: „Halt, machen Sie langsamer, hören Sie einfach auf das, was in Ihnen vorgeht."
John (denkt still nach und dann): „Ich sage zu mir, daß sie keinen Respekt vor Menschen haben; sie sind ein Haufen kalter, gesichtsloser Bürokraten, die sich um niemanden kümmern außer um sich selbst! Die sind wirklich ein Haufen ..."
MBR: „Danke, das ist genug. Jetzt wissen Sie, warum Sie sich ärgern – es kommt von dieser Art zu denken."
John: „Aber was stimmt nicht an dieser Art zu denken?"
MBR: „Ich sage nicht, daß mit dieser Art zu denken irgend etwas nicht stimmt. Fällt Ihnen auf, daß ich das gleiche Denkmuster hätte wie *Sie*, wenn ich sagen würde, es stimmt mit Ihnen etwas nicht, weil Sie so denken? Ich meine nicht, daß es *falsch* ist, Leute zu verurteilen, sie gesichtslose Bürokraten zu nennen oder ihre Handlungen als rücksichtslos und egoistisch zu bezeichnen. Wenn Sie jedoch so denken, dann macht Sie das sehr ärgerlich. Richten Sie Ihre Aufmerksamkeit auf Ihre Bedürfnisse: Was sind Ihre Bedürfnisse in dieser Situation?"

John (nach langem Schweigen): „Marshall, ich brauche die Weiterbildung, die ich beantragt habe. Wenn ich diese Weiterbildung nicht bekomme, dann – so wahr ich hier sitze – bin ich wieder in diesem Gefängnis, kaum daß ich draußen war."

MBR: „Wenn Sie jetzt mit Ihrer Aufmerksamkeit bei Ihren Bedürfnissen sind, wie fühlen Sie sich da?"

John: „Ich habe Angst".

MBR: „Versetzten Sie sich jetzt mal in jemanden von der Gefängnisverwaltung. Wenn ich ein Insasse bin, werden meine Bedürfnisse dann eher erfüllt, wenn ich zu Ihnen komme und sage: ‚Hallo, ich brauche diese Weiterbildung dringend, und ich habe Angst davor, was passieren wird, wenn ich sie nicht bekomme …' oder wenn ich auf Sie zugehe mit dem Bild eines gesichtslosen Bürokraten in mir? Auch wenn ich das nicht ausspreche, werden meine Augen zeigen, was ich denke. Auf welche Art werden meine Bedürfnisse eher erfüllt?"

Wenn wir uns unserer Bedürfnisse bewußt werden, dann macht der Ärger den lebensbejahenden Gefühlen Platz.

(John starrt schweigend auf den Boden.)

MBR: „Hallo, Kollege, was ist los?"

John: „Kann ich jetzt nicht drüber sprechen."

Drei Stunden später kam John zu mir und sagte: „Marshall, ich wünschte, Sie hätten mir das von heute morgen vor zwei Jahren beigebracht. Dann hätte ich meinen besten Freund nicht umbringen müssen."

Gewalt entsteht von dem Glauben, daß andere Menschen unsere Schmerzen verursachen und dafür Strafe verdienen.

Alle Gewalt ist das Ergebnis davon, daß Menschen wie dieser junge Gefangene auf das Denkmuster hereinfallen, daß ihr Schmerz von anderen Menschen herrührt und daß es diese Menschen konsequenterweise verdienen, bestraft zu werden.

Ich sah einmal meinen jüngeren Sohn ein Fünfzig-Cent-Stück aus dem Zimmer seiner Schwester nehmen. Ich sagte: „Brett, hast du deine Schwester gefragt, ob du das haben kannst?" „Ich habe es ihr nicht weggenommen", antwortete er. Ich rief mir meine vier Möglichkeiten ins Gedächtnis. Ich hätte ihn einen Lügner nennen können, was jedoch gegen meine Bedürfniserfüllung gearbeitet hätte, da jedes Urteil über eine andere Person die Wahrscheinlichkeit sinken läßt, daß sich unsere Bedürfnisse erfüllen. Es war entscheidend, worauf ich in diesem Augenblick meine Aufmerksamkeit richtete. Wenn ich ihn als Lügner verurteilte, geriet ich in eine Sackgasse. Wenn ich ihn so interpretierte, daß er mich nicht genügend respektierte, um mir die Wahrheit zu sagen, geriet ich in eine andere Sackgasse. Wenn ich mich in diesem Moment jedoch entweder auf ihn

Wir erinnern uns an die vier Reaktionsmöglichkeiten, wenn wir eine Aussage hören, die für uns schwierig ist:
1. Uns selbst die Schuld geben.
2. Anderen die Schuld geben.

einstimmte oder offen zur Sprache brachte, was ich fühlte und brauchte, dann würde ich die Chance, daß sich meine Bedürfnisse erfüllten, immens erhöhen.

> 3. Unsere eigenen Gefühle und Bedürfnisse wahrnehmen.
> 4. Die Gefühle und Bedürfnisse des anderen wahrnehmen.

Ich traf meine Wahl – die sich in dieser Situation als hilfreich herausstellte – und brachte sie nicht so sehr durch Worte zum Ausdruck, sondern durch das, was ich tat. Anstatt ihn als Lügner zu verurteilen, versuchte ich sein Gefühl herauszuhören: Er hatte Angst und sein Bedürfnis war, sich gegen Strafe zu schützen. Indem ich mich auf ihn einstimmte, hatte ich die Chance, einen emotionalen Kontakt herzustellen, aus dem heraus wir beide unsere Bedürfnisse zufriedenstellen konnten. Wenn ich jedoch mit der Auffassung, daß er log, auf ihn zugegangen wäre – auch wenn ich es nicht laut gesagt hätte – dann hätte er sich wahrscheinlich nicht sicher genug gefühlt, um ehrlich zu sagen, was vorgefallen war. Ich wäre dann Teil dieses Prozesses geworden: Dadurch, daß ich eine andere Person als Lügner verurteile, trage ich zu einer sich selbst erfüllenden Prophezeiung bei: Warum sollte jemand die Wahrheit sagen wollen, wenn er weiß, daß er dafür verurteilt und bestraft wird?

> Urteile über andere tragen zu selbst-erfüllenden Prophezeiungen bei.

Ich möchte zu bedenken geben, daß sich sehr wenige Menschen für unsere Bedürfnisse interessieren werden, wenn unser Kopf voll ist mit Urteilen und Analysen darüber, daß die anderen schlecht sind, gierig, unverantwortlich, unehrlich, betrügerisch, daß sie die Umwelt verschmutzen, weil ihnen der Profit wichtiger ist als das Leben, und daß sie sich überhaupt anders verhalten, als sie das tun sollten. Wenn wir die Umwelt schützen wollen, und wir gehen zu einem Geschäftsführer mit der Einstellung: „Wissen Sie was? Sie sind der Mörder dieses Planeten, und Sie haben kein Recht, das Land so zu mißbrauchen", dann haben wir unsere Chancen auf Bedürfniserfüllung erheblich verringert. Es gibt nur wenige Menschen, die mit ihrer Aufmerksamkeit auch dann bei unseren Bedürfnissen bleiben können, wenn wir sie auf dem Umweg über Vorwürfe an diese Menschen ausdrücken. Wir können natürlich in gewisser Weise mit Vorwürfen Erfolg haben, wenn wir sie als Einschüchterungsstrategie einsetzen, damit andere Leute unsere Bedürfnisse erfüllen. Wenn jemand sich so schuldig, beschämt oder verängstigt fühlt, daß er sein Verhalten ändert, dann läßt uns das vielleicht glauben, daß es möglich ist zu „gewinnen", indem wir anderen erklären, was mit ihnen nicht stimmt.

In einer erweiterten Sichtweise realisieren wir jedoch, daß wir letztendlich nicht nur jedesmal verlieren, wenn sich unsere Bedürfnisse auf diese Weise erfüllen, sondern daß wir auch auf ganz handfeste Weise zur Gewalt auf diesem Planeten beitragen. Wir mögen ein kurzfristiges Problem gelöst haben – haben aber dafür ein neues geschaffen. Je öfter Menschen Vorwürfe und Verurteilungen hören, desto defensiver und aggressiver werden sie und desto weniger werden sie sich in Zukunft um unsere Bedürfnisse kümmern. Selbst wenn also unser aktuelles Bedürfnis zufriedengestellt ist in dem Sinn, das jemand das tut, was wir wollen, dann werden wir später dafür bezahlen.

Vier Schritte, um Ärger auszudrücken

Schauen wir uns einmal an, was wir für den Prozeß, unseren Ärger vollständig auszudrücken, ganz konkret tun müssen. Der erste Schritt ist innehalten und nichts tun außer atmen. Wir halten uns von jeglicher Regung zurück, den anderen zu beschuldigen oder zu bestrafen. Wir bleiben einfach still. Dann finden wir heraus, welche Gedanken uns wütend machen. Wir hören z.B. innerlich noch einmal eine Bemerkung, die uns zu dem Glauben geführt hat, daß wir z.B. wegen unserer Nationalität von einem Gespräch ausgeschlossen worden sind. Wir nehmen unseren Ärger wahr, halten inne und erkennen die Gedanken, die in unserem Kopf herumschwirren: „Es ist unfair, sich so zu verhalten. Das ist ausländerfeindlich." Wir wissen jetzt, daß solche Urteile tragischer Ausdruck unerfüllter Bedürfnisse sind, und gehen also einen Schritt weiter, indem wir Kontakt aufnehmen mit den Bedürfnissen hinter diesen Gedanken. Wenn ich jemanden als ausländerfeindlich verurteile, dann ist mein Bedürfnis vielleicht Zugehörigkeit, Gleichstellung, Respekt oder Verbundenheit.

Die Schritte, um Ärger auszudrücken:
1. Innehalten. Atmen.
2. Unsere verurteilenden Gedanken identifizieren.
3. Kontakt mit unseren Bedürfnissen herstellen.
4. Unsere Gefühle und unerfüllten Bedürfnisse aussprechen.

Um uns vollständig zu artikulieren, machen wir jetzt den Mund auf und sprechen unseren Ärger aus – der jedoch in Bedürfnisse und die dazugehörigen Gefühle umgewandelt worden ist. Es kann sehr viel Mut erfordern, diese Gefühle auszusprechen. Es fällt mir leicht, mich über jemanden zu ärgern und zu sagen, „Was du da gemacht hast, war sehr ausländerfeindlich!" Es macht mir vielleicht sogar richtig Freude, so etwas zu sagen, aber zu den tieferen Gefühlen und Bedürfnissen hinter einer solchen Aussage zu kommen kann sehr beängstigend sein. Um unseren Ärger vollständig auszudrücken, können wir z.B. zu der Person sagen: „Als du hier hereingekommen bist und angefangen hast, dich mit den anderen zu unterhalten und zu mir gar nichts gesagt hast und dann diese Bemerkung über Einheimische gemacht hast, ist mir ganz schlecht geworden und ich habe richtig Angst gekriegt; da wurden bei mir alle möglichen Bedürfnisse angesprochen, die mit gleichberechtigtem Umgang zu tun haben. Kannst du mir bitte sagen, wie du dich fühlst, wenn ich das zu dir sage?"

Zuerst Empathie anbieten

In den meisten Fällen muß jedoch ein anderer Schritt vorgeschaltet werden, bevor wir erwarten können, daß der andere in Kontakt kommt mit dem, was in uns vorgeht. Weil es anderen Menschen oft schwerfallen wird, in solchen Situationen unsere Gefühle und Bedürfnisse aufzunehmen, ist es sinnvoll, daß wir uns zuerst auf sie einstimmen, wenn wir möchten, daß sie auch uns hören. Je mehr wir uns in die Gründe einfühlen, die bei den anderen dazu führen, daß sie sich so verhalten, daß unsere Bedürfnisse nicht zufriedengestellt werden, desto wahrscheinlicher ist es, daß es ihnen im Anschluß daran möglich sein wird, sich auf uns einzustimmen.

Im Verlauf der letzten dreißig Jahre habe ich reiche Erfahrungen mit Leuten sammeln können, die starke Überzeugungen zu bestimmten Rassen und ethnischen Gruppen pflegen. Eines Morgens stieg ich ganz früh in ein Sammeltaxi, das mich vom Flughafen in die Stadt brachte. Der Taxifahrer erhielt über Lautsprecher einen Ruf von seiner Zentrale: „Holen Sie Mr. Fisherman von der Synagoge in der Main Street ab." Der Mann neben mir murmelte: „Diese Kikes (Anm. d. Übers: „kike" ist ein sehr abfälliges Wort für Juden) stehen schon so früh auf, damit sie allen Leuten das Geld aus der Tasche ziehen können."

Je mehr wir sie hören, desto mehr werden sie uns hören.

Zwanzig Sekunden lang kam Rauch aus meinen Ohren, so kochte ich. In früheren Jahren wäre meine erste Reaktion die gewesen, so jemanden körperlich verletzen zu wollen. Jetzt atmete ich ein paarmal tief durch und gab mir dann selbst Empathie für die Verletzung, die Angst und die Wut, die mich aufwühlten. Ich wandte mich meinen Gefühlen zu. Ich blieb mir darüber bewußt, daß meine Wut weder von meinem Mitfahrer noch von seiner Äußerung kam. Sein Kommentar hatte zwar einen Vulkan in mir ausbrechen lassen, aber ich wußte, daß mein Ärger und meine massive Angst aus einer viel tieferen Quelle gespeist wurden als den Worten, die er gerade von sich gegeben hatte. Ich lehnte mich zurück und erlaubte einfach den gewalttätigen Gedanken, sich in meinem Kopf auszutoben. Ich freute mich sogar über die Vorstellung, seinen Kopf richtig zu packen und ihn zu zerschmettern.

Diese Selbst-Empathie machte es mir möglich, meine Aufmerksamkeit auf das Menschliche hinter seiner Aussage zu lenken, und meine ersten Worte waren dann: „Fühlen Sie sich ...?" Ich versuchte, mich in ihn einzufühlen, seinen Schmerz zu hören. Warum? Weil ich das Menschliche in ihm sehen wollte und auch wollte, daß er meine Erfahrungen nach seiner Bemerkung voll und ganz verstehen konnte. Ich wußte, daß ich dieses Verständnis nicht bekommen würde, wenn er innerlich aufgewühlt war. Meine

Bleiben wir mit unserem Bewußtsein bei den gewalttätigen Gedanken, die uns in den Kopf kommen, ohne ein Urteil zu fällen.

Absicht war, mit ihm in Kontakt zu kommen, und der lebendigen Energie hinter seinem Kommentar respektvolle Empathie zu geben. Meine Erfahrung sagte mir, wenn es mir gelingen würde, ihm Empathie zu geben, dann würde er mich im Gegenzug auch hören können. Es würde nicht einfach werden, aber es könnte gelingen.

„Sind Sie frustriert?" fragte ich. „Es hat den Anschein, als hätten Sie schlechte Erfahrungen mit Juden gemacht."

Er musterte mich einen Moment lang: „Ja! Diese Leute sind abscheulich, sie machen alles für Geld."

„Sind Sie mißtrauisch und möchten sich schützen, wenn Sie finanzielle Angelegenheiten mit ihnen zu regeln haben?"

„Ja, so ist es!" rief er aus, und äußerte noch weitere Urteile, während ich auf seine Gefühle und Bedürfnisse hinter jedem einzelnen Urteil hörte. Wenn wir mit unserer Aufmerksamkeit die Gefühle und Bedürfnisse anderer Menschen unterstützen, erleben wir die Menschlichkeit, die wir gemeinsam haben. Wenn ich höre, daß er Angst hat und sich schützen möchte, dann merke ich, daß ich auch ein Schutzbedürfnis habe, und ich weiß auch, wie es ist, Angst zu haben. Wenn mein Bewußtsein auf die Gefühle und Bedürfnisse eines anderen menschlichen Wesens fokussiert ist, dann erkenne ich die Allgemeingültigkeit unserer Erfahrungen. Ich hatte einen großen Konflikt mit dem, was in seinem Kopf vorging, aber ich weiß bereits, daß ich mehr Freude an anderen Menschen habe, wenn ich nicht auf das höre, was sie denken. Besonders im Kontakt mit Leuten, die so denken wie er, kann ich das Leben viel besser genießen, wenn ich nur auf das höre, was in ihren Herzen vorgeht und mich nicht mit dem Zeug in ihren Köpfen verstricke.

Wenn wir die Bedürfnisse und Gefühle des anderen hören, dann erkennen wir die Menschlichkeit, die wir gemeinsam haben.

Dieser Mann ließ weiter seine Traurigkeit und seine Frustration heraus. Bevor ich mich versah, war er fertig mit den Juden und machte weiter mit den Schwarzen. Zu einer Reihe von Themen hatte er sehr schmerzliche Gefühle. Nach fast zehn Minuten, in denen ich nur zuhörte, hörte er auf zu sprechen: Er fühlte sich verstanden.

Dann teilte ich ihm mit, was in mir vorging:

MBR: „Wissen Sie, als Sie Ihre erste Bemerkung gemacht haben, habe ich viel Wut, Traurigkeit und Entmutigung gespürt, weil ich mit Juden ganz andere Erfahrungen gemacht habe als Sie, und ich wünschte mir, daß Sie mehr die Art Erfahrungen gemacht hätten, die ich habe. Können Sie mir bitte sagen, was Sie mich haben sagen hören?"

Mann: „Na, ich sage doch nicht, daß sie alle ..."

MBR: „Entschuldigen Sie, halt, halt. Können Sie mir sagen, was Sie mich haben sagen hören?"

Mann: „Wovon reden Sie?"
MBR: „Lassen Sie mich wiederholen, was ich sagen möchte. Ich möchte sehr gerne, daß Sie einfach den Schmerz hören, den ich gefühlt habe, als ich Ihre Worte hörte. Es ist wirklich wichtig für mich, daß Sie das hören. Ich habe gesagt, daß ich mich traurig gefühlt habe, weil meine Erfahrungen mit Juden ganz andere sind. Ich habe mir einfach gewünscht, daß Sie auch Erfahrungen gemacht hätten, die anders waren als die, die Sie beschrieben haben. Können Sie mir sagen, was Sie mich haben sagen hören?"
Mann: „Sie sagten, daß ich nicht das Recht habe, das zu sagen, was ich gesagt habe."
MBR: „Nein, bitte hören Sie genau hin. Ich möchte Ihnen wirklich keine Vorwürfe machen. Ich habe nicht den geringsten Wunsch, Ihnen Vorwürfe zu machen."

Wir haben das Bedürfnis, daß der andere unseren Schmerz wirklich hört.

Ich wollte das Gespräch langsamer werden lassen, denn nach meiner Erfahrung haben Leute, die Vorwürfe hören – wie stark auch immer –, unseren Schmerz nicht wahrgenommen. Wenn der Mann gesagt hätte: „Das war schrecklich, was ich da gesagt habe; das waren rassistische Äußerungen", hätte er meinen Schmerz genauso nicht gehört. Sobald jemand denkt, er hätte etwas falsch gemacht, wird er unseren Schmerz nicht richtig aufnehmen können.

Ich wollte nicht, daß er Vorwürfe hört, denn ich wollte gerne, daß er erfuhr, was in meinem Herzen los war, als er seine Bemerkung machte. Vorwürfe machen ist einfach. Die Leute sind es gewöhnt Vorwürfe zu hören; manchmal stimmen sie zu und hassen sich selbst – was sie nicht davon abhält, sich weiterhin so zu verhalten wie vorher, und manchmal hassen sie uns, weil wir sie Rassisten oder sonstwas schimpfen – was sie auch nicht von ihrem Verhalten abbringt. Wenn wir merken – so wie ich bei meinem Gesprächspartner –, daß sich Vorwürfe in den Kopf einschleichen, müssen wir vielleicht etwas langsamer werden, zurückgehen und dem Schmerz noch ein bißchen länger zuhören.

Andere Menschen hören unseren Schmerz nicht, wenn sie glauben, sie hätten einen Fehler gemacht.

Wir nehmen uns Zeit

Wenn wir lernen, den bislang beschriebenen Prozeß zu leben, dann ist vielleicht das Wichtigste daran, daß wir lernen, uns Zeit zu nehmen. Wir fühlen uns anfangs vielleicht ganz unbeholfen dabei, wenn wir die vertrauten Pfade unserer automatischen Verhaltensweisen und Ausdrucksformen verlassen. Wenn wir es jedoch tun, weil wir unser Leben im Einklang mit unseren Werten leben möchten, dann sind wir sicher bereit, uns Zeit für den Umwandlungsprozeß zu nehmen.

Einer meiner Freunde, Sam Williams, schrieb sich die Grundelemente dieses Modells auf eine kleine Karte, die er als „Spickzettel" bei der Arbeit benutzte. Wenn sein Chef ihn mit etwas konfrontierte, hielt Sam inne, schaute auf die Karte in seiner Hand und nahm sich die Zeit, sich ins Gedächtnis zu rufen, wie er antworten wollte. Als ich ihn fragte, ob ihn seine Kollegen nicht ein bißchen komisch fänden, wenn er immer auf seine Hand starrte und soviel Zeit brauchte, um einen Satz zusammenzubringen, erwiderte Sam: „Es dauert noch nicht mal soviel länger, aber auch wenn es so wäre, ist es mir das wert. Es ist mir wichtig, sicherzugehen, daß ich so auf Leute reagiere, wie ich es wirklich möchte." Zu Hause ging er offener damit um und erklärte seiner Frau und seinen Kindern, warum er Zeit und Mühe aufwandte, um seine Karte zu befragen. Immer wenn es einen Streit in der Familie gab, nahm er seine Karte heraus und nahm sich Zeit. Nach etwa einem Monat fühlte er sich sicher genug sie wegzulegen. Dann hatten er und der vierjährige Scottie eines Abends eine Auseinandersetzung über das Fernsehen. Es lief nicht gut. „Papa", sagte Scottie eindringlich, „hol deine Karte!"

Für diejenigen von Ihnen, die die GFK auch in herausfordernden Situationen, wie dem Umgang mit Ärger, anwenden möchten, schlage ich eine Übung vor. Wie wir gesehen haben, kommt unser Ärger über andere von Urteilen, Festlegungen und vorwurfsvollen Gedanken darüber, was Leute tun „sollten" und was sie „verdienen". Schreiben Sie die Urteile auf, die am häufigsten durch Ihren Kopf wandern, und nehmen Sie dabei folgenden Satz zu Hilfe: „Ich mag Menschen nicht, die ... sind." Sammeln Sie all diese negativen Urteile in Ihrem Kopf und fragen Sie sich: „Wenn ich dieses Urteil fälle, was brauche ich dann und was bekomme ich nicht?" So polen Sie allmählich Ihr Denken um in Richtung unerfüllte Bedürfnisse und weg von Urteilen über andere Menschen.

Üben Sie, jedes Urteil in ein unerfülltes Bedürfnis zu übersetzen.

Übung ist absolut notwendig, da die meisten von uns mit mehr oder weniger Gewalt aufgewachsen sind. Andere zu verurteilen und ihnen Vorwürfe zu machen ist uns zur zweiten Natur geworden. Um die GFK zu üben, müssen wir langsam vorgehen, sorgfältig überlegen, bevor wir sprechen, und oft auch nur einen tiefen Atemzug nehmen und gar nichts sagen. Den Prozeß zu erlernen und ihn anzuwenden braucht beides seine Zeit.

Nimm dir Zeit.

Zusammenfassung

Anderen Vorwürfe zu machen und sie zu bestrafen sind oberflächliche Ausdrucksformen von Ärger. Wenn wir unseren Ärger vollständig ausdrücken möchten, ist der erste Schritt der, daß wir die andere Person von jeglicher Verantwortung für unseren Ärger loslösen. Das Aussprechen unserer Bedürfnisse führt viel wahrscheinlicher zu ihrer Erfüllung, als wenn wir andere verurteilen, sie beschuldigen oder bestrafen.

In den folgenden vier Schritten können wir unseren Ärger zum Ausdruck bringen: 1. innehalten und atmen; 2. unsere verurteilenden Gedanken feststellen; 3. mit unseren Bedürfnissen in Kontakt kommen und 4. unsere Gefühle und unerfüllten Bedürfnisse aussprechen. Manchmal entscheiden wir uns vielleicht dafür, unseren Gesprächspartnern zwischen dem dritten und vierten Schritt Empathie zu geben, damit sie offener für uns sind, wenn wir uns im vierten Schritt dann verbal äußern.

Wir müssen uns Zeit dabei nehmen, den Prozeß der GFK zu lernen und anzuwenden.

Gewaltfreie Kommunikation in der Praxis: Ein Streitgespräch zwischen einem Vater und seinem heranwachsenden Sohn

> In dieser Situation hatte der fünfzehnjährige Bill ohne Erlaubnis von Jorge, einem Freund der Familie, dessen Auto genommen. Er machte mit zwei Freunden eine Spritztour und stellte den Wagen unbeschädigt wieder in der Garage ab; sein Verschwinden war gar nicht bemerkt worden. Dann jedoch erzählte Jorges vierzehnjährige Tochter Eva, die mitgefahren war, ihrem Vater, was sie gemacht hatten. Jorge informierte daraufhin Bills Vater, der jetzt mit seinem Sohn sprechen möchte. Der Vater war kürzlich erst auf einem GFK-Workshop.
>
> Vater: Ich habe gehört, du, Eva und Dave, ihr habt Jorges Auto genommen, ohne ihn zu fragen.
> Bill: Nein, haben wir nicht.
> Vater: *(Mit lauter Stimme.)* Lüg mich nicht an; das macht es nur noch schlimmer! *(Dann erinnert er sich daran, zuerst mit seinen eigenen Gefühlen und Bedürfnissen in Kontakt zu kommen, um in Verbindung mit seinem Sohn zu bleiben.)* Bleib mal einen Moment da sitzen; ich muß nachdenken. *(Geht nach innen und sieht, wie ärgerlich er ist und wie sehr er sich fürchtet. Er ärgert sich, weil er denkt: „Bill hätte es besser wissen sollen!" und: „Was ist er für ein Lügner geworden!" Es macht ihm angst, wenn er an die möglichen Folgen nicht nur von Bills Handlung denkt, sondern auch beim Gedanken an sein eigenes Fehlurteil über seinen Sohn. „Das war dumm von mir anzunehmen, er wüßte es besser." „Es hätte dabei je-*

mand zu Tode kommen können!" Er ertappt sich selbst: „Ups, ich muß die Urteile ‚dumm' und ‚Lügner' in Gefühle und Bedürfnisse übersetzen. Bei ‚dumm' nehme ich an, das Gefühl ist Enttäuschung über mich selbst: Ich würde gerne denken, daß ich ihn besser kenne. Und was ‚Lügner' betrifft, macht es mir ganz schön angst, weil ich sicher sein möchte, daß ich mich darauf verlassen kann, genau zu erfahren, was passiert ist, damit ich mit dieser Situation umgehen kann." Stille – während er sich durch den Kopf gehen läßt, wie er anfangen soll zu reden.)

Vater: Bill, hast du Angst davor, daß du bestraft wirst, wenn du mir sagst, was genau passiert ist?
Bill: Ja, du bist immer so gemein zu mir, wenn ich etwas tue, was dir nicht paßt.
Vater: Meinst du, daß du gerne mehr Verständnis hättest für das, was du machst, und auch eine fairere Behandlung?
Bill: Ja, klar, als ob ich von dir wirklich faire Behandlung und Verständnis erwarten könnte!
Vater: *(Still zu sich selbst: „Junge, wie werde ich wütend, wenn er das sagt! Sieht er nicht, wie sehr ich mich bemühe? Ich brauche wirklich ein bißchen Respekt dafür. Gerade weil es mir so schwerfällt; und ich glaube auch etwas Unterstützung, weil ich mich so fürchte.")* Hört sich für mich so an, als würdest du befürchten, daß es egal ist, was du sagst, weil du sowieso nicht fair behandelt wirst?
Bill: Was kümmerst du dich darum, ob du mich fair behandelst? Wenn irgendwas passiert, willst du einfach nur jemanden zum Abstrafen haben. Außerdem, was war denn schon? Auch wenn wir das Auto wirklich genommen haben, niemand wurde verletzt, und es ist wieder dort, wo es vorher war. Ich finde, das ist noch kein Kapitalverbrechen.
Vater: Hast du Angst vor harten Konsequenzen, wenn du zugibst, daß du das Auto genommen hast, und möchtest du gerne darauf vertrauen, daß du gerecht behandelt wirst?
Bill: Ja.
Vater: *(Gibt der Stille und der Verbindung mit seinem Sohn Zeit, sich zu vertiefen.)* Was könnte ich tun, um dir dieses Vertrauen zu geben?
Bill: Versprechen, daß du mich nie wieder bestrafst.
Vater: *(Da er sich bewußt ist, daß eine Strafe Bill nicht helfen wird, ein Bewußtsein über die möglichen Folgen seines eigenen Verhaltens zu entwickeln, sondern nur zu noch größerer Distanz und stärkerem Widerstand führen würde, drückt der Vater die Bereitschaft aus, Bills Bitte zuzustimmen.)* Ich bin offen für ein solches Versprechen, wenn du einverstanden bist, mit mir im Gespräch zu bleiben. Das heißt, wir reden so lange, bis ich zufrieden bin, daß du dir über alle möglichen Konsequenzen dieser Autofahrt im klaren bist. Dennoch, wenn ich in Zukunft nicht davon überzeugt bin, daß du die möglichen Gefahren deiner Vorhaben siehst, dann muß ich möglicherweise wieder ein Machtwort sprechen – aber nur um dich zu schützen.

Bill: Ja, toll! Es ist wirklich ein Supergefühl zu wissen, daß ich so dumm bin, daß du deine Macht demonstrieren mußt, um mich vor mir selbst zu schützen!

Vater: *(Verliert den Kontakt mit seinen Bedürfnissen, sagt still: „Mannomann, manchmal könnte ich ihn einfach umbringen, den kleinen ... Ich bin so sauer, wenn er so was sagt! Es sieht wirklich nicht so aus, als ob er sich überhaupt Gedanken macht ... Verdammt noch mal, was brauche ich jetzt? Wenn ich mich so sehr bemühe, dann möchte ich wissen, ob das für ihn überhaupt eine Bedeutung hat.)*
(Laut und ärgerlich.) Weißt du, Bill, wenn du so etwas sagst, dann reicht es mir wirklich. Ich gebe mir soviel Mühe, an der Sache dranzubleiben mit dir, und wenn ich so etwas höre ... Schau mal, mir ist es wichtig, von dir zu erfahren, ob du überhaupt noch weiter mit mir sprechen willst.

Bill: Ist mir doch egal.

Vater: Bill, ich möchte dir wirklich gerne zuhören, statt wieder in meine alten Gewohnheiten zu verfallen und dir Vorwürfe zu machen und zu drohen, wenn mich etwas aufregt. Aber wenn ich dich so was sagen höre wie: „Es ist ein tolles Gefühl zu wissen, wie dumm ich bin", in dem Ton, wie du das gerade gesagt hast, dann fällt es mir sehr schwer, an mich zu halten. Ich könnte deine Hilfe gebrauchen. Ist es dir also lieber, wenn ich dir zuhöre, anstatt dir Vorwürfe zu machen oder dir zu drohen? Oder falls nicht, dann ist die andere Möglichkeit wohl die, daß ich das alles einfach so handhabe wie immer.

Bill: Und wie wäre das?

Vater: Naja, dann würde ich jetzt wahrscheinlich sagen: „Hey, du wirst zwei Jahre lang geschliffen: kein Fernsehen, kein Auto, kein Geld, keine Verabredungen, kein gar nichts!"

Bill: Also ich glaube, dann wäre mir die neue Art lieber.

Vater: *(Mit Humor.)* Es freut mich, daß dein Selbsterhaltungstrieb noch intakt ist. Mir ist es jetzt wichtig, daß du mir sagst, ob du bereit bist, daß wir uns ehrlich und verletzlich begegnen.

Bill: Was meinst du mit „verletzlich"?

Vater: Das bedeutet, daß du mir sagst, was du wirklich empfindest bei den Sachen, über die wir sprechen, und ich erzähle dir das dann auch von mir. *(Mit fester Stimme.)* Magst du das machen?

Bill: O.k., ich werde es versuchen.

Vater: *(Mit einem Seufzer der Erleichterung.)* Danke. Ich bin dankbar für deine Bereitschaft, es auszuprobieren. Habe ich dir schon erzählt, Jorge hat Eva drei Monate Hausarrest gegeben, sie darf überhaupt nichts machen. Wie geht es dir, wenn du das hörst?

Bill: Oh, Mann, was ein Hammer, das ist so unfair!

Vater: Ich würde gerne hören, wie du dich wirklich fühlst.

Bill: Das habe ich dir gesagt – es ist total unfair!

Vater: *(Merkt, daß Bill keinen Kontakt zu seinem Gefühl hat, beschließt zu raten.)* Bist du traurig, daß sie so schwer für ihren Fehler bezahlen muß?

Bill: Nein, das ist es nicht. Ich meine, das war nicht wirklich ihr Fehler.

Vater: Ach so, empört es dich, daß sie für etwas bezahlt, das du eigentlich ausgeheckt hast?
Bill: Naja, ja, sie hat einfach nur getan, was ich ihr gesagt habe.
Vater: Das klingt mir so, als würde es dir innerlich weh tun, wenn du siehst, welche Auswirkung deine Entscheidung auf Eva hat.
Bill: So ungefähr.
Vater: Billy, es ist mir wirklich wichtig zu erfahren, ob du verstehen kannst, welche Auswirkungen deine Handlungen haben.
Bill: Naja, ich habe nicht daran gedacht, was schieflaufen könnte. Ja, ich habe es wohl total vermasselt.
Vater: Mir wäre es lieber, wenn du es als etwas betrachten würdest, das sich nicht so entwickelt hat, wie du es wolltest. Und ich brauche immer noch die Versicherung, daß du dir über die Konsequenzen im klaren bist. Würdest du mir sagen, welches Gefühl du jetzt zu der Sache hast?
Bill: Ich fühle mich ganz blöd, Papa ... ich wollte niemanden verletzen.
Vater: *(Übersetzt Bills Urteile über sich selbst in Gefühle und Bedürfnisse.)* Du bist also traurig über das, was du getan hast, weil du gerne möchtest, daß man dir vertraut, daß du keinen Schaden anrichtest?
Bill: Ja, ich wollte nicht, daß so viele Schwierigkeiten daraus entstehen. Ich habe einfach nicht darüber nachgedacht.
Vater: Meinst du, daß du dir wünschst, du hättest mehr darüber nachgedacht und mehr Klarheit gewonnen, bevor du gehandelt hast?
Bill: *(Denkt nach.)* Ja ...
Vater: Es beruhigt mich, das zu hören. Damit es auch mit Jorge wieder gut wird, möchte ich dich bitten, zu ihm zu gehen und ihm das zu sagen, was du mir gerade gesagt hast. Wärst du bereit, das zu tun?
Bill: Oh, Mann, das macht mir angst; er wird sicher ausflippen!
Vater: Ja, das wird er wahrscheinlich. Das ist eine der Konsequenzen. Bist du bereit, die Verantwortung für deine Handlungen zu übernehmen? Ich habe Jorge gern, und ich möchte ihn als Freund behalten, und ich nehme mal an, du möchtest auch gerne mit Eva befreundet bleiben. Ist das so?
Bill: Sie ist eine meiner besten Freundinnen.
Vater: Sollen wir also zu ihnen gehen?
Bill: *(Ängstlich und widerstrebend.)* Naja ... o.k. Ja, gehen wir.
Vater: Hast du Angst und möchtest gerne wissen, daß dir nichts passiert, wenn du zu ihm gehst?
Bill: Ja.
Vater: Wir gehen zusammen: Ich bin für dich da und bei dir. Ich bin wirklich stolz, daß du es machen willst.

11 Die beschützende Anwendung von Macht

Wenn die Anwendung von Macht unumgänglich ist

Wenn von zwei streitenden Parteien jede die Gelegenheit hatte, vollständig auszudrücken, was sie beobachtet, fühlt, braucht und erbittet, und jede der anderen Seite Empathie gegeben hat, dann kann normalerweise eine Lösung gefunden werden, die die Bedürfnisse beider Seiten erfüllt. Zumindest können beide im gegenseitigen Einvernehmen zustimmen, daß sie sich nicht einigen können. Doch in manchen Fällen ist ein solcher Dialog nicht möglich. Dann kann sich die Ausübung von Macht als notwendig erweisen, um Leben zu schützen oder auch für die Rechte Einzelner einzutreten. Es kann zum Beispiel vorkommen, daß eine Seite nicht bereit ist zu kommunizieren oder daß wegen einer drohenden Gefahr für ein Gespräch keine Zeit mehr ist. In solchen Situationen kann es sinnvoll sein, Macht auszuüben. Wenn wir diese Wahl getroffen haben, legt uns die GFK nahe, zwischen beschützender und bestrafender Anwendung von Macht zu unterscheiden.

Die Einstellung hinter der Machtanwendung

Die beschützende Anwendung von Macht hat zum Ziel, Verletzung oder Ungerechtigkeit zu verhindern. Die Absicht der bestrafenden Machtausübung ist es, Menschen für ihre scheinbaren Missetaten leiden zu lassen. Wenn wir ein Kind, das gerade auf die Straße rennt, zurückhalten, weil wir es vor Verletzungen schützen wollen, wenden wir beschützende Macht an. Zur bestrafenden Machtausübung hingegen gehört oft ein körperlicher oder seelischer Angriff, wie z.B. dem Kind eine Tracht Prügel zu geben oder es zu tadeln: „Wie konntest du nur so dumm sein! Du solltest dich schämen!"

Zwei Arten der Macht: beschützend und bestrafend.

Wenn wir Macht als Schutz einsetzen, richten wir unsere Aufmerksamkeit auf das Leben oder die Rechte, die wir schützen wollen, ohne über eine Person oder ihr Verhalten ein Urteil abzugeben. Weder beschuldigen noch verurteilen wir das Kind, das auf die Straße läuft; unsere Gedanken richten sich einzig und allein auf den Schutz des Kindes vor Gefahr. (Wie diese Art der Macht in sozialen und politischen Konflikten ausgeübt werden kann, lesen Sie in Robert Irwins Buch „Nonviolent Social Defense".) Die beschützende Machtanwendung geht davon aus, daß Leute aus Unwissenheit selbstverletzend handeln können. Das korrigierende Ein-

Das Ziel der beschützenden Anwendung von Macht ist einzig zu schützen – weder zu bestrafen noch zu beschuldigen oder zu verurteilen.

greifen hat daher einen bildenden Charakter und keinen bestrafenden. Zu dieser Unwissenheit gehören a) ein Mangel an Bewußtheit über die Konsequenzen unserer Handlungen, b) Unwissen darüber, wie wir unsere Bedürfnisse zufriedenstellen können, ohne andere dabei zu verletzen, c) der Glaube, wir hätten das „Recht", andere zu bestrafen oder ihnen weh zu tun, weil sie es „verdienen", und d) Wahnvorstellungen, wie z.B: eine Stimme „hören", die uns befiehlt, jemanden umzubringen.

Strafaktionen basieren dagegen auf dem Gedankenmuster, daß Menschen Straftaten begehen, weil sie schlecht oder böse sind, und um das zu ändern, muß man sie zur Reue bewegen. Ihre „Besserung" wird durch Strafaktionen angestrebt, mittels derer man sie erst so lange leiden läßt, bis sie die Verfehlung ihres Tuns erkennen, damit sie daraufhin bereuen und sich verändern. In der Praxis jedoch führt eine Strafaktion mit großer Wahrscheinlichkeit zu Abwehr und Feindseligkeit und zu einer Verstärkung des Widerstands gerade gegen das Verhalten, das wir als wünschenswert ansehen.

Verschiedene Arten bestrafender Macht

Körperliche Bestrafung wie Schlagen ist eine der Möglichkeiten strafender Machtausübung. Ich habe festgestellt, daß das Thema körperliche Züchtigung starke Gefühle bei Eltern hervorruft. Manche verteidigen diese Praxis hartnäckig und berufen sich dabei auch auf die Bibel: „Sparst du an der Peitsche, verdirbst du das Kind." Weil Eltern ihren Kinder nicht mehr den Hintern versohlen, ufert die Kriminalität völlig aus. Diese Eltern sind überzeugt, daß eine Tracht Prügel ihre Liebe zu den Kindern demonstriert, weil sie ihnen damit klare Grenzen setzen. Andere Eltern wiederum bestehen darauf, daß Schlagen lieblos und unwirksam ist, weil es die Kinder lehrt, daß sie immer auf körperliche Gewalt zurückgreifen können, wenn etwas anderes nicht funktioniert.

Angst vor Schlägen hindert Kinder daran, das Mitgefühl, das den elterlichen Anweisungen zugrunde liegt, wahrzunehmen.

Ich persönlich habe Bedenken, daß die Angst der Kinder vor körperlicher Strafe sie nicht erkennen läßt, daß Mitgefühl den Anweisungen der Eltern zugrundeliegt. Ich höre oft von Eltern, daß sie bestrafende Macht einsetzen „müssen", weil sie keine andere Möglichkeit sehen, ihre Kinder dazu zu bringen, das zu tun „was gut ist für sie". Sie nähren ihre Meinung mit Geschichten von Kindern, die ihren Dank ausdrückten weil sie sich nach einer Bestrafung wie „neugeboren" fühlen. Da ich selbst vier Kinder großgezogen habe, habe ich tiefes Verständnis für die täglichen Herausforderungen, denen sich die Eltern stellen müssen, wenn sie ihre Kinder erziehen und dafür sorgen wollen, daß ihnen nichts passiert. Das mindert jedoch nicht meine Bedenken bezüglich körperlicher Strafen.

Zum einen frage ich mich, ob sich die Leute, die den Erfolg solcher Strafen verkünden, über die unzähligen Situationen im klaren sind, in denen sich Kinder genau gegen das wenden, was vielleicht gut für sie ist, einfach weil sie die Wahl getroffen haben, zu kämpfen, statt sich dem Zwang zu beugen. Zum anderen bedeutet die Tatsache, daß man mit Schlägen ein Kind beeinflussen kann, nicht, daß nicht andere Methoden der Einflußnahme genausogut funktionieren. Außerdem teile ich die Sorgen vieler Eltern, was die sozialen Konsequenzen körperlicher Bestrafung angeht. Wenn Eltern dafür eintreten, strafende Macht anzuwenden, gewinnen sie vielleicht den Kampf darum, daß die Kinder tun, was ihre Eltern wollen – aber wird dann nicht eine soziale Norm gepflegt und weitergegeben, die Gewalt als Mittel zur Konfliktlösung rechtfertigt?

Zusätzlich zur körperlichen Strafe gibt es auch noch andere Formen von Machtausübung, die ebenfalls strafend sind, wie z.B. einen anderen Menschen abzuwerten, indem man ihm Vorwürfe macht: Eltern können ihr Kind als „falsch" oder „selbstsüchtig" oder „unreif" abstempeln, wenn es sich nicht in einer bestimmten Weise verhält. Eine andere Art strafender Macht ist das Einschränken von Vergünstigungen, wie z.B. die Kürzung des Taschengeldes oder das Autofahren weniger zu erlauben. Bei dieser Art der Bestrafung stellt die Schmälerung von Zuwendung und Respekt eine der wirkungsvollsten Bedrohungen überhaupt dar.

Verurteilendes Abstempeln und das Einschränken von Vergünstigungen gehören auch zu den Strafen.

Strafen haben ihren Preis

Wenn wir uns darauf einlassen, etwas nur zu tun, um einer Strafe zu entgehen, wird unsere Aufmerksamkeit vom Sinn der Handlung selbst abgelenkt. Statt dessen konzentrieren wir uns auf die möglichen Konsequenzen, die eintreten können, wenn wir diese Handlung verweigern. Wenn man einen Arbeiter mit der Angst vor Strafe „motiviert", dann wird zwar die Arbeit gemacht, aber die innere Kraft leidet; und so wird früher oder später die Produktivität nachlassen. Auch das Selbstwertgefühl leidet, wenn Strafe droht. Wenn Kinder ihre Zähne deshalb putzen, weil sie Angst davor haben, beschuldigt und lächerlich gemacht zu werden, dann verbessert sich vielleicht ihre Zahngesundheit, aber ihr Selbstvertrauen bekommt immer mehr Löcher. Dar-

Wenn wir Angst vor Strafe haben, sind wir mit unserer Aufmerksamkeit bei den Konsequenzen, nicht bei unseren eigenen Werten.

über hinaus kostet Bestrafung, wie wir alle wissen, sehr viel Wohlwollen. Je mehr wir als Agenten einer Strafinstanz angesehen werden, desto schwerer wird es für die anderen, einfühlsam auf unsere Bedürfnisse zu reagieren.

Ich besuchte einmal einen Freund, einen Schulleiter, in seinem Büro. Durch das Fenster sah er gerade, wie ein großes Kind auf ein kleineres einschlug. „Entschuldige", sagte er, als er aufsprang und zum Spielplatz lief. Er packte das größere Kind, gab ihm eine Ohrfeige und schimpfte: „Ich werde dich lehren, daß man die Kleineren nicht schlägt!" Als er wieder zurückkam, sagte ich beiläufig: „Ich glaube nicht, daß du dem Kind das beigebracht hast, was du wolltest. Ich habe den Verdacht, daß es statt dessen gelernt hat, nicht die Kleineren zu schlagen wenn jemand, der stärker ist – wie zum Beispiel der Direktor –, zuschaut! Außerdem hast du vielleicht noch seine Meinung bekräftigt, daß man andere schlagen muß, wenn man etwas von ihnen will."

In solchen Situationen empfehle ich, zuerst dem Kind Empathie zu geben, das sich gewalttätig verhalten hat. Wenn ich z.B. ein Kind sehe, das jemanden schlägt, nachdem es beschimpft worden ist, kann ich mich folgendermaßen einfühlen: „Ich habe den Eindruck, daß du dich ärgerst, weil du gerne mit mehr Respekt behandelt werden möchtest." Wenn meine Vermutung richtig war und das Kind mir das bestätigt, dann würde ich meine eigenen Gefühle, Bedürfnisse und Bitten in dieser Situation zum Ausdruck bringen, jedoch ohne ihm Vorwürfe unterzujubeln: „Ich bin traurig, weil ich gerne hätte, daß wir Wege finden, Respekt zu bekommen, ohne aus anderen Leuten Feinde zu machen. Sag mir doch bitte, ob du gemeinsam mit mir andere Möglichkeiten herausfinden magst, wie du den Respekt bekommen kannst, den du haben möchtest."

Zwei Fragen, die deutlich machen: Strafen haben ihre Grenzen

Zwei Fragen helfen uns zu verstehen, warum es so unwahrscheinlich ist, daß wir das bekommen, was wir brauchen, wenn wir mit Strafen das Verhalten anderer Menschen verändern wollen. Die erste Frage lautet: *Was hätte ich gerne, daß diese Person tut im Gegensatz zu dem, was sie im Augenblick gerade macht?* Wenn wir nur diese erste Frage stellen, dann kommt uns Strafe vielleicht wirkungsvoll vor, weil die Androhung oder Ausübung von strafender Macht das Verhalten eines Menschen sehr wohl beeinflussen kann. Mit der zweiten Frage wird jedoch deutlich, daß Bestrafung nicht funktionieren wird: *Aus welchen Gründen hätte ich gern, daß die Person das macht, worum ich sie bitte?*

Frage 1: Was hätte ich gern, das dieser Mensch tut? Frage 2: Aus welchen Gründen hätte ich gern, daß er es tut?

Wir stellen uns selten die zweite Frage, aber wenn wir es tun, dann merken wir schnell, daß sich Strafe und Belohnung der Fähigkeit unserer Gesprächspartner in den Weg stellen, Dinge aus den Gründen zu tun, die uns wichtig sind. Ich glaube, daß es entscheidend ist, sich der Wichtigkeit der Beweggründe bewußt zu sein, weshalb jemand das tut, worum wir ihn oder sie gebeten haben. Wenn wir z.B. gerne möchten, daß die Kinder ihre Zimmer aufräumen, weil sie entweder den Wunsch nach Ordnung haben oder zur Freude ihrer Eltern über die Ordnung beitragen wollen, dann liegt es auf der Hand, daß Vorwürfe und Strafen keine effektiven Strategien dafür sind. Oft räumen Kinder ihr Zimmer auf, weil sie sich der Autorität beugen („Weil es meine Mutter gesagt hat"), weil sie Angst vor Strafe haben oder Angst davor, daß sich ihre Eltern aufregen und sie abgelehnt werden.

Die GFK fördert dagegen eine Dimension der ethischen Entwicklung, die auf Autonomie und gegenseitiger Rücksichtnahme basiert, in der wir die Verantwortung für unsere eigenen Handlungen übernehmen und in der uns bewußt ist, daß unser eigenes Wohlergehen und das Wohlergehen anderer Menschen ein und dasselbe sind.

Die beschützende Ausübung von Macht in Schulen

Ich möchte gerne davon erzählen, wie ich mit einigen Schülern die beschützende Machtausübung eingesetzt habe, um Ordnung in eine chaotische Situation an einer alternativen Schule zu bringen. Diese Schule war für Schüler da, die die Schule abgebrochen hatten oder vom regulären Unterricht ausgeschlossen worden waren. Die Schulverwaltung und ich hofften demonstrieren zu können, daß es einer Schule auf der Basis der GFK möglich ist, solche Schüler zu erreichen. Meine Arbeit bestand darin, die Lehrer in GFK zu trainieren und ihnen ein Jahr lang als Berater zur Seite zu stehen. Es standen mir nur vier Tage zur Verfügung, um das Kollegium vorzubereiten. Diese Zeit war für mich zu kurz, um den Unterschied zwischen GFK und „Laissez-faire" ausreichend zu klären. Das Ergebnis war, daß einige Lehrer Konfliktsituationen oder störendes Verhalten einfach ignorierten, anstatt einzugreifen. Bedrängt von wachsendem Chaos stand die Verwaltung kurz davor, die Schule zu schließen. Als ich darum bat, mit den Schülern zu sprechen, die am meisten zu dem Durcheinander beigetragen hatten, wählte der Direktor acht Jungen zwischen elf und vierzehn Jahren aus, die sich mit mir zusammensetzen sollten. Es folgen Ausschnitte der Gespräche, die ich mit den Schülern führte.

MBR (*Ich äußere meine Gefühle und Bedürfnisse, ohne bohrende Fragen zu stellen.*): Ich bin sehr irritiert über die Berichte der Lehrer, daß hier in vielen Klassen alles drunter und drüber geht. Mir liegt wirklich viel daran, daß diese Schu-

le ein Erfolg wird. Ich hoffe, daß ihr mir helfen könnt, die Probleme hier zu verstehen und sie in den Griff zu kriegen.
Will: Die Lehrer hier an der Schule – alles Deppen, Mann!
MBR: Willst du sagen, Will, daß du empört bist über die Lehrer und gerne möchtest, daß sie einiges von dem, was sie tun, verändern?
Will: Nein, Mann, das sind alles Deppen, weil sie einfach nur rumstehen und gar nichts machen.
MBR: Meinst du damit, daß du empört bist, weil du gerne hättest, daß sie sich mehr engagieren, wenn es Probleme gibt? *(Das ist ein zweiter Versuch, seinen Gefühlen und Bedürfnissen auf die Spur zu kommen.)*

Will: Ja, das stimmt, Mann. Egal, was irgendwer macht, sie stehen einfach nur da und grinsen wie die Deppen.
MBR: Kannst du mir bitte ein Beispiel dafür geben, wie die Lehrer „nichts" tun?
Will: Na klar. Gerade heut' morgen spaziert so ein Typ rein mit einer Flasche Schnaps in seiner Hosentasche, sonnenklar. Alle sehen es; die Lehrerin, sie sieht es, aber sie guckt in die andere Richtung.
MBR: Das hört sich für mich so an, daß du keinen Respekt vor den Lehrern hast, wenn sie herumstehen und nichts tun. Du möchtest gerne, daß sie etwas tun. *(Das ist ein weiterer Versuch, das Ganze zu verstehen.)*
Will: Ja.
MBR: Mich enttäuscht das, weil ich gerne möchte, daß es den Lehrern gelingt, sich mit den Schülern auseinanderzusetzen, aber das klingt so, als wäre es mir nicht gelungen, ihnen das so zu zeigen, wie ich es ihnen eigentlich zeigen wollte.

Die Diskussion wendet sich jetzt einem besonders dringenden Problem zu, das immer dann auftritt, wenn Schüler, die im Unterricht nicht mitarbeiten wollen, diejenigen stören, die mitarbeiten wollen.

MBR: Ich möchte unbedingt versuchen, dieses Problem zu lösen, weil die Lehrer mir gesagt haben, daß sie das am meisten stört. Ich würde mich freuen, wenn ihr zu dem Thema Ideen habt und sie mitteilt.
Joe: Der Lehrer muß sich den „Schülerstock" zulegen *(ein mit Leder bezogener Stock, den manche Schulleiter in St. Louis benutzten, um Schüler damit zu schlagen).*

MBR: Du sagst also, Joe, die Lehrer sollen die Schüler schlagen, wenn sie andere stören?
Joe: Nur so kann man die Schüler davon abhalten, Unsinn zu machen.
MBR: Du bezweifelst also, daß irgend etwas anderes auch wirken würde? *(Versuche immer noch, mit Joes Gefühlen in Kontakt zu kommen.)*
Joe: *(Nickt zustimmend.)*
MBR: Es entmutigt mich, wenn das die einzige Möglichkeit sein soll. Ich hasse es, Dinge so zu regeln, und möchte gerne Alternativen herausfinden.
Ed: Warum?
MBR: Verschiedene Gründe. Wenn ich euch z.B. mit dem Rohrstock davon abbringe, in der Schule Blödsinn zu machen, dann sagt mir doch mal, was passiert, wenn drei oder vier von denen, die ich geschlagen habe, draußen bei meinem Auto stehen, wenn ich nach Hause will.
Ed *(lächelt)*: Dann hast du besser einen Stock dabei, Mann!
MBR *(Mit dem sicheren Gefühl, daß ich Eds Äußerung verstanden habe und er das weiß, mache ich weiter, ohne zu paraphrasieren.)*: Genau das meine ich. Ich möchte gerne, daß ihr versteht, daß mir diese Art, Dinge zu regeln, nicht gefällt. Ich bin zu zerstreut, um immer daran zu denken, einen großen Stock bei mir zu haben, und auch wenn ich daran denken würde, hasse ich es, jemanden damit zu schlagen.
Ed: Man könnte die Schlimmsten rauswerfen.
MBR: Schlägst du vor, Ed, daß wir Schüler zeitweilig von der Schule ausschließen oder sie ganz verweisen sollen?
Ed: Ja.
MBR: Auch diese Idee entmutigt mich. Ich möchte gerne zeigen, daß es andere Möglichkeiten gibt, Meinungsverschiedenheiten in der Schule beizulegen als jemanden rauszuwerfen. Ich würde mich wie ein Versager fühlen, wenn das alles wäre, was wir auf die Beine gestellt haben.
Will: Wenn so ein Typ halt nichts tun will, wieso kann man ihn dann nicht in einen Nichtstun-Raum stecken?
MBR: Meinst du damit, Will, daß du gerne einen Raum hättest, wo man Leute hinschicken kann, damit sie die anderen Schüler nicht stören?
Will: Ja, genau. Hat doch keinen Sinn, daß sie in der Klasse sind, wenn sie nichts tun wollen.
MBR: Die Idee interessiert mich sehr. Ich würde gerne hören, wie du dir das vorstellst.
Will: Manchmal kommst du in die Schule und fühlst dich einfach grauenhaft: Du willst überhaupt nichts tun. Dann haben wir eben einen Raum, wo die Schüler hingehen können, bis sie wieder Lust haben, etwas zu tun.

MBR: Ich verstehe, was du sagst, aber ich kann mir vorstellen, daß die Lehrer sich Sorgen machen werden, ob die Schüler dann freiwillig in den Nichtstun-Raum gehen.
Will *(zuversichtlich)*: Das werden sie.

Ich sagte, daß ich mir vorstellen könnte, daß der Plan funktioniert, wenn wir klarmachen können, daß es nicht um Bestrafung geht, sondern darum, denjenigen einen Platz anzubieten, die im Moment nicht lernen können, und gleichzeitig denen eine Chance zu geben, die lernen wollen. Ich gab auch zu bedenken, daß ein Nichtstun-Raum leichter ein Erfolg werden könnte, wenn bekannt würde, daß die Idee aus einem Brainstorming unter Schülern entstanden war und nicht von den Lehrern angeordnet wurde.

Es wurde ein Nichtstun-Raum für die Schüler eingerichtet, die durcheinander waren und keine Lust hatten zu lernen oder deren Verhalten die anderen vom Lernen abhielt. Manchmal fragten die Schüler, ob sie hingehen konnten; manchmal baten die Lehrer einen Schüler hinzugehen. Wir setzten die Lehrerin, die schon am besten mit der GFK vertraut war, in den Raum, und sie hatte sehr produktive Gespräche mit einigen der Schüler, die hereinkamen. Diese Einrichtung war ein großer Erfolg auf dem Weg, wieder mehr Ordnung in die Schule zu bringen, denn die Schüler, die es sich ausgedacht hatten, machten ihren Mitschülern den Zweck klar: Die Rechte der Schüler zu schützen, die lernen wollten. Mit Hilfe der Gespräche mit den Schülern demonstrierten wir den Lehrern, daß es noch andere Möglichkeiten gab, Konflikte zu lösen, als sich aus der Situation zurückzuziehen oder zu strafen.

Zusammenfassung

In Situationen, wo es keine Möglichkeit für ein Gespräch gibt, z.B. bei drohender Gefahr, müssen wir vielleicht auf die beschützende Anwendung von Macht zurückgreifen. Das Ziel der beschützenden Machtanwendung ist die Verhinderung von Verletzung oder Ungerechtigkeit – niemals jedoch zu bestrafen, jemanden leiden oder bereuen zu lassen oder ihn oder sie zu verändern. Die bestrafende Machtausübung erzeugt tendenziell Feindseligkeit und verstärkt die Abwehr gerade gegen das erwünschte Verhalten. Bestrafung beschädigt Wohlwollen und Selbstvertrauen und lenkt unsere Aufmerksamkeit weg von der Bedeutung einer Handlung hin zu den äußeren Konsequenzen. Vorwürfe und Strafen tragen nicht zu den Beweggründen bei, die wir gerne bei anderen hervorrufen möchten.

12 Uns selbst befreien und andere unterstützen

> Die Menschheit schläft schon lange – und sie schläft immer noch –
> eingelullt im goldenen Käfig der kleinen Freuden
> mit ihren Nächsten. – *Teilhard de Chardin*

Sich von alten Mustern befreien

Wir haben alle – ob von wohlmeinenden Eltern, Lehrern, Pfarrern oder anderen Leuten – gründlich gelernt, unser menschliches Potential einzuschränken. Dieser zerstörerische kulturelle Lernprozeß ist über Generationen und sogar Jahrhunderte weitergegeben worden und bestimmt unser Leben so selbstverständlich, daß wir uns dessen nicht mehr bewußt sind. In einem seiner Auftritte nahm sich der Komiker Buddy Hackett die reichhaltige Küche seiner Mutter vor und behauptete, daß ihm erst klar wurde, daß man auch ohne Sodbrennen vom Tisch aufstehen kann, als er in der Armee war. Und so nehmen wir auch Schmerz, der durch destruktive gesellschaftliche Konditionierung erzeugt wird und vollkommen in unser Leben integriert ist, nicht wirklich deutlich wahr. Es ist ein enormer Einsatz an Energie und Bewußtheit notwendig, um diesen zerstörerischen Lernprozeß zu erkennen und ihn in Gedanken und Verhaltensweisen umzuwandeln, die wertvoll und nützlich für unser Leben sind.

Das erfordert Vertrautheit mit den eigenen Bedürfnissen und die Fähigkeit, mit sich selbst in Kontakt zu sein, beides Eigenschaften, die den Menschen in unserer Kultur nicht ohne weiteres zur Verfügung stehen. Nicht nur, daß wir es nie gelernt haben, mit unseren Bedürfnissen vertraut zu werden, wir sind sogar oft einem kulturellen Training ausgesetzt, das unser Bewußtsein in dieser Richtung blockiert. Wie schon erwähnt, haben wir eine Sprache geerbt, die Königen und Königinnen und Machteliten in dominanzorientierten Gesellschaftssystemen diente. Die Mehrheit der Bevölkerung wurde dagegen entmutigt, sich ihrer Bedürfnisse bewußt zu werden und statt dessen dazu erzogen, sich Autoritäten zu unterwefen und ihnen zu gehorchen. Nach dem Verständnis unserer Kultur sind Bedürfnisse negativ und zerstörerisch. Bezeichnet man einen Menschen als „bedürftig", wird damit Unfähigkeit oder Unreife assoziiert. Wenn Menschen ihren Bedürfnissen Ausdruck verleihen, werden sie oft als „selbstsüchtig" abgestempelt, und das persönliche Fürwort „ich" in Wort und Schrift wird gleichgesetzt mit Egoismus oder Bedürftigkeit.

Indem die GFK uns dazu anregt, Beobachtung und Bewertung voneinander zu trennen, gefühlsbestimmende Gedanken und Bedürfnisse zu erkennen und unsere Bitten in einer klaren Handlungssprache auszudrücken, macht sie uns die gesellschaftliche Prägung bewußter, die in jedem Augenblick unseres Lebens auf uns wirkt. Wenn wir diese Prägung ins Licht unseres Bewußtseins rücken, dann tun wir den wichtigsten Schritt, um ihren Einfluß auf uns zu verringern.

Wir können uns selbst von gesellschaftlicher Konditionierung befreien.

Innere Konflikte lösen

Wir können die GFK anwenden, um innere Konflikte, die häufig zu Depressionen führen, zu lösen. In seinem Buch *Revolution in Psychiatry* beschreibt Ernest Becker Depressionen als „wissentlich eingesperrte Alternativen". Das bedeutet, sobald wir ein verurteilendes Gespräch mit uns selbst führen, entfremden wir uns von dem, was wir wirklich brauchen, und wir können dann auch nicht entsprechend handeln, um unsere Bedürfnisse zu befriedigen. Eine Depression weist uns darauf hin, daß wir von unseren eigenen Bedürfnissen abgetrennt sind.

Eine Frau, die die GFK lernte, litt immer wieder unter akuten depressiven Anfällen. Ich bat sie, auf ihre inneren Stimmen zu hören, wenn sie sich besonders depressiv fühlte, und sie in Dialogform aufzuschreiben, so als würden sie miteinander sprechen:

Erste Stimme („Karrierefrau"): Ich sollte mehr aus meinem Leben machen. Ich vergeude meine Ausbildung und meine Talente.
Zweite Stimme („verantwortungsvolle Mutter"): Du bist unrealistisch. Du bist Mutter von zwei Kindern und kannst nicht mal *diese* Aufgabe bewältigen, wie solltest du dann etwas anderes bewältigen können?

Achten Sie darauf, wie diese inneren Aussagen getränkt sind von verurteilenden Formulierungen wie „solltest", „meine Ausbildung und Talente vergeuden" und „nicht bewältigen können". Dieser Dialog hatte sich in verschiedenen Variationen seit Monaten in ihrem Kopf abgespielt.

Ich bat sie dann sich vorzustellen, daß die „Karrierefrau" eine „GFK-Tablette" einnimmt, damit sie die Aussagen folgendermaßen umwandeln kann: „Wenn *a*, dann fühle ich mich *b*, weil ich *c* brauche. Deshalb möchte ich jetzt gerne *d*."

Daraufhin übersetzte sie die Aussage: „Ich sollte mehr aus meinem Leben machen. Ich vergeude meine Ausbildung und meine Talente" in: „*Wenn* ich soviel Zeit zu Hause mit den Kindern verbringe wie im Moment, dann *fühle* ich mich deprimiert, *weil ich* die Erfüllung *brauche*, die ich einmal in meinem Beruf hatte. *Deshalb möchte ich jetzt gerne* einen Teilzeitjob in meinem Beruf finden."

Dann war die Stimme der „verantwortlichen Mutter" an der Reihe. Auch sie wurde umgewandelt. Aus den Zeilen „Du bist unrealistisch. Du bist Mutter von zwei Kindern und kannst nicht mal *diese* Aufgabe bewältigen, wie solltest du dann etwas anderes bewältigen können?" wurde: „Wenn ich mir vorstelle zur Arbeit zu gehen, bekomme ich Angst, weil ich die Sicherheit brauche, daß die Kinder in guten Händen sind. Deshalb möchte ich jetzt überlegen, woher ich eine wirklich gute Kinderbetreuung bekommen kann und wie ich genügend Zeit mit den Kindern verbringen kann, wenn ich nicht müde bin."

Sobald die Frau ihre inneren Äußerungen in die GFK übersetzt hatte, war sie sehr erleichtert. Es gelang ihr, hinter die entfremdenden Botschaften zu schauen, die sie sich immer wieder vorgesagt hatte, und sich selbst Empathie zu geben. Obwohl noch praktische Herausforderungen vor ihr lagen, wie z.B. eine gute Kinderbetreuung sicherzustellen und die Unterstützung ihres Mannes zu gewinnen, war sie nicht länger Opfer ihres verurteilenden inneren Dialogs, der sie davon abgehalten hatte, sich ihrer Bedürfnisse bewußt zu werden.

Wenn es uns gelingt, unsere eigenen Gefühle und Bedürfnisse zu „er"hören und ihnen Empathie zu geben, kann uns das von Depressionen befreien.

In unserer inneren Welt gut für uns sorgen

Wenn wir uns in kritische, vorwurfsvolle oder ärgerliche Gedanken verstricken, dann ist es schwierig, ein gesundes inneres Umfeld für uns selbst einzurichten. Die GFK hilft uns dabei, einen friedlicheren inneren Zustand zu kreieren; wir richten unsere Aufmerksamkeit auf das, was wir wirklich brauchen, statt auf das, was mit uns oder anderen nicht stimmt.

Eine Seminarteilnehmerin berichtete einmal von einem grundlegenden persönlichen Durchbruch während eines dreitägigen Trainings. Eines ihrer Ziele für den Workshop war, für sich selbst besser zu sorgen; am zweiten Morgen wachte sie jedoch in der Dämmerung mit den schlimmsten Kopfschmerzen seit langem auf. „Normalerweise hätte ich als erstes mein Verhalten analysiert: Was habe ich falsch gemacht? Habe ich etwas Schlechtes gegessen? Habe ich mich stressen lassen? Habe ich dies getan; habe ich jenes gelassen? Aber da ich ja jetzt mit der GFK daran arbeitete, mich besser um mich selbst zu kümmern, fragte ich statt dessen: ‚Was brauche ich jetzt in diesem Moment mit diesen Kopfschmerzen?'

Richten wir unsere Aufmerksamkeit lieber auf das, was wir tun wollen, statt auf das, was schiefgelaufen ist.

Ich setzte mich auf und ließ meinen Nacken eine Weile ganz langsam kreisen, dann stand ich auf und lief langsam umher. Ich machte noch andere Sachen, um gut für mich zu sorgen – statt mich selbst fertigzumachen. Meine Kopfschmerzen ließen soweit nach, daß ich den Trainingstag mitmachen konnte. Das war ein riesengroßer Durchbruch für mich. Was ich herausbekam, als ich meinen Kopfschmerzen Empathie gab, war folgendes: Ich hatte mir selbst am Tag zuvor nicht genug Aufmerksamkeit geschenkt, und mit den Kopfschmerzen sagte ich zu mir: ‚Ich brauche mehr Aufmerksamkeit'. Das führte dazu, daß ich mir selbst die Aufmerksamkeit gab, die ich brauchte. So konnte ich dann den Tag im Workshop mitmachen. Ich habe mein ganzes Leben lang Kopfschmerzen gehabt, und das war ein sehr wichtiger Wendepunkt für mich."

In einem anderen Workshop fragte ein Teilnehmer, wie man die GFK einsetzen kann, um sich auf der Autobahn von Gedanken freizumachen, die Ärger hervorrufen. Das Thema kannte ich sehr gut! Jahrelang war es Teil meiner Arbeit gewesen, mit dem Auto kreuz und quer durchs Land zu fahren, und die gewaltauslösenden Gedanken, die ständig durch meinen Kopf rasten, machten mich völlig kaputt. Jeder, der nicht so fuhr, wie ich mir das vorstellte, war mein Erzfeind, ein rechter Bösewicht. Alle möglichen Sätze schossen mir in den Kopf: „Was zum Teufel ist los mit dem Typen da!? Merkt er denn nicht, wo er hinfährt?" In diesem mentalen Zustand wollte ich nichts lieber tun, als den anderen Fahrer zu bestrafen, und da ich das nicht konnte, trieb der Ärger in meinem Körper sein Unwesen und kassierte seinen Tribut.

Dann lernte ich schließlich, meine Urteile in Gefühle und Bedürfnisse zu übersetzen und mir selbst Empathie zu geben: „Oh je, es jagt mir schreckliche Angst ein, wenn jemand so fährt, ich wünsche mir wirklich, daß die Leute merken, wie gefährlich ihre Fahrweise ist!" Puh! Ich wunderte mich, wie sehr ich den Streß in diesen Situationen herunterschrauben konnte, einfach indem ich mir über meine Gefühle und Bedürfnisse bewußt wurde, statt anderen Vorwürfe zu machen.

Wir bauen Streß ab, wenn wir auf unsere Gefühle und Bedürfnisse hören.

Später beschloß ich dann, den anderen Fahrern Empathie zu geben, und da wurde ich mit einem sehr erfreulichen ersten Erlebnis belohnt. Ich hing hinter einem Auto fest, das viel langsamer fuhr, als es erlaubt war, und von Kreuzung zu Kreuzung auch noch langsamer wurde. Als ich anfing zu kochen und zu grollen „So fährt man doch nicht", fiel mir der Streß auf, den ich mir selbst machte. Daraufhin verlagerte ich meine Gedanken auf das, was der Fahrer eventuell fühlte und brauchte. Ich spürte, daß die Person nicht mehr wußte, wo sie war, sich verwirrt fühlte und sich ein bißchen Geduld von den Autos hinter ihr wünschte. Als die Straße breit genug wurde, überholte ich sie und sah in dem Wagen eine etwa achtzigjährige Frau mit einem sehr angsterfüllten Ausdruck im Gesicht. Da war ich froh, daß mein Empathie-Versuch mich davon abgehalten hatte, zu hupen oder eine meiner sonstigen Taktiken anzuwenden, um anderen Fahrern mein Mißfallen zu zeigen.

Wir bauen Streß ab, indem wir anderen unsere Empathie geben.

Diagnosen durch Gewaltfreie Kommunikation ersetzen

Vor langer Zeit, als ich gerade neun Jahre meines Lebens in Ausbildungen und Diplome investiert hatte, die ich für meine Anerkennung als Psychotherapeut brauchte, nahm ich an einem Gespräch zwischen dem israelischen Philosophen

Martin Buber und dem amerikanischen Psychologen Carl Rogers teil, in dem Buber die Frage aufwarf, ob ein Psychotherapeut überhaupt in der Lage sei, psychotherapeutisch zu arbeiten. Buber besuchte zu der Zeit die Vereinigten Staaten und war gemeinsam mit Carl Rogers zu einer Podiumsdiskussion vor psychologischen Fachkräften in einem psychiatrischen Krankenhaus eingeladen worden.

In diesem Gespräch stellte Buber die These auf, daß menschliche Weiterentwicklung dann passiert, wenn sich in einer Begegnung zwei Menschen in einer, wie er es nannte, „Ich-Du"-Beziehung verletzlich und authentisch ausdrücken. Er glaubte nicht daran, daß eine solche Authentizität möglich war, wenn sich die Menschen in den Rollen von Patient und Psychotherapeut begegneten. Rogers stimmte zu, daß Authentizität eine Grundvoraussetzung für Wachstum sei. Er blieb jedoch dabei, daß aufgeklärte Psychotherapeuten die Wahl treffen konnten, über ihre berufliche Rolle hinauszugehen und ihren Patienten authentisch zu begegnen.

Buber blieb skeptisch. Er war der Meinung, daß selbst wenn ein Psychotherapeut willens war und es ihm auch gelang, sich authentisch auf seine Patienten zu beziehen, eine authentische Begegnung dennoch so lange unmöglich wäre, wie die Patienten sich selbst weiterhin als Patienten und ihre Psychotherapeuten als Psychotherapeuten betrachteten. Er brachte zum Ausdruck, wie allein schon der Vorgang, einen Termin zu vereinbaren für ein Gespräch in einer Praxis und ein Honorar dafür zu bezahlen, um wieder besser zu „funktionieren", es unwahrscheinlich mache, daß sich eine authentische Beziehung zwischen zwei Menschen entwickeln würde.

Dieser Dialog klärte meine eigene, schon lange empfundene Ambivalenz gegenüber der klinischen Distanz – eine heilige Regel in der psychoanalytischen Psychotherapie, wie ich gelernt hatte. Seine eigenen Gefühle und Bedürfnisse in die Psychotherapie einzubringen wurde als typisches Anzeichen von Krankheit seitens des Therapeuten bewertet. Kompetente Psychotherapeuten hatten sich aus dem therapeutischen Prozeß herauszuhalten und als Spiegel zu fungieren, auf den die Patienten ihre Übertragungen projizieren konnten, die dann mit Hilfe des Psychotherapeuten durchgearbeitet wurden. Ich verstand die Theorie hinter der Verhaltensregel, daß der Psychotherapeut seine inneren Prozesse aus der Psychotherapie heraushalten und die Gefahr abwenden soll, daß er seine Konflikte auf Kosten der Patienten zur Sprache bringt. Gleichzeitig hatte ich mich immer unwohl damit gefühlt, die geforderte emotionale Distanz zu wahren, und darüber hinaus glaubte ich auch, daß es Vorteile haben kann, wenn ich mich selbst in den Prozeß mit einbringe.

So begann ich damit zu experimentieren, anstelle der klinischen Sprache Ausdrucksformen der GFK einzusetzen. Statt das, was meine Patienten sagten, entsprechend den Persönlichkeitstheorien, die ich studiert hatte, zu interpretieren, gab ich ihren Worten meine Präsenz und hörte einfühlsam zu. Anstatt sie zu diagnostizieren, legte ich offen dar, was in mir vorging. Anfangs machte mir das große Angst. Ich machte mir Sorgen über meine Kollegen, wie sie auf die Authentizität reagieren würden, die ich in das Gespräch mit den Patienten einbrachte. Die Ergebnisse waren jedoch für beide Seiten, meine Patienten und mich, so positiv, daß ich mein Zögern bald überwand. Heute, nach 35 Jahren, ist das Konzept, sich selbst voll in die Patient-Therapeut-Beziehung einzubringen nicht mehr ketzerisch, aber als ich anfing, so zu praktizieren, wurde ich oft zu Vorträgen vor Psychotherapeuten eingeladen, die mich aufforderten, ihnen diese neue Rolle zu demonstrieren.

Ich fühlte mich in Patienten ein, statt sie zu interpretieren; ich zeigte, was in mir vorging, statt sie zu diagnostizieren.

Einmal wurde ich gebeten, vor einer Versammlung psychologischer Fachkräfte an einer staatlichen psychiatrischen Klinik zu zeigen, wie die GFK in der Behandlung seelisch kranker Menschen helfen könne. Nach meiner einstündigen Präsentation fragte man mich, ob ich mit einer Patientin sprechen könnte, um deren Fall zu beurteilen und eine Empfehlung für ihre Behandlung abzugeben. Ich sprach etwa eine halbe Stunde mit einer neunundzwanzigjährigen Mutter von drei Kindern. Nachdem sie wieder hinausgegangen war, stellten mir die Klinikmitarbeiter, die für ihre Behandlung zuständig waren, ihre Fragen. „Dr. Rosenberg", fing ihr Psychiater an, „bitte stellen Sie eine differenzierte Diagnose. Zeigt diese Frau Ihrer Meinung nach eine schizophrene Reaktion, oder ist es ein Fall von Psychose, ausgelöst durch Drogen?"

Ich sagte, daß ich mich mit solchen Fragen unwohl fühlte. Schon während meiner Ausbildung in einer psychiatrischen Klinik war ich mir nie sicher, wie ich die Patienten in den diagnostischen Beurteilungsrahmen einordnen sollte. Überdies hatte ich seither Forschungsberichte gelesen, die auf einen Mangel an Übereinstimmung unter Psychiatern und Psychologen in diesen Beurteilungskriterien hinwiesen. Die Forschungsberichte kamen zu dem Schluß, daß die Diagnose von Patienten in psychiatrischen Kliniken mehr von der Ausbildungsrichtung des Psychiaters abhängt als von den Charaktereigenschaften des Patienten selbst.

Ich fuhr fort, daß ich eine Abwehr hätte, mit diesen Kriterien zu arbeiten, auch wenn sie hier im Krankenhaus stringent angewendet würden, weil mir der Nutzen für die Patienten nicht nachvollziehbar wäre. In der Normalmedizin führt die genaue Diagnose des Erkrankungsprozesses, der die Krankheit verursacht hat, oft zu einer klaren Behandlungsrichtung, aber diese Art der Verknüpfung von Ursache und Wirkung konnte ich auf dem Gebiet, das psychische Erkrankung genannt wird, nicht ausmachen. Nach meiner Erfahrung aus Diagnosekonferenzen in Krankenhäusern verbrachten die Mitarbeiter ihre meiste Zeit damit, über Diagnosen zu beraten. Wenn sich die vorgesehene Zeit bedrohlich ihrem Ende näherte, appellierte der verantwortliche Psychiater meistens an die anderen, ihm bei der Entwicklung eines Behandlungsplans zu helfen. Diese Bitte wurde häufig zugunsten weiteren Feilschens um die Diagnose überhört.

Ich erklärte dem Psychiater, daß mir die GFK nahelegt, nicht in Kategorien von „was mit einer Patientin nicht stimmt" zu denken, sondern mir statt dessen die folgenden Fragen zu stellen: „Was fühlt diese Person? Was braucht sie oder er? Wie fühle ich mich in bezug auf diesen Menschen und welche Bedürfnisse liegen hinter meinen Gefühlen? Um welche Handlung oder Entscheidung möchte ich diese Person bitten, damit sie dadurch ein glücklicheres Leben führen kann?" Da die Antworten auf diese Fragen viel von uns selbst und unseren Werten offenlegen, fühlen wir uns sehr viel verletzlicher, als wenn wir einfach eine Diagnose über die jeweilige Person abgeben sollen.

Bei einer anderen Gelegenheit wurde ich engagiert, um zu demonstrieren, wie man Leute, die als chronisch schizophren diagnostiziert sind, in der GFK trainieren kann. Fünfzehn Patienten mit dieser Diagnose waren auf einer Bühne für mich versammelt worden. Achtzig Psychologen, Psychiater, Sozialarbeiter und Krankenschwestern schauten zu. Während ich mich vorstellte und die Ziele der GFK erläuterte, zeigte einer der Patienten eine Reaktion, die mit dem, was ich sagte, scheinbar nichts zu tun hatte. Ich dachte an seine Diagnose als chronisch schizophren und erlag dem klinischen Denken, indem ich annahm, daß ich ihn deshalb nicht verstehen konnte, weil er verwirrt war. „Sie scheinen Schwierigkeiten zu haben, meinen Worten zu folgen", bemerkte ich.

Hier sprang ein anderer Patient ein: „Ich verstehe, was er meint". Dann machte er die Bedeutung der Worte seines Mitpatienten in bezug auf meine Einführung deutlich. Als ich erkannte, daß der Mann nicht verwirrt war, sondern daß ich einfach nicht die Verbindung zwischen unseren Gedanken erfaßt hatte, war ich bestürzt über die Leichtigkeit, mit der ich ihm die Verantwortung für unsere Kommunikationslücke zugeschustert hatte. Ich hätte lieber zu meinen Gefühlen stehen und z.B. sagen sollen, „Ich bin verwirrt. Ich würde gerne die Verbindung sehen zwischen dem, was ich gesagt habe, und Ihrer Antwort, ich sehe sie aber nicht. Würden Sie mir bitte erklären, wie sich Ihre Worte auf das beziehen, was ich gesagt habe?"

Mit Ausnahme von diesem kurzen Ausrutscher ins klinische Denken verlief die Sitzung mit den Patienten erfolgreich. Die Mitarbeiter waren beeindruckt von den Antworten der Patienten und fragten mich, ob ich diese Patientengruppe für außergewöhnlich kooperativ halten würde. Ich antwortete: „Wenn ich es vermeide, Menschen zu diagnostizieren und statt dessen mit der lebendigen Energie in ihnen und in mir in Verbindung bleibe, dann reagieren sie normalerweise sehr positiv."

Ein Mitarbeiter bat dann um eine ähnliche Sitzung mit Psychologen und Psychiatern als Teilnehmern, um auch daraus zu lernen. Zu diesem Zweck tauschten die Patienten, die auf der Bühne waren, ihre Plätze mit einigen Freiwilligen aus dem Publikum. Bei der Arbeit mit den Mitarbeitern gelang es mir nur schwer, einem der Psychiater den Unterschied zwischen intellektuellem Verstehen und der Empathie in der GFK klarzumachen. Immer wenn jemand in der Gruppe seine Gefühle ausdrückte, bot er seine Sicht der psychologischen Dynamik dieser Gefühle an, statt Empathie für die Gefühle auszudrücken. Als das zum dritten Mal geschah, platzte einer der Patienten aus dem Publikum heraus: „Sehen Sie denn nicht, daß Sie schon wieder das gleiche machen? Sie interpretieren, was sie sagt, statt sich auf ihre Gefühle einzustimmen!"

Anstatt uns auf „professionelle" Beziehungen zurückzuziehen, die durch emotionale Distanziertheit, Diagnosen und Hierarchie gekennzeichnet sind, können wir – indem wir uns die Fähigkeiten und das Bewußtsein der GFK aneignen – andere Menschen in Begegnungen unterstützen, die lebendig, offen und gleichwertig von beiden Seiten getragen werden.

Zusammenfassung

Die GFK unterstützt die innere Kommunikation, indem sie uns hilft, negative innere Botschaften in Gefühle und Bedürfnisse zu übersetzen. Die Fähigkeit, unsere eigenen Gefühle und Bedürfnisse zu entdecken und ihnen Empathie entgegenzubringen, kann uns von Depressionen befreien. Wir können die „Traumtötersprache" durch die GFK ersetzen und das Vorhandensein von Wahlmöglichkeiten bei all unseren Handlungen anerkennen. Indem die GFK uns zeigt, wie wir uns auf das konzentrieren können, was wir wirklich wollen, statt auf das, was mit uns selbst oder anderen nicht stimmt, gibt sie uns das Werkzeug und das Verständnis an die Hand, um einen friedvolleren inneren Zustand zu kreieren. Die GFK kann auch in der Beratung und der Psychotherapie eingesetzt werden, um gleichberechtigte und authentische Beziehungen mit Klienten und Patienten zu fördern.

Gewaltfreie Kommunikation in der Praxis: Alter Groll und negative Urteile über sich selbst

> Ein Student der GFK teilt uns das folgende Erlebnis mit:
>
> Ich war gerade von meinem ersten GFK-Training wieder zurückgekommen. Eine Freundin, die ich seit zwei Jahren nicht mehr gesehen hatte, wartete zu Hause auf mich. Ich hatte Iris, die 25 Jahre lang eine Schulbücherei gemanagt hatte, während einer intensiven zweiwöchigen Reise kennengelernt, die zum Herzen und in die Wildnis führte und die ihren Höhepunkt in einem dreitägigen einsa-

men Fasten in den Rocky Mountains fand. Nachdem sie meiner begeisterten Beschreibung der GFK zugehört hatte, bekannte Iris, daß sie immer noch an dem litt, was eine der begleitenden Trainerinnen auf dieser Reise vor sechs Jahren in Colorado zu ihr gesagt hatte. Ich hatte diese Frau klar vor Augen: Eine wilde Frau namens Leav, deren Handflächen von Seilen zerfurcht waren; wie sie einen angeseilten Kletterer festhält, der gegen die Felswand baumelt; sie konnte die Losung der Tiere verstehen und im Dunkeln wie ein Wolf heulen; sie tanzte ihre Freude heraus, beweinte ihre innere Wahrheit und schaute verloren unserem Bus nach, als wir zum Abschied ein letztes Mal winkten. Iris hatte Leav während einer der persönlichen Feedback-Sitzungen folgendes sagen hören: „Iris, ich kann Leute wie dich nicht ausstehen, die immer und überall so verdammt nett und süß sind, du bist auf ewig die brave, kleine Bibliothekarin. Warum läßt du das nicht einfach fallen und kommst mal in die Gänge?"

Sechs lange Jahre hatte Iris Leavs Stimme in ihrem Kopf zugehört und ihr in ihrem Kopf immer wieder geantwortet. Wir waren beide jetzt gespannt herauszufinden, welchen Einfluß GFK-Kenntnisse in dieser Situation gehabt hätten. Ich spielte Leavs Rolle und wiederholte nochmal deren Äußerung an Iris.

Iris: *(Denkt nicht mehr an die GFK, hört Kritik und Zurechtweisung.)* Du hast kein Recht, so etwas zu mir zu sagen. Du weißt doch gar nicht, wer ich bin oder wie ich als Bibliothekarin arbeite! Ich nehme meinen Beruf ernst, und nur zu deiner Information, ich betrachte mich auch als Pädagogin, genauso wie jede Trainerin ...

Ich: *(Mit GFK-Bewußtsein höre empathisch zu in der Rolle von Leav.)* Das klingt so, als wärst du ärgerlich, weil du gerne möchtest, daß ich dich kenne und sehe, wer du wirklich bist, bevor ich dich kritisiere. Ist das richtig?

Iris: Das stimmt! Du hast gar keine Vorstellung davon, was es mich gekostet hat, mich für dieses Training überhaupt anzumelden. Schau mich an! Hier bin ich: Ich habe alles bewältigt, stimmt's? Ich habe 14 Tage lang alle Herausforderungen angenommen und sie alle gemeistert!

Ich: *(als Leav)* Ich höre, daß du verletzt bist und gerne Anerkennung und Wertschätzung für deinen Mut und deine harte Arbeit hättest.

Es folgen weitere Wortwechsel, nach denen sich bei Iris etwas verändert; diese Veränderungen können oftmals körperlich beobachtet werden, wenn sich jemand zu seiner Zufriedenheit „gehört" fühlt; das kann zum Beispiel durch eine entspanntere Körperhaltung oder einen tiefen Atemzug in diesem Augenblick geschehen. Das ist oft ein Zeichen dafür, daß man die Empathie bekommen hat, die man brauchte, und sich jetzt etwas anderem als dem Schmerz, den man ausgedrückt hat, zuwenden kann. Manchmal ist dann auch die Bereitschaft da, die Gefühle und Bedürfnisse von jemand anderem zu hören. Manchmal wird aber auch noch eine weitere Runde Empathie gebraucht, um einem anderen schmerzlichen Bereich im Inneren beizustehen. In der Situation mit Iris konnte ich sehen, daß noch ein anderer Teil von ihr Aufmerksamkeit brauchte, bevor sie Leav würde hören können. Das liegt vielleicht daran, daß Iris sechs Jahre Zeit hatte, sich dafür niederzumachen, daß sie damals, direkt in der Situation, keine eindrucksvolle Erwiderung parat gehabt hatte. Nach der feinen Veränderung machte sie sofort weiter.

Iris: Verdammt, das hätte ich ihr alles vor sechs Jahren sagen sollen!
Ich: *(als ich selbst, ein einfühlsamer Freund)* Bist du frustriert, weil du dir wünschst, du hättest dich damals besser artikulieren können?
Iris: Ich fühle mich wie ein Idiot! Ich wußte, daß ich keine „brave, kleine Bibliothekarin" bin, aber warum habe ich ihr das nicht gesagt?
Ich: Wünschst du dir, du wärst mehr in Kontakt mit dir selbst gewesen und hättest das sagen können?
Iris: Ja. Und ich ärgere mich auch über mich selbst! Hätte ich mich doch von ihr bloß nicht so herumkommandieren lassen.
Ich: Wärst du gerne selbstbewußter aufgetreten, als du es getan hast?
Iris: Ja, genau, ich muß daran denken, daß ich ein Recht habe aufzustehen und für mich einzutreten.

Iris ist einen Moment lang still. Sie drückt ihre Bereitschaft aus, die GFK auszuprobieren und auf andere Weise zu hören, was Leav zu ihr gesagt hat.

Ich: *(als Leav)* Iris, ich kann Leute wie dich nicht ausstehen, immer so nett und süß, auf ewig die kleine, brave Bibliothekarin.
Iris: *(Hört auf Leavs Gefühle, Bedürfnisse und Bitten.)* Ja, Leav, das hört sich für mich so an, als wärst du sehr frustriert ... frustriert, weil ... weil ich ... *(Hier ertappt sie sich selbst bei einem häufig vorkommenden „Fehler". Mit dem Wort „ich" schreibt sie sich die Verantwortung für Leavs Gefühl selbst zu, statt es mit einem von Leavs eigenen Wünschen, der dieses Gefühl verursacht, zu verbinden, wie z.B. statt: „Bist du frustriert, weil ich so und so bin," eher: „Bist du frustriert, weil du von mir etwas anderes wolltest?")* *(Sie versucht es noch mal.)* Also, Leav, das klingt so, als wärst du echt frustriert, weil du gerne hättest ... mmh ... weil du gerne möchtest ...

Da ich mich in meiner Rolle als Leav richtig mit ihr identifizierte, hatte ich plötzlich eine Eingebung, wonach ich mich sehnte: „Kontakt! ... Das ist es, was ich möchte! Ich möchte mich verbunden fühlen ... mit dir, Iris! Und ich bin so frustriert von dem ganzen Netten und Süßen, das mir im Weg steht, daß ich am liebsten alles niederreißen würde, um mit dir richtig in Kontakt zu kommen!"

Nach diesem Ausbruch saßen wir da wie vom Donner gerührt, und dann sagte Iris: „Wenn ich gewußt hätte, daß es das ist, was sie will; wenn sie mir hätte sagen können, daß sie auf einen echten Kontakt mit mir aus war ... Meine Güte, das fühlt sich fast herzlich an." Auch wenn Iris nie mehr der echten Leav begegnete, um ihre Einsicht zu überprüfen, konnte sie nach dieser Sitzung den nagenden Konflikt in ihrem Inneren lösen. Es war dann auch einfacher für sie, mit diesem neuen Bewußtsein jemanden etwas sagen zu hören, das sie zuvor vielleicht als „Niedermachen" interpretiert hätte.

13 Wertschätzung und Anerkennung ausdrücken in Gewaltfreier Kommunikation

Je mehr Sie zum Kenner der Dankbarkeit werden, desto weniger sind Sie Opfer von Ärger, Depression und Verzweiflung.
Dankbarkeit wird zu einem Elixier, das die harte Schale unseres Egos – unseren Wunsch zu besitzen und zu kontrollieren – langsam auflöst und Sie zu einem großzügigen Wesen werden läßt.
Der Sinn für Dankbarkeit bringt echte spirituelle Alchemie hervor, öffnet unser Herz – und macht unsere Seele weit. – *Sam Keen*

Die Absicht hinter der Anerkennung

„Sie haben bei diesem Bericht gute Arbeit geleistet."
„Sie sind ein sehr sensibler Mensch."
„Es war nett von Ihnen, daß Sie mir gestern abend angeboten haben, mich nach Hause zu fahren."

So drückt man normalerweise Anerkennung in einem lebensentfremdenden Sprachstil aus. Vielleicht überrascht es Sie, daß ich Lob und Komplimente als lebensentfremdend ansehe – aber fällt Ihnen auf, daß eine Wertschätzung in dieser Form wenig darüber aussagt, was im Sprecher vor sich geht? Er oder sie wird zu jemandem, der Urteile abgibt. Ich definiere Urteile – ob positiv oder negativ – als lebensentfremdende Art zu kommunizieren.

Komplimente – auch wenn sie noch so positiv klingen – sind oft Urteile über andere.

In den Firmenseminaren, die wir anbieten, verteidigen die Manager ihre Praxis, Lob und Komplimente zu verteilen, gerne damit, daß „es funktioniert". „Forschungen haben ergeben", behaupten sie, „daß die Arbeiter besser arbeiten, wenn sie gelobt werden. Und das gilt auch für Schulen: Wenn die Lehrer ihre Schüler loben, dann lernen die Schüler besser". Auch wenn ich mich von der Existenz dieser Forschungsergebnisse selbst überzeugt habe, glaube ich, daß jemand, der gelobt wird, zwar besser arbeitet – aber nur kurzzeitig. Sobald er die Manipulation hinter der Anerkennung bemerkt, läßt die Produktivität wieder nach. Ich empfinde es als äußerst beunruhigend, daß das Schöne einer Wertschätzung verdorben wird, wenn die Menschen anfangen, eine heimliche Absicht dahinter zu entdecken: Man will etwas von ihnen.

Darüber hinaus können wir auch nicht sicher sein, wie unsere Botschaft gehört wird, wenn wir eine positive Rückmeldung einsetzen, um andere zu beeinflussen. Es gibt da einen Comic, wo ein Indianer zu einem anderen sagt: „Schau mal, wie ich die moderne Psychologie auf mein Pferd anwende!" Er führt seinen Freund dann in die Nähe des Pferdes, so daß es das Gespräch mithören kann, und sagt laut: „Ich habe das schnellste und mutigste Pferd im ganzen Westen!" Das Pferd schaut traurig und sagt zu sich: „Wie soll ich das denn finden? Er war weg und hat sich ein neues Pferd gekauft."

Wenn wir mit der GFK Wertschätzung ausdrücken, dann nur um etwas zu feiern, nicht um etwas zu bekommen. Unsere einzige Absicht ist es, die Art, wie unser Leben durch andere schöner wurde, zu feiern.

Drücken Sie Wertschätzung aus, weil Sie etwas feiern, und nicht, weil Sie manipulieren wollen.

Die drei Bestandteile der Wertschätzung

Die GFK unterscheidet ganz klar drei Bestandteile im Ausdruck einer Wertschätzung:
1. Die Handlungen, die zu unserem Wohlbefinden beigetragen haben;
2. unsere jeweiligen Bedürfnisse, die sich erfüllt haben, und
3. die angenehmen Gefühle, die sich durch die Erfüllung dieser Bedürfnisse eingestellt haben.

Die Abfolge dieser „Zutaten" kann variieren; manchmal werden alle drei gleichzeitig durch ein Lächeln oder ein einfaches „Dankeschön" vermittelt. Wenn wir jedoch sichergehen wollen, daß unsere Anerkennung richtig angekommen ist, dann ist es sehr wertvoll, wenn wir die sprachliche Gewandtheit entwickeln, alle drei Teile in Worte zu fassen. Das folgende Gespräch zeigt, wie ein Lob in eine Wertschätzung umgewandelt werden kann, die alle drei Bestandteile umfaßt.

So sagen wir „Dankeschön" in der GFK: „Das hast du getan; so habe ich mich gefühlt; dieses Bedürfnis von mir hat sich erfüllt."

Teilnehmerin: *(Kommt am Ende eines Workshops auf mich zu.):* Marshall, du bist toll!
MBR: Mir gelingt es nicht, soviel von deiner Wertschätzung aufzunehmen, wie ich gerne aufnehmen würde.
Teilnehmerin: Warum, was meinst du?
MBR: Ich habe in meinem Leben schon unzählige „Komplimente" – positive wie negative – bekommen, aber ich kann mich nicht daran erinnern, daß ich durch die Einschätzung anderer wirklich einmal etwas erfahren hätte. Ich würde gerne durch deine Wertschätzung etwas erfahren und mich darüber freuen, aber dazu brauche ich mehr Informationen.
Teilnehmerin: Zum Beispiel?
MBR: Zuerst würde ich gerne erfahren, was ich gesagt oder getan habe, das dein Leben verschönert hat.
Teilnehmerin: Naja, du bist so intelligent.
MBR: Ich befürchte, daß du gerade ein weiteres Urteil über mich abgegeben hast, das aber immer noch die Frage offenläßt, was habe ich getan, das dein Leben verschönert hat?

Die Teilnehmerin muß eine Weile nachdenken, aber dann zeigt sie auf ihre Notizen, die sie während des Workshops mitgeschrieben hat.

Teilnehmerin: „Schau, diese beiden Punkte. Es waren diese beiden Sachen, die du gesagt hast."
MBR: Aha, es sind also diese beiden Dinge, die ich gesagt habe: Das schätzt du sehr.

Teilnehmerin: Ja.
MBR: Als nächstes möchte ich gerne wissen, wie du dich fühlst, weil ich die beiden Dinge gesagt habe.
Teilnehmerin: Hoffnungsvoll und erleichtert.
MBR: Und jetzt möchte ich gerne wissen, welche Bedürfnisse sich für dich dadurch erfüllt haben, daß ich die beiden Dinge gesagt habe.
Teilnehmerin: Ich habe einen achtzehnjährigen Sohn, mit dem ich nicht mehr kommunizieren kann. Ich hatte verzweifelt nach einer Richtung gesucht, die mir helfen könnte, liebevoller mit ihm umzugehen, und die beiden Dinge, die du gesagt hast, haben mir die Orientierung gegeben, nach der ich gesucht habe.

Nachdem ich alle drei Informationen gehört hatte – was ich gemacht hatte, wie sie sich fühlte, und welche ihrer Bedürfnisse sich erfüllt hatten –, konnte ich die Wertschätzung mit ihr feiern. Wenn sie ihre Anerkennung gleich in der GFK ausgedrückt hätte, dann hätte das z.B. so klingen können: „Marshall, als du diese beiden Dinge (zeigt mir ihre Notizen) gesagt hast, habe ich mich sehr hoffnungsvoll und erleichtert gefühlt, weil ich nach einer Möglichkeit des Kontakts mit meinem Sohn gesucht habe, und das hat mir die Orientierung gegeben, die ich brauchte."

Wertschätzung annehmen

Viele von uns nehmen Wertschätzung wenig liebenswürdig entgegen. Es nagt an uns, ob wir sie überhaupt verdienen. Wir machen uns Sorgen darüber, was von uns erwartet wird – besonders wenn wir Lehrer oder Vorgesetzte haben, die Anerkennung einsetzen, um uns anzuspornen und um die Produktivität zu steigern. Oder wir setzen uns mit dem Gedanken unter Druck, ob wir der Wertschätzungung überhaupt gerecht werden können. Wir sind in einer Kultur zu Hause, wo Kaufen, Geld verdienen und der persönliche Wert auf einer Stufe stehen und das alltägliche Kommunikationsmuster im wesentlichen ausmachen. Deshalb fühlen wir uns oft unwohl, wenn es darum geht, einfach nur zu geben und zu nehmen.

Die GFK ermutigt uns, Anerkennung mit der gleichen Qualität an Empathie aufzunehmen, die wir auch zum Ausdruck bringen, wenn wir den Worten anderer zuhören. Wir hören auf das, was wir gemacht haben, womit wir zum Wohlbefinden anderer beitragen; wir hören auf ihre Gefühle und auf ihre Bedürfnisse, die sich erfüllt haben. Wir lassen die freudige Wahrheit, daß jeder von uns die Lebensqualität seiner Mitmenschen steigern kann, in unser Herz fließen.

Wertschätzung liebenswürdig anzunehmen habe ich von meinem Freund Nafez Assailey gelernt. Er gehörte zu einem palästinensischen Team, das ich zu einem GFK-Training in die Schweiz eingeladen hatte. Das war zu einer Zeit, wo offizielle Sicherheitsmaßnahmen ein Training von gemischten israelisch-palästinensischen Gruppen im eigenen Land unmöglich machten. Am Ende des Workshops kam Nafez zu mir. „Dieses Training wird sich in der Friedensarbeit in unserem Land als sehr wertvoll erweisen", bestätigte er. „Ich möchte dir gerne auf eine Weise danken, wie wir Sufi-Moslems es tun, wenn wir unsere besondere Wertschätzung für etwas ausdrücken." Er hakte seinen Daumen in meinen ein, schaute mir in die Augen und sagte: „Ich küsse den Gott in dir, der dir erlaubt, uns das zu geben, was du uns gegeben hast." Dann küßte er meine Hand.

Nafezs Ausdruck seiner Dankbarkeit zeigte mir eine neue Art, Wertschätzung anzunehmen. Normalerweise nimmt man sie von einer oder beiden Seiten derselben Medaille aus an. Auf der einen Seite steht die Selbstüberschätzung: Wir halten uns für etwas Besseres, weil wir Anerkennung bekommen haben. Die Kehrseite ist die falsche Bescheidenheit, die die Bedeutung der Anerkennung leugnet, indem sie sie abschüttelt: „Ach, das war doch gar nichts." Nafez zeigte mir, daß ich Wertschätzung freudig annehmen kann in dem Bewußtsein, daß Gott allen Menschen die Kraft gegeben hat, das Leben ihrer Mitmenschen zu bereichern. Wenn ich mir darüber bewußt bin, daß es die Macht Gottes ist, die durch mich wirkt und mir die Macht verleiht, das Leben anderer zu verschönern, dann kann ich sowohl die Fallstricke „Selbstüberschätzung" als auch „falsche Bescheidenheit" umgehen.

Nimm Anerkennung ohne Gefühle von Selbstüberschätzung oder falscher Demut an.

Als Golda Meir Premierministerin in Israel war, wies sie einmal einen ihrer Minister zurecht: „Seien Sie nicht so bescheiden, so großartig sind Sie nun auch wieder nicht." Die folgenden Zeilen der zeitgenössischen Schriftstellerin Marianne Williamson dienen als weitere Gedächtnisstütze, um nicht der falschen Bescheidenheit auf den Leim zu gehen:

Unsere tiefste Angst ist nicht, unzulänglich zu sein. Unsere tiefste Angst besteht darin, grenzenlos kraftvoll zu sein.

Es ist unser Licht, das wir fürchten, nicht unsere Dunkelheit. Du bist ein Kind Gottes. Wenn du dich klein machst, hat die Welt nichts von dir.

Zusammenzuschrumpfen, nur damit sich andere in unserer Gesellschaft nicht unsicher fühlen, hat nichts mit Erleuchtung zu tun.

Wir wurden geboren, um die Herrlichkeit Gottes in der Welt zum Ausdruck zu bringen. Diese Herrlichkeit ist nicht nur in manchen Menschen – wir alle haben sie.

Und wenn wir unser Licht strahlen lassen, dann geben wir unbewußt auch allen anderen Menschen die Erlaubnis, ihr Licht strahlen zu lassen.

> *Wenn wir von Angst befreit sind, wird unsere Gegenwart automatisch auch auf andere Menschen befreiend wirken.*

Der Hunger nach Anerkennung

Auch wenn es sich ungemütlich anfühlt, wenn uns jemand seine Wertschätzung ausdrückt, verlangt es uns paradoxerweise alle dringend danach, wirklich gesehen und auch anerkannt zu werden. Bei einer Überraschungsparty für mich schlug ein zwölfjähriger Freund ein Partyspiel vor, damit sich die Gäste leichter kennenlernen konnten. Wir sollten eine Frage aufschreiben, den Zettel in eine Schachtel tun und dann abwechselnd jeder eine Frage ziehen und laut darauf antworten.

Erst vor kurzem hatte ich verschiedene Sozialämter und Wirtschaftsorganisationen beraten, und ich war sehr erstaunt darüber, wie oft die Leute ihren Hunger nach Anerkennung in ihrer Arbeit zum Ausdruck gebracht hatten. „Egal wie du dich bei deiner Arbeit einsetzt", stöhnten sie, „von keinem hörst du mal ein lobendes Wort. Aber du brauchst nur einen Fehler zu machen, sofort läßt dich jemand über die Klinge springen." Für das Spiel schrieb ich also die Frage auf: „Was könnte dir jemand als Anerkennung sagen, das dich vor Freude einen Luftsprung machen läßt?"

Eine Frau zog meine Frage aus der Schachtel, las sie und brach in Tränen aus. Als Leiterin eines Hauses für geschlagene Frauen steckte sie jeden Monat viel Energie in die Erstellung eines Zeitplans, um so vielen Leuten wie möglich entgegenzukommen. Aber jedesmal, wenn der Plan vorgestellt wurde, gab es mindestens zwei, drei Leute, die sich beschwerten. Sie konnte sich nicht erinnern, daß sie jemals ein Wort der Anerkennung für ihre Bemühungen, einen fairen Plan zu erstellen, gehört hätte. All das war ihr durch den Kopf geschossen, als sie meine Frage las, und ihr Hunger nach Anerkennung brachte sie zum Weinen.

Als er die Geschichte der Frau hörte, sagte ein anderer Freund, daß er auch gerne diese Frage beantworten wollte. Dann wollte jeder die Frage beantworten; verschiedene Leute weinten, als sie etwas zu der Frage sagten.

Auch wenn der starke Wunsch nach Anerkennung – im Gegensatz zu manipulativen Streicheleinheiten – besonders am Arbeitsplatz deutlich wird, beeinflußt er doch auch das Familienleben. Eines Abends, als ich meinen Sohn darauf hinwies, daß er seine Aufgaben im Haus nur schlecht erledigt hatte, erwiderte er scharf: „Papa, merkst du eigentlich, wie oft du etwas ansprichst, das schiefgelaufen ist, und wie du fast nie sagst, daß etwas gut gelaufen ist?" Diese Beobachtung blieb mir immer im Gedächtnis. Mir wurde klar, wie ich immer auf der Suche nach Verbesserungsmöglichkeiten war, und kaum mal eine Pause machte, um mich über die Sachen zu freuen, die gut liefen. Ich hatte gerade einen Workshop mit über 100 Teilnehmern abgeschlossen, die ihn alle sehr positiv bewertet hatten, mit Ausnahme einer Person. Und was beschäftigte mich? Die Unzufriedenheit dieser einen Person.

An diesem Abend schrieb ich ein Lied, das so begann:

Wenn ich in allem, was ich tue,
zu achtundneunzig Prozent perfekt bin,
dann sind es die zwei Prozent,
die mir nicht gelungen sind,
an die ich mich hinterher erinnern werde.

Es kam mir in den Sinn, daß ich die Möglichkeit hatte, mir statt dessen die Sichtweise einer Lehrerin anzueignen, die ich kannte. Einer ihrer Schüler, der für eine Prüfung nicht gelernt hatte, fand sich damit ab, ein leeres Blatt mit seinem Namen abzugeben. Er staunte, als sie ihm später die Arbeit mit einem Ergebnis von plus 14 % zurückgab. „Wofür habe ich 14 % bekommen?" fragte er ungläubig. „Für Freundlichkeit", erwiderte sie. Seit dem „Weckruf" meines Sohnes Brett versuche ich mehr darauf zu achten, was andere um mich herum tun, das mein Leben bereichert, und ich feile auch an meinen Fähigkeiten, die Anerkennung dafür auszudrücken.

Die Abwehr überwinden, Anerkennung auszusprechen

Ich war tief berührt von einer Textpassage im Buch von John Powell, *The Secret of Staying in Love,* in dem er seine Traurigkeit darüber beschreibt, daß es ihm zu Lebzeiten seines Vaters nicht möglich gewesen war, die Wertschätzung auszudrücken, die er für ihn empfand. Wie schmerzlich mußte es sein, wenn man die Chance nicht nutzt, den Menschen, die den stärksten positiven Einfluß auf uns gehabt haben, unseren Dank auszudrücken!

Sofort fiel mir mein Onkel Julius Fox ein. Als ich ein Junge war, kam er jeden Tag und bot an, sich um meine Großmutter zu kümmern, die völlig gelähmt war. Während er sich um sie kümmerte, hatte er immer ein warmes und liebevolles Lächeln im Gesicht. Wie unangenehm diese Aufgaben in meinen kindlichen Augen auch zu sein schienen, er behandelte sie, als würde sie ihm, mit ihrer Erlaubnis für sie zu sorgen, den größten Gefallen der Welt tun. Das war für mich ein wunderbares Vorbild männlicher Stärke, und ich habe es mir über die Jahre hinweg immer wieder vor Augen gehalten.

Mir fiel auf, daß ich meinem Onkel, der jetzt selbst krank und dem Tod nahe war, nie meinen Dank ausgedrückt hatte. Ich dachte daran, es zu tun, bemerkte jedoch meinen Widerstand: „Ich bin sicher, er weiß, wieviel er mir bedeutet, ich muß es nicht laut sagen; außerdem ist es ihm vielleicht peinlich, wenn ich es in Worte fasse." Sobald diese Gedanken durch meinen Kopf gingen, wußte ich schon, daß sie nicht stimmten. Zu oft hatte ich schon gedacht, die anderen wüßten um das Ausmaß meiner Wertschätzung für sie, um dann doch eines Besseren belehrt zu werden. Und auch wenn es den Leuten peinlich war, wollten sie doch die Anerkennung in Worten hören.

Ich zögerte immer noch und sagte mir, daß Worte der Tiefe dessen, was ich vermitteln wollte, nicht gerecht würden. Das durchschaute ich aber auch schnell. Ja, Worte sind vielleicht etwas mager, um die Wahrheiten aus der Tiefe unseres Herzens auszudrücken, aber wie ich einmal gelernt habe: „Wenn etwas sich lohnt zu tun, dann lohnt es sich auch dann, wenn wir es nicht so gut können."

Wie es manchmal so ist, fand ich mich kurz darauf bei einer Familienfeier neben Onkel Julius sitzen, und die Worte flossen einfach aus mir heraus. Er nahm sie freudig auf, ohne Peinlichkeit. Ich floß über vor Gefühlen an diesem Abend, und so fuhr ich nach Hause, schrieb ein Gedicht und schickte es ihm. Später wurde mir erzählt, daß sich mein Onkel das Gedicht jeden Tag vorlesen ließ, bis zu seinem Tod drei Wochen darauf.

Zusammenfassung

Konventionelle Komplimente haben oft die Form eines Urteils, auch wenn es positiv ist, und werden manchmal ausgesprochen, um das Verhalten anderer zu manipulieren. Die GFK unterstützt das Ausdrücken von Anerkennung, aber nur dann, wenn sie dem Feiern dient. Wir benennen 1) die Handlung, die zu unserem Wohlbefinden beigetragen hat, 2) unser spezielles Bedürfnis, das zufriedengestellt wurde, und 3) unser freudiges Gefühl als Ergebnis davon.

Wenn Anerkennung uns gegenüber so ausgedrückt wird, dann können wir sie ohne Selbstüberschätzung oder falsche Bescheidenheit annehmen und gemeinsam mit demjenigen, der sie uns gibt, feiern.

Epilog

Ich fragte einmal Onkel Julius, wie er sich ein so bemerkenswertes Potential, sich einfühlsam zu geben, angeeignet hatte. Er schien sich durch meine Frage geehrt zu fühlen und dachte über sie nach, bevor er antwortete: „Ich war mit guten Lehrern gesegnet." Als ich fragte, wer sie waren, erinnerte er sich: „Deine Großmutter war die beste Lehrerin, die ich hatte. Du hast erst mit ihr zusammengelebt, als sie schon krank war, deshalb weißt du nicht, wie sie wirklich war. Hat dir deine Mutter zum Beispiel mal von der Zeit während der wirtschaftlichen Depression erzählt, als deine Großmutter einen Schneider, der sein Haus und sein Geschäft verloren hatte, mit Frau und zwei Kindern drei Jahre lang bei sich zu Hause aufnahm?" Ich konnte mich gut an diese Geschichte erinnern. Sie hatte einen tiefen Eindruck bei mir hinterlassen, als meine Mutter mir zum ersten Mal davon erzählte, weil ich mir nie vorstellen konnte, wo Großmutter Platz gefunden hatte für die Familie des Schneiders in ihrem bescheidenen Haus, wo sie ihre eigenen neun Kinder großzog!

Onkel Julius rief die Erinnerung an das Mitgefühl meiner Großmutter noch in weiteren Anekdoten wieder wach, die ich alle als Kind gehört hatte. Dann fragte er, „Deine Mutter hat dir sicher von Jesus erzählt."

„Von wem?"
„Jesus."
„Nein, sie hat mir nie von Jesus erzählt."

Die Geschichte über Jesus war das letzte kostbare Geschenk, daß ich von meinem Onkel erhielt, bevor er starb. Es ist eine wahre Begebenheit aus einer Zeit, als ein Mann an Großmutters rückwärtiger Tür anklopfte und um etwas zu essen bat. Das war nicht ungewöhnlich. Auch wenn meine Großmutter sehr arm war, wußte die ganze Nachbarschaft, daß sie jedem, der an ihre Tür kam, etwas zu essen gab. Der Mann hatte einen Bart und wirres, schwarzes Haar; seine Kleider waren abgerissen und um den Hals trug er ein Kreuz aus Zweigen, zusammengebunden mit einer Schnur. Meine Großmutter lud ihn in ihre Küche ein, um etwas zu essen, und während er aß, fragte sie ihn nach seinem Namen.

„Mein Name ist Jesus", erwiderte er.
„Haben Sie auch einen Nachnamen?" bohrte sie weiter.
„Ich bin Jesus, der Herr." (Meine Großmutter beherrschte die englische Sprache nicht allzu gut. Ein anderer Onkel, Isidor, erzählte mir später, daß er in die Küche kam, während der Mann noch am Essen war und Großmutter den Fremden als „Herr Derherr" vorgestellt hatte.)

Während er weiter aß, fragte ihn meine Großmutter, wo er wohnte.

„Ich habe kein Zuhause."
„Ja, aber wo bleiben Sie dann heute nacht? Es ist kalt."
„Ich weiß es nicht."
„Möchten Sie gerne hierbleiben?" bot sie an.

Er blieb sieben Jahre lang.

Was die Gewaltfreie Kommunikation angeht, war meine Großmutter ein Naturtalent. Sie überlegte nicht, was der Mann „war". Hätte sie es getan, hätte sie diesen Mann möglicherweise als verrückt verurteilt und ihn weggeschickt. Nein, sie dachte in Begriffen von dem, was Menschen fühlen und was sie brauchen. Wenn sie Hunger haben, gib ihnen etwas zu essen. Wenn sie kein Dach über dem Kopf haben, gib ihnen einen Platz zum Schlafen.

Meine Großmutter tanzte sehr gerne, und meine Mutter erinnert sich daran, daß sie oft sagte: „Laufe nie, wenn du tanzen kannst." Und so beende ich dieses Buch über eine Sprache der Einfühlsamkeit mit einem Lied über meine Großmutter, die die Sprache der Gewaltfreien Kommunikation sprach und lebte.

Eines Tages kam ein Mann namens Jesus
an die Tür meiner Großmutter.
Er bat um ein bißchen was zu essen,
sie gab ihm ein bißchen mehr.
Er sagte, er sei Jesus, der Herr;
sie überprüfte es nicht in Rom.
Er blieb mehrere Jahre,
so wie manch andere, die kein Zuhause hatten.
Es war ihre jüdische Art
wie sie mich lehrte, was Jesus zu sagen hatte.
In dieser kostbaren Art
lehrte sie mich, was Jesus zu sagen hatte.
Und das ist folgendes:
„Gib den Hungrigen zu essen, heile die Kranken,
dann ruhe dich aus.
Laufe nie, wenn du tanzen kannst;
Mache aus deinem Heim ein gemütliches Nest."
Es war ihre jüdische Art,
wie sie mich lehrte, was Jesus zu sagen hatte.
In dieser kostbaren Art
lehrte sie mich, was Jesus zu sagen hatte.

Wie Sie den GFK-Prozeß anwenden können

| Ehrlich ausdrücken, wie *ich* bin, ohne zu beschuldigen oder zu kritisieren. | Empathisch aufnehmen, wie *du* bist, ohne Beschuldigungen oder Kritik zu hören. |

Beobachtungen

1. Was ich beobachte (sehe, höre, an was ich mich erinnere, was ich mir vorstelle, frei von meinen Bewertungen), das zu meinem Wohlbefinden beiträgt oder nicht:
   „Wenn ich sehe, höre ... "

1. Was du beobachtest (siehst, hörst, an was du dich erinnerst, was du dir vorstellst, frei von deinen Bewertungen), das zu deinem Wohlbefinden beiträgt oder nicht:
   „Wenn du siehst / hörst ... "
   (Wird beim Anbieten von Empathie manchmal weggelassen.)

Gefühle

2. Wie ich mich fühle (Emotionen oder Empfindungen, statt Gedanken) in Beziehung zu dem, was ich beobachte:
   „Ich fühle ... "

2. Wie du dich fühlst (Emotionen oder Empfindungen, statt Gedanken) in Beziehung zu dem, was du beobachtest:
   „Du fühlst ... "

Bedürfnisse

3. Was ich brauche oder schätze (statt einer Präferenz oder einer spezifischen Handlung), das meine Gefühle verursacht:
   „... weil ich brauche / mir wichtig ist ... "

3. Was du brauchst oder schätzt (statt einer Präferenz oder einer spezifischen Handlung), das deine Gefühle verursacht:
   „... weil du brauchst / dir wichtig ist ... "

| Klar um etwas bitten, das mein Leben bereichern würde, ohne zu fordern | Empathisch aufnehmen, was dein Leben bereichern würde, ohne irgendeine Forderung zu hören. |

Bitten

4. Die konkreten Handlungen, von denen ich mir wünsche, daß sie in die Tat umgesetzt werden:
   „Wärest du bereit, zu ...? "
   „Und würdest du bitte ... "

4. Die konkreten Handlungen, von denen du dir wünschst, daß sie geschehen:
   „Würdest du gern ...? "
   (Wird beim Anbieten von Empathie manchmal weggelassen.)

© Marshall Rosenberg

Weitere Informationen über Marshall Rosenberg erhalten Sie im Center for Nonviolent Communication Tel: 001 818-957-9393 oder unter: www.cnvc.org im Internet.

Literatur

Alinsky, Saul D.: Rules for Radicals: A Practical Primer for Realistic Radicals. New York: Random House 1971
Becker, Ernest: The Birth and Death of Meaning. New York: Free Press 1971
Becker, Ernest: The Revolution in Psychiatry: The New Understanding of Man. New York: Free Press 1964
Benedict, Ruth: Synergy-Patterns of the Good Culture. *Psychology Today,* Juni 1970
Boserup, Anders; Mack, Andrew: War Without Weapons: Non-Violence in National Defence. New York: Schocken 1975
Bowles, Samuel; Gintis, Herbert: Schooling in Capitalist America: Educational Reform and the Contradictions of Economic Life. New York: Basic Books 1976
Buber, Martin: Ich und Du. Gütersloh: Gütersloher Verlagshaus 1997
Craig, James & Marguerite: Synergic Power. Berkeley: Proactive Press 1974
Dass, Ram: The Only Dance There Is. New York: Harper & Row 1974
Dass, Ram; Bush, Mirabai: Auf dem Weg zum Herzen. Spiritualität und praktische Nächstenliebe. München: Droemer 1993
Dass, Ram; Gormann Paul: Wie kann ich helfen? Segen und Prüfung mitmenschlicher Zuwendung. Berlin: Sadhana 1994
Domhoff, William G.: The Higher circles: the Governing Class in America. New York: Vintage Books 1971
Ellis, Albert: Grundlagen und Methoden der rational-emotiven Verhaltenstherapie. Stuttgart: Klett-Cotta 1997
Freire, Paulo: Pädagogik der Unterdrückten. Bildung als Praxis der Freiheit. Reinbek: Rowohlt 1973
Fromm, Erich: Die Furcht vor der Freiheit. München: dtv 1993
Fromm, Erich: Die Kunst des Liebens. München: dtv 1996
Gardner, Herb: A Thousand Clown, in: The Collected Plays. Applause Books 2000
Gendlin, Eugene T.: Focusing. Selbsthilfe bei der Lösung persönlicher Probleme. Reinbek: Rowohlt 2000
Glenn, Michael; Kunnes, Richard: Repression or Revolution. New York: Harper & Row 1973
Greenburg, Dan; Jacobs, Marcia: How to Make Yourself Miserable. New York: Vintage Books 1987
Harvey, O.J.: Conceptual Systems and Personality Organization. Harper & Row 1961
Hillesum, Etty: A Diary. Jonathan Cape 1983
Holt, John: How Children Fail. New York: Pitman 1964
Humphreys: Christmas, The Way of Action. Penguin 1960
Irwin, Robert: Nonviolent Social Defense. New York: Harper & Row 1962
Johnson, Wendell: Living With Change. New York: Harper & Row 1972
Katz, Michael: School Reform: Past and Presen. Boston: Little, Brown & Co. 1971
Kaufmann, Walter: Without Guilt and Justice. New York: Wyden 1973
Keen, Sam: To a Dancing God. New York: Harper & Row 1970
Keen, Sam: Hymns to an Unknown God: Awakening the Spirit in Everyday Life. New York: Bantam 1994
Kelly, George: Die Psychologie der persönlichen Konstrukte. Paderborn: Junfermann 1986
Kornfield, Jack: Geh den Weg des Herzens. Meditationen für den Alltag. München: Kösel 1997
Kozol, Jonathan: The Night Is Dark and I Am Far From Home. Boston: Houghton-Mifflin 1975

Kurtz, Ernest; Ketcham, Katherine: Die Spiritualität der Unvollkommenheit. In unseren Wunden wartet die Heilung. Freiburg: Lüchow 1998
Lyons, Gracie: Constructive Criticism. Oakland: IRT Press 1977
Mager, Robert: Preparing Instructional Objectives. Fearon 1962
Maslow, Abraham: Eupsychian Management. Dorsey Press 1965
Maslow, Abraham: Psychologie des Seins. Ein Entwurf. Frankfurt a.M.: Fischer 1994
McLaughlin, Corinne; Davidson, Gordon: Spiritual Politics: Changing the World from the Inside Out. New York: Ballantine 1994
Milgram, Stanley: Das Milgram-Experiment. Zur Gehorsamsbereitschaft gegenüber Autorität. Reinbek: Rowohlt 2000
Postman, Neil; Weingartner, Charles: Teaching as a Subversive Activity. Delacorte 1969
Postman, Neil; Weingartner, Charles: The soft Revolution. New York: Delta 1971
Powell, John: The Secret of Staying in Love. Niles: Argus 1974
Powell, John: Why am I Afraid to Tell You Who I am? Niles: Argus 1976
Putney, Snell: The Conquest of Society. Belmont: Wadsworth 1972
Robben, John: Coming to My Senses. New York: Thomas Crowell 1973
Rogers, Carl: Freedom to Learn. Merrill 1969
Rogers, Carl: On Personal Power. New York: Delacorte 1977
Rogers, Carl: Some Elements of Effective Interpersonal Communication. Vortragsmitschrift vom 9. November 1964, California Institute of Technology, Pasadena
Rosenberg, Marshall: Mutual Education: Toward Autonomy and Interdependence. Seattle: Special Child Publications 1972
Ryan, William: Blaming the Victim. New York: Vintage 1971
Scheff, Thomas: Labeling Madness. Englewood Cliffs: Prentice-Hall 1975
Schmookler, Andrew: Out of Weakness: Healing the Wounds that Drive Us to War. New York: Bantam 1988
Sharp, Gene: Social Power and Political Freedom. Boston: Porter Sargent 1980
Steiner, Claude: Wie man Lebenspläne verändert. Paderborn: Junfermann ^{10}2000
Szasz, Thomas: Ideology and Insanity. New York: Doubleday 1970
Tagore, Rabindranath: Sadhana. Der Weg zum wahren Leben. Freiburg: Hyperion 1996

Einige grundlegende Gefühle, die wir alle haben

Gefühle, die auftreten, wenn Bedürfnisse erfüllt sind:

angeregt, bewegt, dankbar, energiegeladen, erfreut, erfüllt, erleichtert, erstaunt, fasziniert, fröhlich, gerührt, hoffnungsvoll, inspiriert, optimistisch, stolz, vertrauensvoll, wohl, zuversichtlich

Gefühle, die auftreten, wenn Bedürfnisse nicht erfüllt sind:

bekümmert, besorgt, einsam, entmutigt, enttäuscht, frustriert, gereizt, hilflos, hoffnungslos, nervös, traurig, unbehaglich, ungeduldig, verärgert, verlegen, verwirrt, widerwillig, wütend

Grundlegende Bedürfnisse, die wir alle haben

Autonomie

- Träume / Ziele / Werte wählen
- Pläne für die Erfüllung der eigenen Träume / Ziele / Werte entwickeln

Feiern

- Die Entstehung des Lebens und die Erfüllung von Träumen feiern
- Verluste feierlich begehen: von geliebten Menschen, Träumen usw. (trauern)

Integrität

- Authentizität
- Kreativität
- Sinn
- Selbstwert

Interdependenz

- Akzeptieren
- Wertschätzung
- Nähe
- Gemeinschaft

- Rücksichtnahme
- zur Bereicherung des Lebens beitragen
- emotionale Sicherheit
- Empathie
- Ehrlichkeit (gemeint ist die Ehrlichkeit, die uns die Kraft gibt, aus unseren Schwächen zu lernen)
- Liebe
- Geborgenheit
- Respekt
- Unterstützung
- Vertrauen
- Verständnis
- Zugehörigkeit

Nähren der physischen Existenz

- Luft
- Nahrung
- Bewegung, Körpertraining
- Schutz vor lebensbedrohenden Lebensformen: Viren, Bakterien, Insekten, Raubtieren
- Ruhe
- Sexualleben
- Unterkunft
- Körperkontakt
- Wasser

Spiel

- Freude
- Lachen

Spirituelle Verbundenheit

- Schönheit
- Harmonie
- Inspiration
- Ordnung (im Sinn von Struktur/Klarheit)
- Frieden

Über das CNVC und die GFK

5600 San Francisco Road, Suite A,
Albuquerque, NM 87109, USA
eMail: cnvc@cnvc.org • Website: www.cnvc.org

Das **Center for Nonviolent Communication** ist eine weltweite Organisation, deren Vision eine Welt ist, in der die Bedürfnisse aller Menschen auf friedliche Weise erfüllt werden. Wir haben es uns zum Ziel gesetzt, zur Verwirklichung dieser Vision beizutragen, indem wir die Schaffung lebensbereichernder Systeme in uns selbst, im Umgang mit anderen Menschen und innerhalb von Organisationen fördern. Wir tun dies, indem wir den Prozeß der Gewaltfreien Kommunikation (*Nonviolent Communication* [NVC]) leben und lehren, der die Fähigkeit von Menschen stärkt, auf mitfühlende Weise Kontakt zu sich selbst und zu anderen Menschen herzustellen, Ressourcen miteinander zu teilen und Konflikte auf friedliche Weise zu lösen.

Das CNVC widmet sich der Förderung eines empathischen Umgangs miteinander, indem unsere gemeinsamen Bedürfnisse nach Autonomie, Feiern, Integrität, Interdependenz, physischem Lebenserhalt, Spiel und spiritueller Verbundenheit wertgeschätzt werden. Wir fühlen uns verpflichtet, auf jeder Ebene unserer Organisation und in allen unseren Interaktionen im Einklang mit dem Prozeß zu wirken, den wir lehren, einvernehmlich zu handeln, Konflikte mit Hilfe der GFK zu lösen und unsere Kolleginnen und Kollegen in der GFK auszubilden. Wir arbeiten häufig mit anderen Organisationen zusammen, um gemeinsam eine friedliche und gerechte Welt zu schaffen und deren ökologisches Gleichgewicht zu fördern.

Ziel, Aufgabe, Geschichte und Projekte

Was GFK ist

Die GFK ist ein hochwirksamer Prozeß, der Verbundenheit und mitfühlendes Handeln inspiriert. Die GFK liefert einen Rahmen für die Entwicklung von Fähigkeiten, die bei der Lösung menschlicher Probleme von Nutzen sind, angefangen von Problemen, die in engen persönlichen Beziehungen auftreten, bis hin zu weltweiten politischen Konflikten. Die GFK kann sowohl präventiv als auch zur Lösung bestehender Konflikte eingesetzt werden. Mit Hilfe der GFK richten wir unsere Aufmerksamkeit auf die Gefühle und Bedürfnisse, die wir alle haben, statt ein Denken im Sinne entmenschlichender Etikettierungen sowie entsprechende sprachliche Äußerungen zu perpetuieren – die leicht als fordernd und feindselig verstanden werden und zur Gewalt gegenüber uns selbst, anderen und der Welt um uns herum beitragen können. Die GFK ermöglicht Menschen, einen kreativen Dialog zu beginnen, um ihre eigenen, sie völlig zufriedenstellenden Lösungen zu finden.

Wie die GFK entstand

Marshall B. Rosenberg entwickelte den GFK-Prozeß im Jahre 1963 und hat ihn seither kontinuierlich verfeinert. Rosenberg lernte Gewalt schon sehr früh kennen und entwickelte das starke Bedürfnis, zu verstehen, was Menschen dazu bringt, gegen ihresgleichen Gewalt anzuwenden. Er begann zu erforschen, welche Art zu reden, zu denken und zu kommunizieren eine friedliche Alternative zur Gewalt sein könnte. Aufgrund seines Interesses promovierte er auf der Graduate School in klinischer Psychologie. Zunächst benutzte Rosenberg die GFK in den 1960er Jahren im Rahmen innovativer Schulprojekte und bei seiner Arbeit in anderen öffentlichen Institutionen. Durch diese Tätigkeit kam Dr. Rosenberg mit Menschen in vielen amerikanischen Städten in Kontakt, und sein Training fand bei einer großen Zahl von Interessenten/innen Anklang. Um diesen Bedarf abzudecken und den GFK-Prozeß effektiver verbreiten zu können, gründete er im Jahre 1984 das *Center for Nonviolent Communication* (CNVC). Seither hat er mehrere Bücher geschrieben und weitere Trainingsmaterialien entwickelt.

Seit vielen Jahren trägt das *Center for Nonviolent Communication* zur einer umfassenden gesellschaftlichen Transformation des Denkens, Sprechens und Handelns bei, indem es Menschen ermöglicht, auf mitfühlende Weise zueinander in Beziehung zu treten und dementsprechende Resultate zu erzielen. Die GFK wird heute von Dr. Rosenberg und einem Team von über hundert zertifizierten Trainern auf der ganzen Welt gelehrt. Hunderte engagierter freiwilliger Helfer unterstützen die Organisation von Workshops, nehmen an Übungsgruppen teil und koordinieren den Aufbau von Teams. Das Training unterstützt die Konfliktprävention und die Lösung bereits entstandener Konflikte in Schulen, Unternehmen, Gesundheitsinstitutionen, Gefängnissen, Gemeinschaften und Familien. Marshall Rosenberg und seine Partner haben die GFK in kriegsgeplagten Gebieten wie Sierra Leone, Sri Lanka, Ruanda, Burundi, Bosnien und Serbien, Kolumbien und dem Mittleren Osten bekannt gemacht.

Wir sind zur Zeit auf der Suche nach Sponsoren für Projekte in Nordamerika, Lateinamerika, Europa, Afrika, Südasien, Brasilien und dem Mittleren Osten. Stiftungsgelder haben es ermöglicht, innovative Lernprojekte zu verwirklichen, Ressourcen für Erzieher zu entwickeln und Projekte zu initiieren, die sich mit den Aufgaben von Eltern, sozialer Veränderung und der Arbeit in Gefängnissen in verschiedenen Regionen der Welt auseinandersetzen. Wir arbeiten mit anderen Organisationen zusammen, deren Mission mit der unseren im Einklang steht. Nähere Informationen über diese Projekte sowie über regionale Aktivitäten und andere Ressourcen bezüglich der GFK sind auf der CNVC-Website zu finden. Ihr Beitrag zur Unterstützung dieser Bemühungen ist stets willkommen und wird von uns sehr begrüßt.

Eine Liste zertifizierter CNVC-Trainer und wie man zu ihnen in Kontakt treten kann, ist ebenfalls auf der Website des Zentrums zu finden. Diese Liste wird monatlich aktualisiert. Die Website enthält auch Informationen über vom CNVC organisierte Trainings und Links, die zu den Websites regionaler Mitgliedsorganisationen führen. Das CNVC lädt Sie ein, GFK-Trainings in Ihrem Unternehmen, in Schulen, Kirchen und Gemeinden durchführen zu lassen. Wenn Sie über Trainings in Ihrer Region informiert werden wollen oder wenn Sie gern selbst ein GFK-Training organisieren möchten, können Sie sich auf der Mailing-Liste der CNVC eintragen. Und wenn Sie unsere Bemühungen, eine friedlichere Welt zu schaffen, in anderer Weise unterstützen wollen, dann nehmen Sie bitte ebenfalls Kontakt zum CNVC auf.

Über den Autor

Marshall B. Rosenberg, Ph. D., ist Begründer des *Center for Nonviolent Communication* (CNVC) und dort Leiter des Trainingsbereiches.

Dr. Rosenberg ist in einem brodelnden Viertel in Detroit aufgewachsen und entwickelte ein starkes Interesse an neuen Formen der Kommunikation als einer friedlichen Alternative zu der Gewalt, die er in seiner Jugend kennenlernte. Aufgrund seines Interesses promovierte er im Jahre 1961 an der University of Wisconsin zum Doktor der Psychologie. Weitere Lebenserfahrungen und sein Studium in vergleichender Religionswissenschaft brachten ihn dazu, den Ansatz der Gewaltfreien Kommunikation (GFK) zu entwickeln.

Dr. Rosenberg setzte die GFK zunächst in den sechziger Jahren in Projekten ein, die der Mediation und der Vermittlung von Kommunikationsfähigkeiten dienten. Sie wurden damals von der US-Regierung gefördert. 1984 gründete er das *Center for Nonviolent Communication* (CNVC). Seither hat sich das CNVC zu einer internationalen gemeinnützigen Organisation mit über hundert Trainer/innen entwickelt. Diese Mitarbeiter/innen bieten Trainings in dreißig Ländern in Nord- und Südamerika, Europa, Asien, dem Mittleren Osten und Afrika an, veranstalten Workshops für Lehrer/innen und Erzieher/innen, Berater/innen, Eltern, im Gesundheitswesen Tätige, Mediator/innen, Manager/innen, Gefängnisinsasse/innen, Strafvollzugsmitarbeiter/innen, Polizist/innen, Soldat/innen, Geistliche und Regierungsbeamte an.

Dr. Rosenberg hat Programme zur Förderung des Friedens in Kriegsgebieten wie Ruanda, Burundi, Nigeria, Malaysia, Indonesien, Sri Lanka, Sierra Leone, dem Mittleren Osten, Kolumbien, Serbien, Kroatien und Nordirland ins Leben gerufen. Auf Einladung der Unesco hat das CNVC-Team in Serbien Zehntausende von Schülern und Lehrern ausgebildet. Die israelische Regierung hat GFK offiziell anerkannt und bietet nun in Hunderten von Schulen entsprechende Trainings an.

Informationen über zertifizierte GFK-Trainer/innen

Eine ständig aktualisierte Liste aller zertifizierten GFK-Trainer/innen, Infos über Seminarveranstaltungen und vieles mehr finden Sie (in englischer Sprache) unter:

www.cnvc.org

Der Weg zu den Trainer/innen:
Gehen Sie von der Startseite aus auf den Menü-Punkt „Connect with us": Dann erhalten Sie eine Übersicht über alle Kontinente. Wenn Sie auf „in Europe„ klicken, erhalten Sie eine Übersicht über alle europäischen Länder, in denen es GFK-Kontakte gibt. Von hier aus haben Sie dann Zugang zu einer Liste mit Kontaktadressen in dem gewünschten Land.

Bei vielen Trainerinnen und Trainern finden sich auch Verlinkungen zu deren Website, so dass Sie sich von dort aus sofort über aktuelle Seminarangebote informieren können.

Sie können sich eine Trainer-Liste auch vom Center for Nonviolent Communication zuschicken lassen: 5600 San Francisco Road, Suite A, Albuquerque, NM 87109, USA; eMail: cnvc@cnvc.org.

Informationen über die Gewaltfreie Kommunikation im deutschsprachigen Raum und eine Liste aller zertifizierten GFK-Trainer/innen finden Sie ebenfalls unter **www.gewaltfrei.de**.

Zertifizierte GFK-Trainerinnen und -Trainer im deutschsprachigen Raum

Deutschland

BAD HOMBURG (bei Frankfurt/M.)	Serena Rust	Tel.: eMail: web:	06172 41526 look@serena-rust.de www.forum-gewaltfrei-frankfurt.de
BAD OEYNHAUSEN	Cornelia Timm	Tel.: eMail: web:	05731 793325 info@orca-institut.de www.orca-institut.de
BAD ÜBERKINGEN	Angelika Staffhorst	Tel.: eMail:	07331 824801 angelika@staffhorst.net
BERLIN	Vivet Alevi	Tel.: eMail: web:	030 32765188 info@gewaltfrei-alevi.de www.gewaltfrei-alevi.de www.siddetsiz-iletisim.com

	Klaus-Dieter Gens	Tel.: 030 66460527
		Fax: 030 66460537
		eMail: klaus@gens.de
		web: www.gewaltfrei.de
	Heike Laschinski	Tel.: 030 3240619
		eMail: Heike.Laschinski@gmx.de
		web: www.gewalt-frei.de
	Christian Peters	Tel.: 030 78954733
		Fax: 030 78954734
		eMail: peters@teamagentur.com
		web: www.teamagentur.com
	Ulrike Prasse-Schiefner	Tel.: 030 7952345
		eMail: mschiefner@t-online.de
		web: www.isl-seminare.de
	Gabriele Seils	Tel.: 030 38377676
		eMail: gabriele_seils@web.de
		web: www.gabriele-seils.de
	Adelheid Sieglin	Tel.: 030 78954733
		Fax: 030 78954734
		eMail: sieglin@teamagentur.com
		web: www.teamagentur.com
	Simone Thalheim	Tel.: 030 44042055
		eMail: simonethalheim@gmx.de
	Monika Wolke	Tel.: 030 86423694
		eMail: wolke.mo@web.de
BIELEFELD	Susanne Kalkowski	Tel.: 0521 9889049
		eMail: shoshan@t-online.de
BREMEN	Anja Kenzler	Tel.: 0421 5578899
		eMail: anjakenzler@a-k-demie.de
		web: www.a-k-demie.de
BONN/KÖLN	Ute Faber	eMail: faberute@gmx.de
		web: www.gewaltfrei-bonn.de
DARMSTADT	Irmtraud Kauschat	Tel.: 06151 1010275
		Fax: 06151 1010274
		eMail: irmtraudkauschat@yahoo.de
		web: www.tcm-praxis-dr-kauschat.de
GÖDENROTH	Christa Gronow	Tel.: 06762 1838
		eMail: christa.gronow@web.de
GÖTTINGEN	Gerhard Rothhaupt	Tel..: 0551 77997
		eMail: info@visionenundwege.de
		web: www.visionenundwege.de

HAMBURG	Simran K.B. Wester	Tel.: eMail:	040 4604756 simran.kaur@hamburg.de
HOFHEIM a.T. (bei Frankfurt/M.)	Beate Brüggemeier	Tel.: Fax: eMail: web:	06192 39369 06192 31093 info@beatebrueggemeier.de www.beatebrueggemeier.de
HOLZAPPEL (bei Limburg/Lahn)	Edith Sauerbier	Tel.: eMail: web:	06439 929533 edith.sauerbier@t-online.de www.mediation-und-kommunikation.de
KARLSRUHE	Silvia Richter-Kaupp	Tel.: Fax: eMail: web:	0721 9374810 0721 9374811 silvia@richter-kaupp.de www.richter-kaupp.de
	Klaus-Peter Kilmer-Kirsch	Tel.: Fax: eMail: web:	05605 800770 05605 800740 klaus-peter@kilmer.de www.gewaltfrei-niederkaufungen.de
KASSEL	Dr. Barbara Köhler	Tel.: eMail: web:	0561 4009940 info@achtsame-sprache.de www.gewaltfrei-kassel.de
KAUFERING (bei München)	Marianne & Markus Sikor	Tel.: Fax: eMail: eMail: web:	08191 9707460 08191 9707461 info@institut-sikor.de marianne.sikor@institut-sikor.de www.institut-sikor.de
KAUFUNGEN (bei Kassel)	Monika Flörchinger	Tel.: Fax: eMail: web:	05605 80070 05605 800740 info@gewaltfrei-niederkaufungen.de www.gewaltfrei-niederkaufungen.de
KÖNIGSDORF	Susanne Kraft, geb. Zanker	Tel.: eMail: web:	08179 998088 susanne@ambula.de ambula.de
KÖNIGSWINTER/ RHEIN	Monika Oboth	Tel.: Fax: eMail: web:	02223 278618 02223 278619 oboth@bmc-germany.de bmc-germany.de

LAUFERSWEILER	Christa Buschbaum	Tel.: eMail:	06543 4515 christabuschbaum@gmx.de
	Karla Quint	Tel.: eMail:	06543 81 84 60 Karla.Quint@t-online.de
LORSCH	Nicole Leipert-Knaup	Tel.: eMail: web.:	06251 56729 info@lebendig.com www.lebendig.com
MÖRLENBACH (bei Heidelberg)	Rita Geimer-Schererz	Tel.: Fax: eMail: web:	06209 712216 06209 712218 geimer@dialog-forum.com www.dialog-forum.com
MÜNCHEN	Frank Gaschler	Tel.: eMail: web:	08131 505856 frank@giraffentraum.de www.giraffentraum.de
	Gundi Gaschler	Tel.: eMail: web:	08131 505856 gundi@giraffentraum.de www.giraffentraum.de
	Esther Angela Gerdts	Tel.: Fax: eMail: web:	089 89042313 089 89042314 esthergerdts@aol.com www.streitlight.de
	Gudrun Haas	Tel.: eMail: web:	08131 271248 gudrun_haas@t-online.de www.gudrun-haas.de
	Günter Herold	Tel.: Fax: eMail:	089 82070285 089 41870238 dialog@heroldg.de
	Ingrid Holler	Tel.: Fax: eMail: web:	089 6515502 089 6515507 info@lets-train.de www.lets-train.de
	Isolde Teschner	Tel.: Fax: eMail: web:	089 980649 089 980649 TESCHMUE@aol.com www.gewaltfrei-muenchen.de
NEUNKIRCHEN a.Br. (bei Erlangen)	Angela Dietz	Tel.: eMail: web:	09134 906717 dietz.neunkirchen@t-online.de www.menschlich-erfolgreich.de

NÜRNBERG	**Marianne Berkey**	Tel.: Fax: eMail: web:	0911 4088407 0911 4088407 mb@marianne-berkey.de www.marianne-berkey.de
	Gabriele Lindeman	Tel.: eMail: web:	0911 599748 lindemann@menschenundziele.de www.menschen-und-ziele.de
SAUERLACH (bei München)	**Andreas Basu**	Tel.: eMail:	08104 888641 (bei München) andreas.basu@gmx.de
STARNBERG (bei München)	**Klaus Karstädt**	Tel.: Fax: eMail: web:	08151 972188 08151 972189 kontakt@k-training.de www.k-training.de
STEINHEIM/ WESTFALEN	**Sabine & Wolfgang Hager**	Tel.: Fax: eMail: web:	05233 6088 05233 6091 hager@hws-kunststoffe.de www.gewaltfrei- kommunizieren.de
STEYERBERG	**Christoph Hatlapa**	Tel.: eMail: web:	05764 2385 christoph.hatlapa@gewaltfrei- steyerberg.de www.gewaltfrei-steyerberg.de
	Katharina Sander	Tel.: Fax: eMail: web:	05764 1206 05764 2578 mediation@t-online.de www.gewaltfrei-steyerberg.de
	Armin Torbecke	Tel.: eMail:	05764 941065 a.torbecke@jpberlin.de
STUTTGART/ REUTLINGEN	**Annette Keimburg**	Tel.: eMail:	0711 8264108 Annette@Keimburg.de
	Monika Schäpe	Tel.: eMail: web:	07121 580278 info@gewaltfrei-reutlingen.de www.gewaltfrei-reutlingen.de
	Jos Schick	Tel.: Fax: eMail: web:	0711 581285 0711 4154977 info@gewaltfrei-stuttgart.de www.gewaltfrei-stuttgart.de
	Doris Schwab	Tel.: eMail:	0711 5406619 DorisSchwab@web.de

Österreich

WIEN Deborah Bellamy Tel.: 0043 1 5814751
                         eMail: deborahb58@yahoo.com
                         web: www.gewaltfrei-debnpia.org
                         web: www.gewaltfrei-austria.org

  Christian Ruether Tel.: 0043 1 9904887
                     eMail: chrisruether@chello.at
                     web: www.gfk-training.com

Schweiz

BASEL Verena Jegher eMail: verena.jegher@tele2.ch

CHUR Marianne Känel Möckli Fax: 0041 81 2507532
                                 eMail: mkm@spin.ch

CRISSIER Angela Boss Tel.: 0041 21 6351877

DIETIKON (bei Zürich) Johanna Sütterlin-Blättler Tel.: 0041 44 7413447
                                                      Fax: 0041 44 7413486
                                                      eMail: johanna.suetterlin@gmx.ch
                                                      web: www.empathicum.ch

EINSIEDELN Simone Anliker Tel.: 0041 41 555343648
                                eMail: sb.anliker@swissonline.ch
                                web: www.compassion-voice.ch

GENF Laurence Reichler eMail: laurence.reichler@bluewin.ch

KÜSNACHT Vera Heim Tel.: 044 500 99 00
                        Fax: 044 500 99 01 (bei Zürich)
                        eMail: vera.heim@tcco.ch
                        web: www.thecoachingcompany.ch

HÜNIBACH Martin Rausch Tel.: 0041 33 243 55 05
                             Fax: 0041 62 9238190
                             eMail: martin.rausch@hrcomm.ch
                             web: www.hrcomm.ch

SOLOTHURN Michael Dillo Tel.: 0041 32 6215467
                              eMail: mdillo@swissonline.ch

TANN-DÜRNTEN (bei Zürich) Regula Langemann Tel.: 0041 55 2409910
                                                 Fax: 0041 55 240991
                                                 eMail: info@metapuls.ch
                                                 web: www.metapuls.ch

	Suna Yamaner	Tel.:	0041 55 2409910
		Fax:	0041 55 2409917
		eMail:	info@metapuls.ch
		web:	www.metapuls.ch
ZÜRICH	Maryam Bien	Tel.:	0041 44 3819204
		eMail:	Maryam.bien@bluewin.ch
	Gerlinde Ladera	Tel.:	0041 44 201 26 00
		Mobil:	0041 79 216 71 94
		eMail:	gl@ladera.ch
		web:	www.ladera.ch

Diese laufend aktualisiete Liste der Trainer/innen sowie Informationen über eminartermine mit Marshall Rosenberg und den anderen Trainer/innen im deutschsprachigen Raum und vieles mehr finden Sie unter:

www.gewaltfrei.de

Hier können Sie auch GFK-Bücher und andere Materialien in deutscher und englischer Sprache beziehen.

Kommentare zur Gewaltfreien Kommunikation:

„Gewaltfreie Kommunikation ist eine einfache und doch sehr machtvolle Methodenvielfalt, mit der man so kommunizieren kann, daß die Bedürfnisse beider Parteien erfüllt werden. Das ist eines der nützlichsten Bücher, die Sie jemals lesen werden." – *William Ury*

„Marshall Rosenbergs Buch *Gewaltfreie Kommunikation – eine Sprache des Lebens* ist für alle, die ihr kommunikativen Fähigkeiten verbessern möchten, elementar wichtig. Die praktische Umsetzung der im Buch vorgeschlagenen Konzepte wird Ihnen dabei helfen, in Ihren Gesprächen und Auseinandersetzungen mit anderen liebevoller, einfühlsamer und gewaltfrei zu sein und so Einfühlsamkeit stärker in die Welt zu tragen. Ich empfehle dieses Buch sehr." – *Marianne Williamson*, Präsidentin der „Global Renaissance Alliance"

„Der außergewöhnliche Sprachgebrauch der Gewaltfreien Kommunikation verändert die Art und Weise, wie Eltern sich auf ihre Kinder beziehen, LehrerInnen auf SchülerInnen und wie wir alle miteinander und sogar mit uns selbst umgehen. Er ist präzise, diszipliniert und außerordentlich einfühlsam. Besonders wichtig ist folgendes: Sobald wir uns mit der GFK beschäftigen, können wir die Veränderungschancen, die in jeder schwierigen Beziehung liegen, nicht mehr ignorieren – wenn wir nur daran denken, bewußt und einfühlsam zu kommunizieren." – *Bernie Glassmann*, Präsident und Mitbegründer der „Peacemaker Community"

„Gewaltfreie Kommunikation ist ein machtvolles Instrument für Frieden und Partnerschaft. Sie zeigt uns, wie wir empathisch zuhören können und wie wir unsere echten Gefühle und Bedürfnisse ausdrücken. Marshall Rosenberg hat auf geniale Weise praktische Fähigkeiten entwickelt, die er auch lebt und lehrt. Sie werden dringend benötigt, um eine weniger gewalttätige Welt zu schaffen, in der die Menschen sich mehr umeinander kümmern." – *Riane Eisler*

„Wir haben gelernt zu sprechen, aber wir haben nicht gelernt zu kommunizieren. Das hat zu soviel unnötigem persönlichem und gesellschaftlichem Elend geführt. In diesem Buch finden Sie einen erstaunlich wirkungsvollen Sprachgebrauch, um auszudrücken, was Sie in Ihren Gedanken und in Ihrem Herzen bewegt. Auf den ersten Blick ist es simpel, in der Hitze des Gefechts jedoch herausfordernd und in seinen Ergebnissen stark." – *Vicki Robin*

„Marshall Rosenberg gibt uns äußerst effektive Werkzeuge an die Hand, mit denen wir Gesundheit und Beziehungen stärken können. Die Gewaltfreie Kommunikation verbindet Seele mit Seele und läßt viel Heilung geschehen. Es ist das fehlende Element in unseren Handlungen." – *Deepak Chopra*

„Ich bin der Überzeugung, daß die Prinzipien und Techniken in diesem Buch die Welt buchstäblich verändern können. Und was noch wichtiger ist, sie können die Qualität des Lebens mit Ihrem Partner verändern, mit Ihrer Partnerin, Ihren Kindern, Ihren NachbarInnen, Ihren MitarbeiterInnen und mit jedem Menschen, dem Sie begegnen. Dieses Buch kann ich gar nicht genug empfehlen." – *Jack Canfield*

„Marshall Rosenbergs dynamische Kommunikationstechniken wandeln potentielle Konflikte in friedliche Gespräche um. Sie lernen einfache Techniken, um Streit aufzulösen und einfühlsame Verbindungen mit Ihrer Familie, Freunden oder anderen Menschen zu entwickeln. Ich empfehle dieses Buch sehr." – *John Gray*

„Rosenberg beginnt mit der Frage: Wie kommt es, daß wir von unserer Einfühlsamkeit abgetrennt werden und uns dann gewalttätig verhalten und explodieren? Rosenberg gibt dazu einige herausfordernde Kommentare ab: Er sagt, daß Komplimente und Entschuldigungen Ausdruck eines unterdrückenden Systems sind, daß Belohnung genauso schädlich ist wie Bestrafung und daß man es sich mit einem Mord zu leicht macht. Seine Unterscheidung zwischen bestrafender und beschützender Macht – und wie man feststellt, ob Machtanwendung überhaupt notwendig ist – sollte von allen PolitikerInnen gelesen werden. Da er absolute Verantwortlichkeit verlangt – und Verletzlichkeit – ist es kein Wunder, daß ihm die Massenmedien bisher nur wenig Beachtung geschenkt haben. Das Buch ist gut geschrieben und hat eine ansprechende Aufmachung – von daher gut verständlich und leicht zugänglich." – *D. Killian*

„Es klingt vermessen, unsere Welt verändern zu wollen. Die Gewaltfreie Kommunikation hilft uns jedoch bei der Befreiung von veralteten Gewaltmustern." – *Francis Lefkowitz*, „Body & Soul"

„Marshalls einzigartige Botschaft zeigt LehrerInnen leicht nachvollziehbare Schritte, mit denen sie friedlich kommunizieren und neue Wege in der Arbeit mit Kindern und Eltern beschreiten können." – *Barbara Moffitt*, Geschäftsführerin des nationalen Zentrums für Montessori-LehrerInnen

„Ich schätze es, wie gut die Gewaltfreie Kommunikation ein sehr komplexes und drängendes Thema auf einfache Weise zugänglich macht." – **Hal Doiron**, Leiter der Bürgerwehr in Columbine

„*Gewaltfreie Kommunikation* ist ein Meisterwerk. Im ganzen Land sprechen wir über Frieden. Dieses Buch geht weit über bloßes Reden hinaus .... es zeigt uns, wie wir Frieden lehren können." – Dr. **James E. Shaw**

„In unserem Zeitalter der unhöflichen Auseinandersetzungen und hinterhältigen Demagogie, Rassenhaß und ethnischer Intoleranz kommen die Grundsätze und praktischen Übungen, wie sie in der *Gewaltfreie Kommunikation* dargestellt werden, gerade zur rechten Zeit, und wir brauchen sie, um Konflikte friedlich zu lösen, im persönlichen und öffentlichen Leben, hier im Land und auch international." – Midwest Book Review

„*Gewaltfreie Kommunikation* ist voll mit Erzählungen von Mediationen in vielen unterschiedlichen Situationen: Familien, Unternehmen, Polizei und Mafia, Stammesfürsten in Ruanda, Israelis und Palästinenser. Der Autor beschreibt, wie es in unzähligen Konflikten gelungen ist, eine einfühlsame Verbindung herzustellen, sobald die ‚FeindInnen' in der Lage waren, die Bedürfnisse der Gegenseite aufzunehmen. Das führte auch zu neuen Wegen aus zuvor ‚ausweglosen' Sackgassen. Er macht seine Vorstellungen in einem leicht lesbaren Buch klar und einfach zugänglich und erklärt so sein Kommunikationsmodell. Wenn Sie lernen möchten, wie man sich darin geübt ausdrückt, dann empfehle ich Ihnen dieses Buch." – **Diana Lion**, Buddhistische Friedensgemeinschaft, „Turning Wheel Magazine"

„Allen, die ihre Beziehungen verbessern möchten oder die den Zusammenhang zwischen Sprachgebrauch und Gewalt näher kennenlernen wollen, empfehle ich dringend das Buch *Gewaltfreie Kommunikation*." – **Kate Lin**, „The New Times"

„Wir haben immer wieder traumatische Situationen durchlebt – Augenblicke der Angst und Panik, der Unbegreiflichkeit, Frustration, Enttäuschung und Ungerechtigkeiten aller Art, ohne Hoffnung auf Entkommen – was es noch schlimmer gemacht hat. Diejenigen von uns, die an Marshall Rosenbergs Training teilgenommen haben, empfinden den tiefen Wunsch, diese Gewaltfreie Kommunikation als eine Möglichkeit in sich aufzunehmen, um den endlosen Konflikt in Ruanda zu befrieden." – **Theodore Nyilidandi**, Außenminister von Ruanda

„Für alle, die den ermüdenden Teufelskreis von Streitereien in ihren Beziehungen durchbrechen möchten ist dieses Buch absolut wichtig. Marshall Rosenberg bietet jahrhundertealtem, gewalterzeugendem Denken und Sprachgebrauch eine radikale Herausforderung. Wenn jetzt genügend Menschen die Gewaltfreie Kommunikation lernen, dann können wir schon bald in einer friedlicheren, einfühlsameren Welt leben." – **Wes Taylor**, „Progressive Health"

„Angesichts der immer zahlreicher werdenden Familien, die nicht funktionieren, und dem Anwachsen von Gewalt an unseren Schulen ist die Gewaltfreie Kommunikation ein Geschenk Gottes." – **Linda C. Stoehr**, „Los Colinas Business News"

„Mir war klargeworden, daß mein alter Kommunikationsstil sehr verurteilend war und ich immer nach Fehlern gesucht habe. Meine KollegInnen und ich, wir waren alle unglücklich. Durch das Anwenden der Gewaltfreien Kommunikation hat sich mein Leben deutlich verändert. Auch wenn ich viel zu tun habe, bin ich jetzt stabiler und entspannter. Ich habe nicht mehr den Wunsch, Fehler aufzudecken oder Vorwürfe zu verteilen. Allen macht die Zusammenarbeit mit mir Freude – zum ersten Mal nach 33 Jahren als selbständiger Unternehmer." – *Ein Unternehmer aus Kalifornien*

„Ich wende diese Grundsätze auf mein Leben an und praktiziere den leichten Vier-Schritte-Prozeß. Das hilft mir, alte eingegrabene Glaubens- und Verhaltensmuster zu verändern. Gewaltfreie Kommunikation erlaubt mir, meine vergiftenden Konditionierungen zu überwinden. So kann ich die liebende Mutter und den liebevollen Menschen wiederentdecken, die in mir eingesperrt waren." – *Eine Krankenschwester aus Kalifornien*

„Da ich beruflich mit Literatur zu tun habe, habe ich viele Bücher gelesen, die sich mit fast allen Themen in diesem Buch beschäftigen. Aber heute bestelle ich mehrere Exemplare von diesem Buch, speziell für die Teenager die ich kenne. Dieses Buch lebt, was es lehrt, und ich finde die Schritt-für-Schritt-Herangehensweise sowie die klaren Übungen und Beispiele leicht umzusetzen." – *Ein Leser aus Maryland*

„Ich habe noch nie ein so klares, aufrichtiges, einsichtiges Buch über Kommunikation gelesen. Nachdem ich bereits seit den 70er Jahren Selbstbehauptung lehre, ist dieses Buch wie frische Luft. Rosenberg bettet seine brillanten Einsichten in den Zusammenhang zwischen Gefühlen und Bedürfnissen und

Selbstverantwortung ein. Damit schafft er ein wirkungsvolles Werkzeug. Erstaunlich einfach zu lesen, mit tollen Beispielen und in der praktischen Umsetzung eine echte Herausforderung – dieses Buch ist für uns alle ein wahres Geschenk." – *Eine Leserin aus Washington*

„Der härteste und gefährlichste Gegner, dem ich je gegenüberstand – der mich am meisten verletzt und mir 30 Jahre hinter Gittern eingebracht hat –, waren meine eigene Wut und meine Angst. Diese Worte schreibe ich jetzt als alter Mann mit grauen Haaren und hoffe bei Gott – bevor Ihr das durchmacht, was ich durchgemacht habe –, daß sie Euch zum Zuhören bringen und daß Ihr die Gewaltfreie Kommunikation lernt. Sie wird Euch zeigen, wie Ihr Wut erkennen könnt, bevor sie zur Gewalt wird, und wie Ihr den Zorn, der manchmal in Euch ist, verstehen, mit ihm umgehen und ihn kontrollieren könnt." – *Ein Gefängnisinsasse,* der anderen Mitgefangenen schreibt

„Mir als Lehrerin ermöglicht die Gewaltfreie Kommunikation eine bessere Beziehung zu anderen Menschen. Kinder reagieren mit Liebe und Bereitschaft auf diese tiefe Veränderung. Eltern sagen mir, daß sie den Eindruck haben, sie werden gehört. Lösungen entstehen einfacher und natürlicher. Konflikte und Mißverständnisse mit KollegInnen wandeln sich jetzt in Chancen für eine reichere Beziehung. Wut, Depression, Scham und Schuld werden zu Freunden, die mir helfen, vitale Bedürfnisse zu erkennen, die zu kurz kommen. Lesen Sie dieses Buch!" – *Eine Lehrerin aus Oregon*

„Ich hatte mit meinem Mann bereits eine gute Beziehung, und sie ist sogar noch besser geworden. Ich habe diese Methode vielen Eltern beigebracht, die mir dann berichtet haben, daß sie ein tieferes Verständnis für ihre Kinder gewonnen haben. Dadurch hat sich ihre Beziehung verbessert und Anspannung und Konflikte haben nachgelassen." – *Eine Leserin aus Illinois*

Personen- und Sachwortregister

A

Aber	138
Absicht	203ff
Abwehr	208
Achtsamkeit	15, 27
Adoptionen	29
AIDS	28
Akzeptanz	75
Analysen	165, 169
Anerkennung	203ff
Anerkennung, Hunger nach	207ff
Angriffe	23, 89, 120
Angst vor Strafe	183
Angst	24, 59, 79, 140, 144, 168, 171, 182, 206
Anspannung	123
Antwort, ehrliche	96
Arendt, H.	38
Ärger	69, 163ff
Aufmerksamkeit	113, 116, 118, 123f, 136, 168
Aufmerksamkeit, einfühlsame	22
Aufrichtigkeit	94, 121
Ausdrucksweise, vage	92
Auseinandersetzung	174
Auslassungen	95
Auslöser	69, 81, 163ff
Aussagen	118f
Aussagen, emotionale	120
Äußerungen, negative	69f
Äußerungen, rassistische	173
Autonomie	185
Autoritätspersonen	102f

B

Bebermeyer, R.	22, 18, 45, 89
Becker, E.	191
Bedürfniserfüllung	169
Bedürfnisse	25, 42, 63f, 70, 76, 79, 94, 102, 115f, 121, 136, 143, 165, 172, 194, 172, 194, 204
Bedürfnisse, Ausdruck der	36
Bedürfnisse, unerfüllte	166, 174
Befreiung, emotionale	78ff
Behandlung, faire	90
Behauptungen	95
Belehrungen	114
Belohnung	184
Beobachtungen	25, 45f, 48f, 191
Bernanos, G.	40
Berührung	143
Beschwerden	90
Bestätigung	121, 165
Bestrafung	165
Bethlehem	30
Bewertungen	45f, 49, 191
Bewußtsein	139, 165
Beziehung, authentische	195
Beziehung, Qualität der	102
Beziehungen, professionelle	198
Bitten	25, 89, 99ff, 102
Botschaften	95, 105, 121
Botschaften, entfremdende	192
Brainstorming	188
Buber, M.	113, 194f
Bürgerinitiativen	97
Bürokraten	167

C, D

Campbell, J.	121
Chaos	185
College	122 134
de Chardin, T.	189
Demut, falsche	206
Denken, klinisches	197
Depressionen	192
Detroit	214
Diagnosen	103, 115, 194
Dialog	181, 192
Diskrepanzen	95
Diskriminierung	163
Diskussionen, endlose	97
Diskussionen, fruchtlose	98
Distanz, klinische	195
Drogen	138

E

Ehrlichkeit	97
Eichmann, A.	38
Eigenverantwortung	40, 72

Einfühlung	123, 141	Gewalt, potentielle	136
Einfühlungsvermögen	23, 27	Gewaltaspekte der Sprache	15
Einschüchterungsstrategie	169	Gewaltfreie Kommunikation,	
Eltern	143f, 182	Prozeß	25, 213
Empathie	30, 113ff, 133ff,	Gewaltfreiheit	22
	171ff, 181, 184,	Gewalttätigkeit	90
	194, 198, 205	Gewohnheiten, alte	49
Emathie, Kraft der	144	Glaubensmuster	76
Empathiefähigkeit	124f	Glück	121
Empfangskanäle	113	Grausamkeit	40
Endlosmonologe	140	*Greenberg, D.*	37f
Energien, lebensbejahende	166	Gruppen	97f, 105, 163
Entmutigung	172	*Hammarskjöld, D.*	124
Enttäuschung	71	Handlungssprache, klare	191
Entwicklung, ethische	185	Handlungssprache, positive	89ff, 105
Epictetus	67	*Harvey, O.J.*	37
Erfahrungen	172	Hautfarbe	21
Ermutigung	144	Hierarchie	198
Erwartungen	71	*Hillesum. E.*	21

F

Fähigkeiten	113	Ich-Du-Beziehung	195
Familie	77, 115	Institution,	
Feedback	140	hierarchisch strukturierte	134
Fehlverhalten	35	Integrität	74
Feindbilder	15	Intelligenz	48
Forderungen	94, 99ff, 102ff	Interpretationen	73, 194ff
Formulierungen, abstrakte	91	Irritation	71
Fragen	118	*Irwin, R.*	181
Frustration	94(	Israel	31, 73f, 206
		Johnson, W.	45
		Juden	21, 171f

I, J

G, H

K

Gandhi, M.	22		
Gedanken, gewalttätige	171	Kalter Krieg	37
Gedankenmuster	135, 211	*Keen, S.*	201
Gefängnis	164, 167	Kinder	72, 82, 124,
Gefühle	25, 42, 57ff, 70, 79, 94,		141, 182
	102, 115f, 121, 143,	Kinder, schwer erziehbare	166
	172, 194, 204	Kinderbetreuung	192
Gefühle, lebensbejahende	168	Kindheit	77
Gefühle, unterdrückte	57	Klarheit	93
Gefühlsintensität, hohe	125	Kommentar	171
Gefühlswortschatz	59ff	Kommunikation, effektive	191
Gefühlswurzeln	69, 73	Kommunikation, einfühlsame	41
Geschäftsführer	142	Kommunikation, innere	198
Gespräche, leerlaufende	140f	Kommunikation,	
Gesprächspartner	104, 123	lebensentfremdende	35, 41f
Gewalt	166ff		

Kommunikationsmuster	205
Komplimente	203
Konditionierung, gesellschaftliche	191
Konflikte	236
Konflikte, innere	191
Konfliktlösung	65, 183
Konfliktmanagement	15
Konfliktsituationen	15
Konfusion, innere	92
Konsequenzen	175ff, 183
Kontakt	75, 141
Kontakt, einfühlsamer	121, 133, 143
Kontakt, emotionaler	169
Kontakt, körperlicher	143
Kontrolle	164
Kopfschmerzen	193
Körper	122
Krankenhaus	144, 196
Krankenschwester	120, 126ff, 197
Krebs	126ff
Krishnamurti, J.	48
Kritik	45, 48, 73, 120, 135
Kultur	164
Kushner, H.	114

L, M

Lebensqualität	105, 115, 205
Lehrer	103, 136, 203
Liebe	78, 92
Lob	203
Macht	134, 181ff
Macht, beschützende	185ff
Macht, bestrafende	182ff
Machtausübung	41, 181, 183
Manipulation	135, 164
May, R.	57
Mcintire, R.	58
Mediation	15, 124
Meinungen, vorgefaßte	113
Meir, G.	206
Menschlichkeit	172
Mißverständnisse	95
Mitarbeiter	92
Mitgefühl	77, 102, 120, 182
Monster	138
Motive	121
Mozart, W.A.	38
Mut	141, 170

N, O, P

Nicht-Empathie	117
Normen, kulturelle	120
Nötigung	164
Offenheit	98f, 102
Opferhaltung	77, 192
Ordnung, Wunsch nach	185
Palästinenser	30, 73f, 206
Paraphrasieren	118ff
Partner	78
Patienten	196ff
Patient-Therapeut-Beziehung	196
Polizist	137
Powell, J.	208
Präsenz	113ff
Produktivität	203, 205
Prügelstrafe	181f, 187
Psychiater	197f
Psychologen	197
Psycho-Spielchen	96
Psychotherapeuten	114, 195

R

Rassenkrawall	21
Rassismus	97
Rassisten	90
Ratschläge	113f, 120
Reaktion	115
Reaktion, empathische	113, 124, 139
Reaktionsmöglichkeiten	69f, 165
Rebellion	98
Reflektion	122
Resonanz	98, 105, 142
Respekt	30, 138, 170, 183
Rogers, C.	17, 133, 194
Rollenspiel	29
Rückmeldung	97
Rückzug	23
Rumi	35

S

Säugling	124
Scham	24, 36
Schimpfwörter	57
Schläge	182f
Schmerz	76, 78, 124, 168, 173
Schmerzen, seelische	145
Schmookler, A.	37

Schocktherapie 143
Schuld 69, 79, 117, 169
Schuldgefühl 36, 71
Schuldzuweisungen 35, 101, 135, 164
Schule 136f, 159f, 203
Schüler 90f, 95, 103, 133, 136f, 185f
Schulleiter 90, 98, 184
Schweigen 142
Selbstbewußtsein 36
Selbstbilder 15
Selbst-Empathie 171
Selbstüberschätzung 206
Sich selbst erfüllende
  Prophezeiungen 58, 104
Sklaverei, emotionale 78ff
Sozialarbeiter 136
Sprache und Gewalt 37
Sprecher 98
Status 134
Stimme, innere 124, 192
Strafaktionen 230
Strafen 168, 183ff
Straßen-Gangs 124, 136
Streß 194
Studenten 134

T, U
Teammitglied 115
Tonfall 118
Trost 113
Überzeugung 165
Unbehagen 93
Ungerechtigkeit 141, 188
Unterdrückung 163
Unterricht 38ff, 103f, 186
Unterscheidung 164
Unterstützung 191
Unterwerfung 99
Unwissenheit 182
Unzufriedenheit 80
Ursachen 69, 81, 163ff
Urteile 73, 113, 169, 174, 194, 203
Urteile, moralische 36

V
Verallgemeinerungen 51, 45
Verantwortung 38f, 71, 79f, 116, 163

Verantwortungsgefühl 91
Vergleiche 37f
Verhalten 48, 136, 163ff, 176ff
Verhalten, Interpretation des 62
Verhaltensstörungen 27
Verhaltensweisen 173, 191
Verletzlichkeit 135
Verletzung 171, 188
Vermutungen 116
Verständnis 94, 97, 120, 123
Verstehen, respektvolles 113
Verteidigung 23
Verurteilungen 48, 101, 217
Verzweiflung 139
Vietnam-Krieg 89
Vorwürfe 101, 169, 173

W
Wachstum 195
Wahlmöglichkeiten 39f, 135
Wahnvorstellungen 182
Wahrnehmung 42
Weil, S. 113
Weinen 142
Welt, innere 193
Werte 71, 74
Wertschätzung 203ff
Werturteile 36
Widerstand 23, 76
Wiedergabe 95ff, 118f
Williamson, M. 206
Witz 138
Wohlbefinden 204
Wünsche 71, 80, 119, 139
Wurzeln, kulturelle 23
Wut 140, 211f, 171

Z
Zärtlichkeit 36
Zeit 173f
Ziele 74, 102
Zufriedenheit 122
Zugehörigkeit 170
Zuhörer 97, 99, 141
Zurückweisung 140
Zuwendung 183

Eine Auswahl an Arbeitsmaterial in deutscher Sprache sowie die Internationale Literatur können sie mit diesem Formular bestellen beim:

Zentrum Gewaltfreie Kommunikation Berlin e.V.

CONEX – books and more

c/o Klaus-Dieter Gens, Elfriede-Kuhr-Str. 37, 12355 Berlin,
Tel. 030 664 605 27   Fax 030 664 605 37
e-mail: conex@gewaltfrei.de   website: www.gewaltfrei-berlin.de

In unserem Online-Shop finden Sie das vollständige Angebot
mit Abbildungen und näheren Beschreibungen zu den einzelnen Materialien.

Deutschsprachiges Material

Anzahl

____ **Ärger** einfühlend hören und ausdrücken (Transcript, 40 S.)   3,80 €

____ **Intime Beziehungen** (Transcript, 36 S.)   3,80 €

____ Ein Abendworkshop **Einführung** (Transcript, 52 S.)   5,00 €

____ Eine **einfühlende Verbindung** herstellen (Vortrag, 16 S.)   1,80 €

____ **Kinder** einfühlsam erziehen (Vortrag, 24 S.)   3,80 €

____ Das **Interview** mit Marshall Rosenberg von Guy Spiro (14 S.)   1,30 €

____ Das **Giraffenklassenzimmer** von Nancy S. Green   12,50 €
      Ein Arbeitsbuch für Pädagogen (120 S.)

____ Die **Spirituelle Grundlage** der Gewaltfreien Kommunikation   2,00 €
→   (Interview, 12 S.) auch als **CD** verfügbar   ____ Set(s) **CD & Heft**   10,00 €

      Worte sind Fenster (Lehrerhefte - 3 Altersstufen)   je: 7,50 €
→   ____ Nr. 1   ____ Nr. 2   ____ Nr. 3   ____ Set(s)   Set: 20,00 €

____ **Entenmärchen** und Tipps zur Schakalbekämpfung (Erzählung f. Erw., 27 S.) 5,00 €

____ Der **Bürgermeister** von Schakalhausen (Erzählung f. Erw. & Kinder, 24 S.) 7,50 €

____ **Grundprinzipien** der Gewaltfreien Kommunikation (9 S.)   1,30 €

____ Das **Modell** der Gewaltfreien Kommunikation (16 S.)   2,00 €

____ **Quickcards**   (2 Karten mit einer Übersicht über die 4 Schritte   Set: 1,50 €
      und Gefühlen bei erfüllten / unerfüllten Bedürfnissen)

____ **Bitten-Karte** (2 Arten von Bitten / Motivation von Bitten)   1,00 €

____ **Postkarten – Set** (6 Postkarten)   Set: 3,50 €

____ **Anstecknadel „Giraffe" aus** Keramik   Stück: 8,50 €

____ **New Music CD** "Live Commpassionately"   15,00 €

Handpuppen ____ Giraffe   ____ Wolf (bitte Anzahl eintragen)   Stück: 20,00 €

Ohren   ____ Giraffe   ____ Wolf (bitte Anzahl eintragen)   Stück: 18,00 €

____ **Videos – Set** „Wege zu einer Sprache der Einfühlsamkeit"   Set: 70,00 €
      (Band 1- 4) Mitschnitt eines Workshops mit Dr. M. Rosenberg
      im Sommer 2002 in Frankfurt

____ Video „Worte sind Fenster - oder auch Mauern"   26,00 €
      Mitschnitt eines Vortrages mit Dr. M. Rosenberg im Sommer 2002 in Frankfurt

Englischsprachiges Material

____	**Nonviolent Communication** –A Language of Compassion 2nd Edition with an additional chapter on self-empathie, Book, (176 p.)	18,00 €
____	**Life-Enriching Education** by Dr. M.Rosenberg For educators and parents. Book (171 p.),	13,00 €
____	**Companion Workbook** by Lucy Leu A Practical Guide for Individual, Group or Classroom Study. (210 p.)	22,00 €
____	**The Compassionate Classroom** by Sura Hart & Victoria Kindle Hodson Includes playful exercises and skill-building activities and games, Book (188 p.)	18,00 €
____	**The Giraffe Classroom** - Where Teaching is a Pleasure and Learning is a Joy by Nancy Sokol Green, Spiral-bound (122 p.), 2nd edition 2001	17,00 €

Audiotapes, CD´s, Videos

____	**Introduction to Nonviolent** (audiotape)	10,00 €
____	**Communication, Connecting Compasionately** (audiotape)	10,00 €
____	**Expressing and Receiving Anger Compassionately** (audiotape)	10,00 €
____	**Nonviolent Communication for Educators** (audiotape)	10,00 €
____	**A Heart to Heart Talk** (audiotape)	10,00 €
____	**Creating a Life-Serving System Within oneself** (CD), Presentation at an IIT (Corona, 2000), 71 min.	15,00 €
____	**Experiencing Needs as a Gift** (CD) Presentation at an IIT (Corona, 2000), 66 min.	15,00 €
____	**Giraffe Fuel for Life** (CD) Presentation at an IIT (Corona, 2000), 73 min.	16,00 €
____	**Needs and Empathy** (CD) Presentation at an IIT (Corona, 2000), 52 min	16,00 €
____	**Intimitate Relationships** (CD) Presentation at an IIT (Corona, 2000), 73 min.	16,00 €
____	**Speaking Peace** (2 CDs), a presentation of NVC with songs, stories & examples, 2,5 h,	25,00 €
____	**Introducing NVC** - a new videotape suitable for introducing people to some key features of NVC:, 25 min., 2002	15,00 €
____	**Nonviolent Communication** - A Language of the Heart (video) An 85-minute introductory video from a workshop. 1998 (85 min)	20,00 €
____	**Resolving Conflicts with Children and Adults** (video) A two-hour videotape of an evening workshop, including songs, stories (2h)	35,00 €
____	**The Basics of Nonviolent Communication** (2 videos) An Introductory in 4 parts (3,5h)	55,00 €
____	**Making Life wonderful** (4 videos) An Intermediate Training in 8 Parts., (app. 7 h)	145,00 €

Name: _____

Straße: _____

Ort: _____

Tel.: _____ **e-mail:** _____

Ich zahle: ____ bar   ____ Scheck   ____ Rechnung

Datum / Unterschrift: _____

Bei Abnahme von jeweils 10 Stück (Sets) erhalten Sie 10% Rabatt.
Bitte kalkulieren Sie dazu die Portokosten (Brief 1,60 €, Päckchen 4,50 €).

It's simple ... but not easy

232 Seiten • € (D) 19,95 • ISBN 978-3-87387-538-8

INGRID HOLLER

»Trainingsbuch Gewaltfreie Kommunikation«

Ein Buch aus der Praxis für die Praxis, das mit humorvollen Beispielen die Gewaltfreie Kommunikation nach Marshall B. Rosenberg für den Alltag brauchbar macht.

Selbstlerner/innen können in leicht nachvollziehbaren Übungen das Handwerkszeug der Gewaltfreien Kommunikation trainieren. Trainer/innen und Übungsgruppen finden in diesem Buch eine Fülle motivierender, kommunikativer Übungen zu den wesentlichen Kommunikationsprozessen und -modellen der Gewaltfreien Kommunikation.

»Es gefällt mir sehr gut, wie Ingrid eine klare Struktur vorgibt und gleichzeitig Humor und spielerische Elemente in ihr Trainingsbuch integriert.« – Marshall B. Rosenberg

Ingrid Holler ist Certified Trainer von Rosenbergs Center for Nonviolent Communication und übersetzte sein Buch »Gewaltfreie Kommunikation«. Sie gibt Einführungs- und Ausbildungsseminare in GFK.

Das komplette Junfermann-Angebot rund um die Uhr – Schauen Sie rein!

Sie möchten mehr zu unseren aktuellen Titeln & Themen erfahren? Unsere Zeitschriften kennenlernen? Veranstaltungs- und Seminartermine nachlesen? In aktuellen Recherchen blättern?

Besuchen Sie uns im Internet!

www.junfermann.de